Le voyageur sans visage

CHEZ LE MÊME ÉDITEUR

Candace Flynt, *Péchés par omission*
William Irish, *Une étude en noir*
William Katz, *Violation de domicile*
Elmore Leonard, *Bandits !*
Dick Lochte, *Coup de chien*
John Maxim, *Temps morts*
A. E. Maxwell, *A chacun son paradis*
Ed McBain, *Manhattan Blues*
Ed McBain, *Poison*
T. J. Parker, *Un été d'enfer*
Lawrence Sanders, *l'Homme au divan noir*
Benjamin Schutz, *Eaux troubles*
Dorothy Uhnak, *Victimes*
Stuart Woods, *Au fond du lac*

John KATZENBACH

Le voyageur sans visage

PRESSES DE LA CITE
PARIS

Titre original :
The Traveler

Traduit de l'anglais par Philippe Rouard

ISBN 2-258-02145-6

I. Les causes de l'obsession de l'inspecteur Barren

1

Dans son rêve il y avait ce bateau qui dérivait là-bas, au loin, et qui soudain se rapprochait si vite qu'elle se retrouvait dessus, encerclée par les eaux. D'abord elle paniqua, chercha quelqu'un autour d'elle pour lui dire qu'elle ne savait pas nager. Mais à chaque fois qu'elle se retournait, sa position devenait plus précaire. L'embarcation se soulevait au gré des vagues, restait un instant suspendue sur une crête écumeuse et piquait de nouveau dans un creux sombre, l'envoyant valdinguer comme un tonneau désarrimé. Dans son rêve elle tendit la main vers quelque chose à quoi se retenir, mais quand elle put se rattraper au mât et l'étreignit de toutes ses forces, une sonnerie retentit, stridente et horrible, annonçant que le bateau sombrait. Déjà l'eau clapotait à ses pieds. « Réveille-toi ! Réveille-toi ! Sauve-toi ! » hurla-t-elle.

Elle eut un hoquet, s'éveilla en sursaut, brusquement dressée dans son lit, son bras droit jaillissant de sous le drap pour empoigner le cadre en bois du matelas, seule matière solide parmi les brumes effrayantes du rêve. Ce fut seulement à ce moment-là qu'elle réalisa que le téléphone sonnait.

Elle jura, se frotta les yeux, trouva l'appareil par terre au pied du lit. Elle décrocha et s'éclaircit la gorge.

— Allô ? Ici Mercedes Barren.

Elle n'avait pas eu le temps d'évaluer la situation. Elle vivait seule, sans enfants, sans mari, son père et sa mère avaient disparu depuis longtemps, et le fait que le téléphone sonnât au beau milieu de la nuit ne soulevait en elle aucune inquiétude particulière, comme il l'eût fait chez tant de gens peu habitués à des appels tardifs. Policier de métier, il lui arrivait d'être appelée en pleine nuit. Il n'y avait pas d'heure pour le crime. Aussi s'attendait-elle naturellement à ce que, pour une raison quelconque, on fît appel à sa compétence.

— Merce ? Tu es réveillée ?

— Oui, ça va. Qui est-ce ?

— Merce, c'est Robert Wills, de la Criminelle. Je...

Sa voix traîna. L'inspecteur Barren attendit.

— Qu'est-ce que je peux faire pour toi ? demanda-t-elle.

— Merce, je suis désolé d'avoir à t'apprendre...

Elle eut subitement la vision de Bob Wills assis à sa table dans les bureaux de la Criminelle. C'était un vaste espace, ouvert, froid, aux lumières crues dispensées par des néons allumés en permanence, aux armoires métalliques dont l'orange vif lui avait toujours paru souillé de toutes les horreurs échangées dans la banalité des aveux et des conversations.

— Quoi ?

Pendant un moment elle éprouva une montée d'adrénaline, une espèce de peur délicieuse, très différente de celle du cauchemar précédent. Puis, alors qu'à l'autre bout de la ligne Wills se taisait, une sensation de vide assiégea son ventre, aussitôt suivie d'une vague d'angoisse.

— Que se passe-t-il ? demanda-t-elle, consciente du changement de ton de sa voix.

— Merce, tu as bien une nièce...

— Oui, et alors ? Elle s'appelle Susan Lewis. Elle est étudiante. Que s'est-il passé ? Un accident ?

Et puis il lui revint abruptement à l'esprit que Bob Wills travaillait à la Criminelle. Et elle sut pourquoi son collègue l'appelait.

Mercedes Barren s'habilla rapidement et fila à travers la nuit de Miami à l'adresse qu'elle avait relevée d'une main qui lui avait semblé appartenir à une autre. Elle avait senti son cœur battre et vu sa main qui inscrivait sans trembler lettres et chiffres sur son bloc-notes. Elle avait entendu sa propre voix, égale et dure, qui ramassait toutes les informations possibles — noms des policiers en service, faits concernant le crime, indices et pistes éventuelles, témoignages. Elle insista, repoussa les réponses évasives de l'inspecteur Wills, tout en sachant qu'il n'était pas chargé de l'affaire mais qu'il possédait les informations dont elle avait besoin, consciente à chaque seconde qui passait de ce cri retenu, de cette envie animale de hurler sa douleur.

Non, il ne fallait pas qu'elle pense à sa nièce.

Quand elle se fut engagée sur la voie express qui coupe à travers le centre de la ville, brièvement aveuglée par les phares d'un semi-remorque qui l'avait croisée effroyablement près dans un mugissement de son klaxon, elle avait dû chasser la peur soudaine d'un accident, et un souvenir d'elle et de sa nièce lui était revenu, brutal et soudain comme un flash. Deux semaines plus tôt, elles avaient pris le soleil à la piscine de l'immeuble sur le front de mer où habitait Mercedes, et Susan avait vu la crosse du revolver de service saillir du sac de plage, incongru parmi les serviettes de bain, l'huile solaire, un frisbee et un bouquin de poche. Mercedes se rappelait le mot de sa nièce : « Moche », avait-elle dit de l'arme, un qualificatif que Mercedes avait trouvé parfaitement juste. Moche.

— Pourquoi le trimbales-tu toujours avec toi ?

— Parce que théoriquement je suis toujours en service. Si jamais j'étais témoin d'un délit, je devrais intervenir comme mon métier l'exige.

— Mais je pensais qu'après cette fusillade tu...

— C'est vrai. Pas après ce qui s'est passé. Je suis maintenant un inspecteur chevronné, et mon travail commence avec la découverte...

— D'un cadavre ?

— C'est ça, d'un cadavre.

Elles avaient ri.

— Ce serait drôle, avait dit Susan.

— Qu'est-ce qui serait drôle ?

— D'être arrêté par une femme policier en bikini.

Elles avaient ri de nouveau. Mercedes Barren avait regardé sa nièce se lever et plonger dans l'eau bleue de la piscine. Elle l'avait observée nager sans effort jusqu'au bout du bassin, virer souplement et revenir. Elle avait éprouvé une pointe de jalousie à l'égard de cette jeune vigueur, mais elle s'était aussitôt rassurée en se disant qu'elle était elle-même en parfaite condition physique.

Se soulevant légèrement des deux mains sur le rebord du bassin, sa nièce lui avait demandé :

— Merce, comment peux-tu habiter au bord de la mer et ne pas savoir nager ?

— Ça fait partie de mon mystère, avait-elle répondu.

— Je trouve ça plutôt idiot, avait dit Susan en se hissant hors de l'eau, son corps élancé ruisselant sous le soleil. Est-ce que je t'ai dit que j'optais pour l'océanographie à la rentrée ? Bientôt je saurai tout sur le monde du silence. Jacques Cousteau, me voilà !

— Je trouve que c'est une excellente idée, et puis tu as toujours adoré l'eau.

— Exact. J'espère toutefois que je ne finirai pas comme Jonas.

Elles avaient ri de nouveau.

Elle passait son temps à rire, songea Mercedes, et elle accéléra, filant sur le macadam éclaboussé par la lumière blanche des lampadaires, tandis que s'élevaient vers le ciel encore sombre les silhouettes géométriques des buildings. Une douleur soudaine la prit à la gorge, et elle porta désespérément toute son attention sur la route, tentant de chasser tout souvenir, toute pensée, s'efforçant de séparer la mémoire de Susan de ce crime vers le lieu duquel elle se hâtait.

Mercedes prit la route 1 et traversa une zone résidentielle. Il était tard, et l'aube ne tarderait plus à grisailler. Il y avait peu de circulation, et elle conduisait vite, emplie de ce sentiment d'urgence qu'accompagne toute mort violente, jetant au passage des regards aux luxueuses résidences, essayant d'imaginer qui dormait derrière ces façades sombres. De temps à autre elle repérait une fenêtre allumée, et elle se demandait quel livre, quelle émission de télé, quelle querelle ou quelle inquiétude tenait éveillé l'occupant. Elle ressentait un besoin presque compulsif de s'arrêter pour aller frapper à la porte de l'une de ces maisons et demander quel était le problème qui les empêchait de dormir. Un souvenir qui vous hante ? Laissez-moi vous aider.

Elle tourna dans Old Cutler Road. Elle n'était plus qu'à quelques centaines de mètres de l'entrée du parc. Les grands saules semblaient retenir la nuit dans leurs frondaisons, tendant leurs branches au-dessus de la route. Elle eut le sentiment étrange d'être seule au monde, l'unique survivante errant sans but au milieu d'une nuit sans fin. Elle distingua sans peine l'enseigne aux lettres passées à l'entrée du petit parc. Elle tressaillit quand un opossum traversa devant ses roues, freina brutalement et exhala un grand soupir en voyant que l'animal avait évité ses pneus. Elle abaissa sa glace, et l'air iodé pénétra dans la voiture.

Aux saules et aux palmiers géants succédaient maintenant à l'approche de la mer les branches tourmentées des palétuviers. La route tourna, et Mercedes sut qu'elle verrait Biscayne Bay, passé le virage.

Elle crut tout d'abord que c'était la lune qui scintillait sur les eaux de la baie.

Ce n'était pas la lune.

Elle arrêta la voiture et fixa la scène d'un regard aigu. D'abord elle perçut le grondement d'un puissant générateur alimentant trois rangées de projecteurs. La lumière délimitait une zone allant de la bordure du parking à la pénombre du reste du parc et à l'intérieur de laquelle s'affairaient une vingtaine de policiers en uniforme ou en civil. Des voitures de patrouille, une ambulance et un fourgon technique de la Criminelle étaient garés aux abords du halo, leurs gyrophares lançant de brefs éclats colorés sur les silhouettes des hommes.

Mercedes respira profondément et redémarra en direction de la lumière.

Elle rangea sa voiture à côté des autres puis se dirigea vers l'endroit où un groupe d'hommes était rassemblé, le regard baissé vers quelque chose qu'elle ne pouvait voir mais dont elle ne pouvait ignorer la nature. On avait ceinturé le périmètre d'un cordon de plastique jaune auquel pendait tous les cinq mètres un écriteau : « Police. Défense d'entrer ». Elle souleva le cordon et se glissa dessous. Un policier en uniforme la vit et accourut vers elle avec de grands gestes des bras.

— Madame, vous ne pouvez pas entrer, dit-il.

Elle le regarda fixement, et il s'arrêta à deux ou trois pas d'elle. Il baissa les bras.

Exagérant la lenteur de ses gestes, elle ouvrit son sac à main et sortit sa plaque de police. L'homme y jeta un bref coup d'œil et s'écarta en marmonnant des excuses. L'arrivée de Mercedes n'avait pas échappé au petit groupe d'hommes au centre de la scène, et l'un d'eux s'en vint prestement à sa rencontre.

— Merce, pour l'amour du ciel, Wills ne t'a donc pas dit de ne pas venir ?

— Si, répondit-elle.

— Il n'y a rien ici que tu puisses faire...

— Qu'est-ce que tu en sais ?

— Merce, je suis désolé. Ce doit être...

Elle l'interrompit rageusement.

— Doit être quoi ? Dur ? Triste ? Tragique ? Comment ce doit être, à ton avis ?

— Calme-toi, Merce. Ecoute, tu sais ce qu'on est en train de faire, ici. Tu ne pourrais pas attendre quelques minutes ? Je vais te chercher une tasse de café.

Il essaya de la prendre par le bras et de l'entraîner avec lui, mais elle se dégagea brutalement.

— Ne compte pas te débarrasser de moi comme ça !

— Juste quelques minutes, et puis je te ferai un rapport complet.

— Je ne veux pas de ton rapport. Je veux voir par moi-même.

— Merce... (Le policier fit écran de ses bras.) Laisse tomber, Merce.

Elle prit une profonde inspiration et ferma les yeux. Quand elle parla, sa voix était froide et tranchante.

— Peter. Lieutenant Burns. Deux choses. Un, c'est ma nièce qui est là-bas, par terre. Deux, je suis flic, et je veux voir par moi-même. Tu entends ?

Le lieutenant la regarda.

— D'accord. Le médecin légiste aura terminé son premier examen dans un petit moment. Tu pourras la voir ensuite et l'identifier officiellement, si tu veux, quand on l'aura chargée sur la civière.

— Non, Peter, pas dans quelques minutes, pas sur la civière. Tout de suite !

— Merce, pour l'amour du ciel !

— Maintenant, Peter.

— Pourquoi ? Ce sera encore plus dur pour toi.

— Qu'est-ce qui te fait croire ça ? Explique-moi comment ça pourrait être plus dur.

L'éclair d'un flash crépita derrière le lieutenant. Il se tourna, et Mercedes vit le photographe de la Criminelle prendre ses clichés.

— Maintenant, répéta-t-elle. Je veux la voir maintenant.

— Très bien, dit le lieutenant en s'écartant. C'est ton problème, après tout.

Elle passa devant lui d'un pas vif. Puis elle s'arrêta, ferma un instant les yeux, et le sourire de Susan dansa dans sa mémoire.

Elle respirait comme si l'air lui manquait en s'avançant lentement vers le corps. Grave chaque détail en toi, se dit-elle. Elle fouilla des yeux chaque centimètre carré de terre tout autour de la silhouette étendue qu'elle n'osait regarder. De la poussière sableuse et des feuilles mortes, rien qui pût offrir une solide empreinte de pas. Elle estima d'un coup d'œil exercé la distance entre le parking et le... corps. Vingt mètres. Une distance qui avait son importance. C'était toujours plus facile quand... elle hésita, troublée... la victime était découverte à l'endroit même du meurtre. Il y avait le plus souvent une trace, un indice quelconque. Elle continua de scruter le sol.

— Merce, nous avons ratissé tout le périmètre, ce n'est pas la peine que tu...

Mais elle ignora le lieutenant Burns, s'agenouilla, palpa entre ses doigts la fine poussière. Elle pensa « traces possibles sur les chaussures » et dit tout haut sans se retourner :

— Recueillez des échantillons de terre à vingt mètres à la ronde.

Dans son dos Burns grogna une approbation. Elle continua de quadriller visuellement le sol jusqu'à ce que son regard frôle les contours du corps. Eh bien, se dit-elle, regarde-la, maintenant. Souviens-toi de ce qui lui est arrivé cette nuit. Regarde-la bien, et que rien ne t'échappe.

Elle leva les yeux sur la forme étendue.

— Susan.

Sa voix était distincte et douce.

Elle avait une conscience floue de la présence des autres policiers. Elle connaissait la plupart d'entre eux, mais, plus tard, elle aurait beau essayer de se rappeler, elle se découvrirait incapable de dire qui était là.

— Susan, dit-elle encore.

— C'est bien ta nièce, Susan Lewis ?

C'était la voix du lieutenant.

— Oui.

Elle eut un hochement de tête.

— C'était.

Elle éprouva soudain une violente bouffée de chaleur, comme si les projecteurs avaient dardé sur elle seule tout l'éclat de leur lumière. Elle suffoqua, lutta contre une sensation de vertige. Elle se rappela ce jour, bien des années plus tôt, où elle avait reçu une balle et où la chaleur ressentie alors était celle de son sang sourdant de sa blessure, et elle se raidit contre l'évanouissement comme elle l'avait fait à ce moment-là, paniquée à l'idée que le voile noir qui obscurcissait sa vision fût celui de sa mort.

— Merce ? Merce, ça va ?

Elle ne bougea ni ne répondit.

— Hé, doc, occupez-vous d'elle, vous voulez bien ?

Elle parvint à secouer la tête.

— Non, ça ira, dit-elle tout en pensant combien cette phrase était stupide.

— Tu es sûre ? Tu ne veux pas t'asseoir ?

Elle ne savait plus qui lui parlait. Elle secoua la tête de nouveau. Quelqu'un la prit par le bras. Elle se dégagea, reprenant le contrôle d'elle-même.

— Vérifiez les ongles, dit-elle. Elle s'est certainement débattue. Elle l'aura peut-être griffé.

Elle vit le médecin légiste se pencher sur le corps, soulever avec précaution chaque main et, à l'aide d'un petit scalpel, curer chaque ongle pour en déposer l'infime prélèvement dans un petit sac en plastique.

— Pas grand-chose là-dessous, dit-il.

— Je la connais, elle se sera débattue comme une tigresse, insista Mercedes.

— Il ne lui en a peut-être pas laissé l'occasion. Elle a un gros hématome derrière la tête. Instrument contondant. Elle était probablement évanouie quand il a fait ça.

Le médecin désigna le collant serré autour de la gorge de Susan. Mercedes regarda fixement la chair bleuie du cou.

— Vérifiez le nœud, dit-elle.

— C'est fait, dit le médecin. Un nœud simple. L'abc du boy-scout.

Mercedes continuait de fixer le collant enserrant le cou. Elle avait envie de défaire ce nœud, comme si ce geste eût permis à sa nièce de respirer de nouveau.

— Pas de marques ou de bleus sur les poignets ? demanda-t-elle.

— Non, répondit le médecin. Et cela est significatif.

— Ouais, dit une voix à côté d'elle. (Elle ne tourna pas la tête pour voir qui parlait.) Ça veut dire que ce salaud l'a d'abord assommée avant de prendre son pied. Il se peut même qu'elle ne se soit rendu compte de rien.

— N'est-ce pas une trace de morsure sur l'épaule ? demanda Mercedes en détachant enfin son regard du cou.

— Probable, dit le médecin légiste. Faudra que je vérifie au microscope.

Elle regarda pendant un instant le corsage déchiré de sa nièce. Les seins étaient dénudés, et elle aurait voulu les couvrir.

— Vous avez fait des prélèvements sur le cou ? demanda-t-elle. Il y a peut-être des traces de salive.

— C'est fait, répondit le médecin. Prélèvements génitaux, également. J'en ferai d'autres, une fois arrivé à la morgue.

Les yeux de Mercedes glissèrent lentement le long du corps. Les jambes étaient croisées, comme si sa nièce avait eu dans la mort une dernière pudeur.

— Pas de signes de traumatisme génital ?

— Impossible de vérifier ça ici.

Elle hocha imperceptiblement la tête.

— Merce, reprit le médecin d'une voix douce, ça ressemble beaucoup aux quatre autres. Strangulation, position du corps, lieu du crime.

Mercedes Barren releva la tête avec vivacité.

— Les quatre autres ?

— Le lieutenant Burns ne vous a rien dit ? Ils soupçonnent celui que la presse a surnommé le Tueur du Campus. Je pensais qu'on vous en avait parlé.

— Non... dit-elle. Personne ne m'a rien dit. Je n'y avais même pas pensé, mais c'est vrai, cela concorde étrangement... ajouta-t-elle en laissant traîner sa voix.

A côté d'elle, le lieutenant dit :

— Ce serait son premier meurtre depuis la rentrée. Enfin, rien n'est certain, mais les ressemblances avec les crimes précédents sont évidentes. Nous allons passer l'enquête à ceux qui sont déjà sur ces affaires. Qu'en penses-tu, Merce ?

— Oui, très bien.

— Tu en as vu assez, maintenant ? Viens, je te dirai ce que nous savons.

Elle acquiesça puis jeta un dernier regard vers Susan avant de s'en détourner. Elle souhaita qu'ils ne tardent plus à l'emmener, comme si le fait d'arracher son corps à ce coin de pelouse sale en bordure d'un parking lui redonnerait quelque humanité et atténuerait l'horreur du viol et de la mort.

Elle attendit patiemment près des voitures appartenant à ces hommes qu'elle connaissait bien pour avoir partagé si souvent avec eux des nuits entières de permanence à la brigade. Un à un, ils s'absentèrent un instant du quadrilatère de lumière pour venir lui dire un mot, lui toucher l'épaule ou lui serrer la main. Un moment plus tard, le lieutenant Burns revint avec deux tasses de café. Elle pressa ses mains sur le gobelet de plastique qu'il lui tendait, soudain transie malgré la chaleur de la nuit tropicale. Le lieutenant leva les yeux vers le ciel qui commençait à grisailler avec les premières lueurs de l'aube.

— Eh bien... commença-t-il.

Manifestement, il se demandait s'il ne risquait pas de parasiter l'enquête en lui confiant les informations en sa possession, dans la mesure où il ne savait plus très bien s'il avait en face de lui une collègue ou bien la proche parente bouleversée de la victime. L'ennui, pensa Mercedes, c'est que je suis les deux.

— Peter, dit-elle, j'ai de l'expérience, tu sais. Et je veux me rendre utile. Mais si tu crois que je ne ferai que vous gêner, alors je préfère me retirer.

— Non, non, pas du tout, protesta-t-il. Ecoute, tout ce que nous savons pour le moment, c'est qu'elle est allée avec des amis dans un club situé sur le campus. Il y avait là beaucoup de monde. Elle a dansé avec plusieurs partenaires. Vers vingt-deux heures, elle est sortie prendre l'air. Seule. Elle n'est pas revenue. Deux heures plus tard, aux environs de minuit, ses amis se sont inquiétés, et ils ont alerté les flics du campus. A peu près à la même heure, deux pédés venus s'envoyer en l'air derrière les buissons du parc ont découvert le corps... (Il leva la main pour prévenir toute interruption.) Non, ils n'ont rien vu ni entendu. Ils sont littéralement tombés dessus. L'un d'eux a même trébuché sur le...

Le corps, pensa-t-elle, se mordant la lèvre.

— Une fille disparaît du campus, poursuivit Burns. Un corps est découvert dans un parc à deux kilomètres de là. Pas difficile de faire le rapprochement. Nous sommes arrivés sur les lieux. Il y avait ta carte de visite dans son portefeuille. C'était la fille de ta sœur ?

Mercedes hocha la tête affirmativement.

— Tu vas appeler ses parents ?

Elle frissonna.

— Oui, quand tout sera terminé ici.

— Il y a une cabine, là-bas. A ta place, je n'attendrais pas trop. Et puis il se peut qu'on en ait pour un bon moment encore.

— Tu as raison, dit-elle.

Pendant un instant elle espéra qu'elle n'aurait pas une seule pièce de monnaie sur elle ou que l'appareil serait hors service. Mais elle avait de la monnaie, et la standardiste lui répondit avec une vivacité qui la fit douter de l'heure matinale. Mercedes mit la communication sur le compte de la brigade dont elle donna le numéro à la jeune femme. Celle-ci lui demanda s'il y avait quelqu'un pour confirmer la prise en charge de l'appel, et elle lui répondit qu'il y avait toujours quelqu'un à ce numéro. Puis elle entendit le cliquetis électronique des chiffres composés par le standard, et soudain, avant même qu'elle eût le temps de penser à ce qu'elle allait dire, le téléphone sonna au domicile de sa sœur. Vite, trouve les mots, s'exhorta-t-elle. Trouve les mots ! Et elle perçut la voix endormie de sa sœur à l'autre bout de la ligne.

— Oui, allô ?

— Annie, c'est Merce.

Mercedes se mordit la lèvre.

— Merce ! Comment vas-tu ? Qu'est-ce...

— Annie... Ecoute-moi bien : il s'agit de Susan. Il est arrivé... (Elle hésita. Un accident ? Elle s'efforça de contrôler sa voix.) Annie, tu veux bien appeler Ben, s'il te plaît ?

Elle entendit sa sœur pousser un cri de stupeur et appeler son mari.

L'instant d'après, il était à l'appareil.

— Merce, qu'y a-t-il ?

Il avait une voix ferme. Ben était comptable. Elle espéra qu'il était aussi solide que ses chiffres.

— Je ne sais vraiment pas comment vous annoncer ça, à toi et Annie, mais... Susan est morte. Assassinée. Il y a quelques heures. Je suis... je suis désolée.

Mercedes revit soudain sa sœur, quelque dix-huit années plus tôt, le ventre gros d'une naissance imminente, venant d'un pas lourd et précautionneux prendre place à côté d'elle sur le banc de la famille. C'était l'un de ces étés torrides de la vallée du Delaware, et Mercedes avait tenu, farouche et obstinée, le drapeau que le capitaine de la garde d'honneur lui avait remis, tandis qu'éclatait la salve des fusils déchargés au-dessus de la tombe de celui dont elle avait pris le nom. Elle n'avait eu aucune parole pour les parents et les amis qui avaient défilé devant elle, eux-mêmes frappés de mutisme par la mort, fût-ce au combat, d'un homme aussi jeune et vigoureux que John Barren. Annie, assise à côté d'elle, lui avait pris la main, l'avait posée avec douceur sur son gros ventre et lui avait soufflé avec une simplicité poignante : « Dieu l'a rappelé injustement, mais il y a là, sous ta main, une vie à naître, et au lieu d'enterrer ton amour avec lui, tu devrais le donner à cet enfant. »

Susan était née.

Pendant un moment, Mercedes sourit à ce souvenir : le bébé m'a sauvé la vie.

La réalité revint brutalement avec le premier sanglot de sa sœur.

Ben voulut prendre le premier avion pour Miami, mais Mercedes parvint à l'en dissuader : ce serait plus simple de charger une entreprise de pompes funèbres de ramener le corps, dès que l'expertise médicale serait terminée. Elle accompagnerait elle-même la dépouille. Ils entendraient probablement parler du crime dans les journaux et peut-être même à la télévision, et elle leur recommanda de ne pas repousser les journalistes qui viendraient les interroger. Ceux-ci, en cas de refus, risqueraient d'insister, et ce serait encore plus pénible. Elle leur confia qu'à première vue Susan était la cinquième victime d'un tueur activement recherché par la police. Ben avait alors donné libre cours à sa rage, puis il s'était muré dans une écoute silencieuse, ponctuée de grognements approbateurs. Pendant ce temps-là, Annie se taisait. Ce ne serait pas avant que Ben ait raccroché que le désespoir les frapperait.

— C'est tout ce que je peux vous dire pour le moment, dit Mercedes. Je rappellerai dès que j'aurai du nouveau.

— Merce ?

C'était sa sœur.

— Oui, Annie.

— Tu es sûre ?

— Oh, Annie...

— Mais tu l'as vue ? C'est bien elle ?

— Oui, Annie. Je l'ai vue. C'est Susan.

— Excuse-moi, mais je voulais être sûre.

— Ben ?

— Oui, Merce, je suis là. On se rappelle.

— D'accord.

— Oh, mon Dieu, Merce...

— Annie ?

— Mon Dieu...

— Annie, sois forte. Je t'en supplie, sois forte.

— Merce, aide-moi. J'ai l'impression que si je raccroche le téléphone ce sera comme si je la tuais. Que se passe-t-il, mon Dieu ? Je ne comprends pas.

— Moi non plus, Annie, je ne comprends pas.

— Oh, Merce, Merce, Merce...

La voix s'estompa, et Mercedes comprit que le téléphone avait glissé de la main d'Annie, dont elle percevait maintenant les sanglots avec la cruelle impression d'être le témoin impuissant d'une agonie. Elle serra encore un instant le combiné dans sa main puis, le plus doucement possible, comme pour ne pas réveiller une enfant qui dort, elle raccrocha. Elle ne bougea pas, écoutant les battements de son propre cœur. Elle déglutit avec effort. Je suis forte, se dit-elle. Mais je dois l'être encore plus.

2

Ce ne fut que dans le milieu de la matinée qu'on enleva enfin le corps de Susan.

Mercedes était restée en bordure du périmètre, soulagée de voir la foule sans cesse plus nombreuse maintenue à distance par des policiers en uniforme. Les reporters de Miami étaient arrivés un peu plus tôt. Ils avaient interrogé le lieutenant Burns et quelques autres, pendant qu'un cameraman de télévision filmait les techniciens de la Criminelle s'affairant à leurs tâches. Tôt ou tard, l'un des journalistes apprendrait sa parenté avec la victime, et elle ferait l'objet d'une attention particulière de la part de la presse. Aussi décida-t-elle d'attendre calmement leurs questions.

Elle s'était détournée quand deux des assistants du médecin légiste avaient glissé avec précaution le corps de Susan dans un sac en plastique noir. Elle rejoignit le lieutenant Burns qui s'entretenait avec deux policiers sanglés dans des costumes trois-pièces, indifférents à la chaleur croissante. Quand le lieutenant la vit approcher, il se tourna vers elle et fit les présentations.

— Merce, je ne sais pas si tu connais les inspecteurs Moore et Perry de la Criminelle du comté. Ce sont eux qui dirigent l'enquête sur le Tueur du Campus.

— Seulement de réputation.

— Nous de même.

Ils se serrèrent la main, vaguement mal à l'aise les uns et les autres.

— Je suis désolé de faire votre connaissance dans ces circonstances, dit l'inspecteur Perry. J'ai beaucoup admiré votre travail. En particulier dans cette affaire de viols.

— Merci, dit Mercedes.

Elle se rappela soudain le visage grêle au nez cassé. Les victimes se comptaient déjà par dizaines quand elle était tombée sur l'indice qui allait conduire à l'arrestation du coupable. L'homme, puissamment bâti, portait un bas nylon sur le visage. Presque chaque victime avait déclaré qu'il avait le dos couvert d'acné. Un dermatologue lui avait dit qu'il devait également en avoir sur le visage. Mais elle avait pensé que le masque pouvait cacher autre chose. Elle avait entrepris de faire la tournée de tous les clubs de culture physique et de culturisme, plus par intuition que par déduction. Dans un gymnase de la Cinquième Rue, à Miami Beach, elle avait repéré un homme de petite taille, à la musculature impressionnante et au visage marqué par la variole, au nez cassé et à la joue zébrée d'une profonde cicatrice.

— Il ne faut jamais sous-estimer l'intuition, fit Perry.

— Sauf que ça ne pèse pas lourd quand il s'agit de demander au juge un mandat d'arrêt, repartit Mercedes.

Ils esquissèrent un sourire.

— Que pouvons-nous faire pour vous ? demanda Perry.

— A-t-on découvert quelque chose sous le corps ?

— Seulement un bout de papier. Rien d'intéressant à première vue.

— Quel type de papier ?

— Un fragment d'autocollant, pareil à ceux que la douane appose sur les valises à l'aéroport, mais en beaucoup plus grand. (Il leva la main pour prévenir sa question.) Non, il n'y a aucune marque dessus. On ne peut pas non plus savoir si ce papier était déjà là. Ce n'est peut-être qu'une saleté parmi toutes celles qui traînent dans le coin.

Elle pensa à sa nièce gisant au milieu des ordures charriées par le vent ou jetées par les promeneurs. Elle secoua la tête, s'efforçant de chasser l'image.

— Qu'allez-vous faire, maintenant ? demanda-t-elle.

— On va essayer le night-club. Quelqu'un aura peut-être remarqué quelque chose... un type qui lui aurait parlé ou qui l'aurait suivie quand elle est sortie. (L'inspecteur regarda Mercedes.) Ça prendra du temps.

— Peu importe le temps.

— Oui, bien sûr... (Il marqua une pause.) Ecoutez, inspecteur, je sais que si c'était l'une de mes sœurs la victime, je serais comme fou. Je n'aurais qu'une idée : retrouver le coupable et le descendre. Aussi, en ce qui me concerne, vous pourrez me demander tout ce que vous voudrez au sujet de l'enquête, à la seule condition que vous ne cherchiez pas à enquêter à notre place. Ça vous va ?

Mercedes acquiesça d'un signe de tête.

— Autre chose, dit Perry. S'il vous venait une idée, n'hésitez pas à m'en faire part.

— Pas de problème. (Elle se demanda fugitivement si elle ne mentait pas. Elle réfléchit pendant un instant.) Une question, reprit-elle. C'est la cinquième victime, n'est-ce pas ? Où en est votre enquête sur les cas précédents ? Vous avez une piste ?

Les deux hommes échangèrent un regard, l'air hésitant.

— Nous avons quelques indices, répondit Moore. Passez nous voir, disons... dans deux jours, quand les choses se seront un peu... tassées, et nous vous montrerons ce que nous avons.

Espèce de faux-cul, pensa-t-elle.

— D'accord, faisons comme ça, s'entendit-elle dire.

Elle prit congé des trois hommes et se dirigea vers l'un des fourgons des services techniques. Un homme maigre, à l'aspect ascétique, vérifiait les chiffres inscrits au feutre noir sur les sacs en plastique contenant les indices ramassés, les comparant avec la liste qu'il avait à la main.

— Bonjour, Teddy.

L'homme se tourna vers elle. Il leva une longue main osseuse comme pour la saluer.

— Oh, Merce, je pensais que tu étais partie. Il n'est pas utile que tu sois là, tu sais.

— Je sais, c'est ce que tout le monde n'arrête pas de me dire.

— Excuse-moi, mais on est tous un peu secoués, ici. On est habitués à voir des crimes et des victimes, mais cette fois c'est différent. C'est ta nièce, et toi tu es là... alors ça dépasse le cadre habituel du travail. Euh... je ne sais pas si je me fais comprendre.

— Oui.

Elle lui sourit.

— Merce, je ne sais comment te dire ce que tout le monde ressent, ici. On a ratissé le terrain comme jamais. J'espère qu'il y aura quelque chose dans ces sacs qui nous conduira jusqu'à ce salopard.

— Merci, Teddy. Qu'est-ce que vous avez trouvé ?

— Pas grand-chose, à vrai dire. Tiens, voici la liste.

Il lui tendit le papier, et elle parcourut la page d'un regard attentif.

1 Echantillon de sang sur le crâne de la victime.
2 Echantillon de sang sur le pubis (voir schéma).
3 Echantillon de salive sur l'épaule.
4 Prélèvements génitaux.
5 Prélèvement épaule (morsure, voir schéma).
6 Echantillon de poussière A (voir schéma).
7 Echantillon de poussière B (voir schéma).
8 Echantillon de poussière C (voir schéma).

9 Prélèvement ongles main droite (voir schéma).
10 Même chose, main gauche (voir schéma).
11 Substance inconnue/végétal.
12 Echantillon possible de tissu.
13 Trace de sang sur une feuille.
14 Mégot de cigarette (voir schéma).
15 Mégot de cigarette (voir schéma).
16 Préservatif usagé.
17 Préservatif usagé.
18 Préservatif neuf dans son emballage (marque Ramses).
19 Boîte de bière (Budweiser).
20 Boîte de Coca-Cola.
21 Bouteille de Perrier (25 cl).
22 Substance inconnue dans du papier d'aluminium.
23 Substance inconnue dans un sac plastique.
24 Emballage de film Instamatic Kodacolor.
25 Emballage de film Instamatic Kodacolor.
26 Bobine vide de film noir et blanc Kodak 400 ASA.
27 Flacon vide de lotion après rasage.
28 Flacon vide d'huile solaire.
29 Paquet vide froissé de cigarettes Marlboro.
30 Sac de femme (voir liste de son contenu).
31 Portefeuille de la victime.
32 Boucle d'oreille de femme.
33 Fragment d'étiquette plastifiée de couleur jaune, origine inconnue, trouvé sous le corps de la victime.

— Les préservatifs ? demanda-t-elle.

Il secoua la tête.

— On en trouve dans tous les parcs, Merce. Quant à la substance inconnue dans du papier d'alu, ça ressemble fort à un reste de conserve de thon à l'huile. Pour en revenir aux capotes, elles sont probablement vieilles de plusieurs jours. Et regarde les schémas. A part les échantillons prélevés sur le corps, tous les autres l'ont été à au moins deux mètres du cadavre. Le genre d'objets qu'on emporte avec soi pour prendre le soleil... pas pour tuer quelqu'un au milieu de la nuit.

Elle approuva d'un hochement de tête.

— Tu veux mon avis, même si c'est pénible ?

— Oui.

— Eh bien, voilà : tant qu'on n'aura pas fait analyser tout ça au labo, on ne pourra rien dire. Mais je ne compte pas trop sur ce qu'on a pu ramasser ici ou là. Non, c'est quand nous aurons mis la main sur la voiture qu'a dû utiliser le type que nous aurons un sérieux espoir de le coincer. Il doit y avoir des taches de sang, des traces qu'il ne pourra pas enlever.

Elle approuva d'un nouveau signe de tête.

— Enfin, tout ce que je te dis là, tu le sais aussi bien que moi.

— Exact.

Elle lui rendit la liste et regarda la rangée de sacs en plastique soigneusement alignés à l'arrière du fourgon.

— Ça, c'est quoi ? demanda-t-elle en désignant l'un des sacs.

— C'est le dernier article de la liste. Un morceau d'étiquette. Trouvé sous le corps.

Il lui tendit le petit sac transparent. A travers le plastique, elle examina intensément le morceau de carton plastifié. Quel renseignement recelait-il ? D'où, de qui venait-il ? Elle eut envie de secouer le sac comme pour lui arracher une réponse. Je me souviendrai de toi, dit-elle silencieusement au morceau d'étiquette. Elle porta son regard sur les autres sacs. Je me souviendrai de vous tous.

Sa propre folie la confondait. Elle replaça le sac là où Teddy l'avait pris.

Elle se dit qu'elle devait avoir l'air d'une idiote. Elle n'ignorait pas qu'il faudrait du temps pour analyser toutes ces pièces et que les chances qu'elles débouchent sur une piste intéressante étaient minimes. Elle se retourna et aperçut les inspecteurs Moore et Perry monter dans leur voiture. Un photographe de la police continuait de prendre des photos du terrain. Le véhicule du médecin légiste et de ses assistants démarrait lentement. Le cameraman de télévision filmait son départ. Mercedes était envahie par un sentiment d'impuissance, comme si ce maintien tout professionnel qu'elle était parvenue à afficher durant la matinée se craquelait soudain avec le départ de ses collègues. Laissée seule avec ses émotions, elle se sentait brusquement vulnérable. La gorge serrée, le souffle court, elle se hâta vers sa propre voiture. Elle ouvrit la portière et s'engouffra à l'intérieur devenu une véritable fournaise sous l'ardeur d'un soleil qui était maintenant haut dans le ciel. Elle resta assise, immobile, laissant la chaleur la pénétrer. Elle pensa à Susan. Elle pensa à son cauchemar de la nuit. Elle eut envie de hurler comme elle l'avait fait juste avant de se réveiller : Réveille-toi ! Sauve-toi !

Mais elle ne le pouvait pas.

La fleuriste, après avoir regardé Mercedes d'un air curieux, finit par demander :

— Est-ce pour un événement ou une occasion particulière ?

Mercedes avait hésité à répondre, et la dame avait continué avec entrain :

— Si c'est pour un collègue ou une secrétaire, alors je vous conseillerais l'un de ces bouquets. Mais peut-être s'agit-il d'un malade ou d'un invalide ? Ou de quelqu'un d'hospitalisé ? Les malades hospitalisés aiment recevoir des petites plantes en pot... voyez-vous, ils aiment les regarder pousser et s'épanouir.

— C'est pour mon amant, déclara Mercedes.

— Oh, fit la femme, légèrement surprise.

— Quelque chose qui ne va pas ?

— Non, mais d'habitude, voyez-vous, ce sont les hommes qui achètent des fleurs, des roses le plus souvent, pour leurs... euh... compagnes. C'est un changement, ajouta-t-elle en riant. Il y a des choses qui ne changent jamais dans le monde, aussi moderne soit-il. Les hommes achètent des fleurs pour leurs épouses ou leurs maîtresses. Jamais l'inverse. Ils entrent ici et se tiennent devant les fleurs et les plantes comme s'ils en attendaient un signe, quelque chose qui leur dise : voilà, c'est ça qu'elle aimera. Les jeunes gens non plus n'en achètent pas. Ils ne connaissent plus le charme des fleurs. Notre monde est devenu trop scientifique. Les gens se souhaitent un bon anniversaire par Minitel, aujourd'hui. En tout cas, je n'avais encore jamais eu le plaisir de voir entrer dans mon magasin une femme qui veut des fleurs pour son...

Mercedes regarda la femme qui s'interrompit, hésita puis reprit :

— Excusez-moi, mais je bavarde, je bavarde comme une idiote.

— Mais non, voyons.

— Vous êtes bien aimable, dit la femme. Que diriez-vous d'un bouquet de roses ? Ce n'est peut-être pas très original, mais la rose est une fleur que tout le monde aime.

— Oui, des roses iront très bien.

— Une douzaine ?

— Parfait.

— Des rouges, des blanches, des roses ? demanda la fleuriste.

Mercedes réfléchit pendant un instant.

— Des rouges... et des blanches.

— Très bien.

La femme fit avec adresse un bouquet qu'elle enveloppa dans

un papier de cellophane autour duquel elle noua un ruban rouge et blanc.

Mercedes la paya.

— Je deviens un peu folle, dit la fleuriste en lui tendant le bouquet.

— Je vous demande pardon ?

— Vous savez, je suis toute la journée seule dans ce magasin, et parfois je ne sais plus comment parler aux gens. Je suis sûre que... euh... votre ami appréciera ces fleurs.

— Mon amant, corrigea Mercedes.

Elle sortit du magasin en essayant de se rappeler combien d'années avaient passé depuis la dernière fois où elle s'était recueillie sur la tombe de John Barren.

L'air en ce début de septembre ne laissait guère présager la venue de l'automne. La lourde chaleur de l'été régnait encore, et seuls quelques nuages blancs tranchaient sur le bleu du ciel. C'était une journée à douter des frimas qui s'abattraient bientôt sur la vallée du Delaware, où les tempêtes de neige fondue vous pénétraient jusqu'aux os. Mercedes se rappela ce soir d'hiver où elle avait dû abandonner sa voiture au bord de la route, le moteur noyé, et rentrer chez elle à pied. Quand elle était enfin arrivée, transie et claquant des dents, dans une maison vide et froide, elle s'était juré de partir là où il faisait chaud. Miami.

Elle posa les fleurs à côté d'elle sur le siège de la voiture de location et sortit de Lambertville pour traverser le pont en direction de New Hope. Elle laissa bientôt derrière elle la ville qui s'étirait de chaque côté de la rivière et prit une petite route ombragée qui menait au cimetière. Elle se demanda pendant un moment pourquoi sa famille s'était rapprochée de Philadelphie quand la campagne ici était si belle. Elle revit soudain son père apprenant sa nomination à l'université de Pennsylvanie, entraînant sa mère dans une valse endiablée comme un rustaud dans un bal de campagne. Il avait enseigné les mathématiques et la théorie des quanta. Un esprit brillant, rêveur, plus préoccupé des abstractions que des choses de ce monde. Elle sourit à son souvenir. Il n'aurait jamais compris son choix de faire carrière dans la police. Il aurait peut-être apprécié le travail de déduction et de raisonnement qu'exigeaient les enquêtes ainsi que la précision scientifique des recherches criminelles, mais il aurait été décontenancé et choqué par la brutalité inévitable de la lutte contre le mal. Non, il n'aurait certainement pas compris pourquoi sa fille aimait sa tâche, mais il eût admiré la simplicité et la sincérité de son dévouement — le moyen le plus sûr d'accomplir quelque bien dans un monde rempli de... elle hésita comme elle l'avait souvent fait durant ces derniers jours... rempli de salauds qui n'hésitent pas à tuer des jeunes filles de dix-huit ans, pleines de vie, de promesses et d'avenir. Mercedes continua de rouler, le souvenir de son père s'estompant pour être remplacé par ce portrait imaginaire du tueur qu'elle s'efforçait de composer. Elle manqua rater l'entrée du cimetière.

Quelqu'un avait placé un petit drapeau américain sur la tombe de John Barren. Sa première réaction fut de l'enlever, puis elle se dit que si cela donnait une satisfaction quelconque à l'association locale des anciens combattants, elle pouvait bien le tolérer. Après tout, pensa-t-elle, les tombes et les monuments funéraires étaient faits pour les vivants. Elle ne pouvait regarder la pierre tombale et l'herbe rase qui recouvrait la fosse et imaginer John dans son cercueil. Une image lui revint brutalement en mémoire — l'image d'une étiquette accrochée à l'une des poignées de la bière et qui portait la mention : *Restes non identifiables.*

Elle avait considéré avec perplexité les trois mots. Elle concevait que le mot « restes » puisse désigner la dépouille de John. Mais « non identifiables » ? Cela signifiait qu'elle ne pourrait le voir. Pourquoi ? Que lui avaient-ils fait ? Elle interrogea les gens autour d'elle, mais découvrit qu'une jeune veuve de guerre n'obtenait jamais de réponses précises. Elle s'entendit dire que c'était la volonté de Dieu, la loi de la guerre, et un tas d'autres choses dont elle voyait mal le rapport avec sa demande. Elle avait insisté, ce qui n'avait eu d'autre effet que de renforcer le mur de silence digne dont les anciens compagnons d'armes ou les supérieurs de John entouraient sa mort. A la fin, comme elle avait commencé d'élever la voix et d'exiger avec toute la force de son chagrin qu'on lui réponde, elle avait senti une main lui prendre le bras. C'était le directeur des pompes funèbres ; un homme qu'elle n'avait encore jamais vu. Il l'avait regardée intensément puis, à la surprise de sa famille, l'avait entraînée dans son bureau. Il l'avait fait asseoir sur une chaise devant sa table de travail. Elle avait attendu patiemment pendant qu'il feuilletait des papiers sur son bureau. Il trouva enfin ce qu'il cherchait.

— Ils ne vous ont rien dit, n'est-ce pas ? demanda-t-il.

— Non.

— Sauf qu'il était mort, c'est ça ?
— Oui.
— Et vous voulez savoir ?
Savoir quoi ? se demanda-t-elle. Mais elle hocha la tête en signe d'assentiment.
— D'accord, dit-il d'une voix chargée de tristesse. Le caporal Barren a été tué au cours d'une patrouille de routine dans la province de Quang Tri. L'homme qui était à ses côtés a marché sur une mine. Une grosse. Elle a fait trois morts, dont votre mari.
— Mais pourquoi ne puis-je pas le...
— Parce qu'il ne reste presque plus rien de lui.
— Oh !
Il y eut un instant de silence. Elle ne savait pas quoi dire.
— Kennedy nous aurait sortis de là, reprit le directeur des pompes funèbres, mais il a fallu qu'ils l'assassinent. C'était pourtant notre seule chance. Mon garçon est là-bas, maintenant. Et, bon sang, j'ai la trouille. J'ai l'impression que c'est lui que j'enterre à chaque fois qu'on renvoie un corps dans sa famille. Je suis peiné pour vous.
— Vous devez aimer votre fils, dit-elle.
— Oui, beaucoup.
— Il n'était pas maladroit, vous savez.
— Je vous demande pardon ?
— John. Il était agile. Un magnifique athlète. Grand joueur de foot et de basket. Jamais il n'aurait marché sur une mine.
Restes non identifiables.
— Bonjour, amour, dit-elle en déposant les fleurs sur la tombe.

Mercedes s'assit sur l'herbe de la tombe, le dos contre la pierre sur laquelle étaient gravés le nom de son mari et les deux dates de sa naissance et de sa mort. Elle leva les yeux vers le ciel, suivant la course nonchalante des nuages sur fond de bleu infini. Elle se laissa aller à imaginer qu'au-delà des nuées il y avait un paradis où John accueillerait Susan. Des larmes se formèrent aux coins de ses yeux, et elle les essuya d'un geste furtif avec le revers de la main. Elle était seule dans le cimetière et s'en félicita, car elle trouvait que sa tenue manquait de la gravité qui sied aux lieux où reposent les morts. Un petit vent soufflait, faisant bruire les feuillages. Elle eut un rire triste et dit tout haut :

— Oh, Johnny, j'aurai bientôt quarante ans, et ça fait dix-huit ans que tu m'as quittée. Pourtant tu me manques encore terriblement. Tu venais de mourir quand Susan est arrivée. Une toute petite chose, fragile et malade, affligée de coliques et de problèmes respiratoires et Dieu sait quoi encore. Annie n'en pouvait plus, et Ben était complètement pris par son affaire qui démarrait. Alors c'est moi qui veillais la petite pendant qu'Annie prenait quelques heures de repos. Je la berçais, je la promenais. Toutes ces larmes de bébé, toutes ces douleurs qui assaillaient son petit corps, moi aussi je les ressentais. C'était comme si toutes les deux nous avions pu pleurer ensemble et nous sentir mieux après, et je pense que si elle n'avait pas été là je ne m'en serais pas sortie. Espèce de grand idiot ! Tu n'avais pas le droit de te faire tuer !

Elle se tut.

Elle se souvint d'une nuit où, serrés tous les deux dans le petit lit de la chambre de John, il lui avait annoncé qu'il n'avait pas fait de demande de sursis d'incorporation. Ce n'était pas juste, avait-il expliqué. Seuls les pauvres et les Noirs étaient bons pour le casse-pipe, tandis que les privilégiés pouvaient continuer de se la couler douce dans les universités. Le système était injuste, et jamais il ne participerait à une injustice. S'il était appelé sous les drapeaux, il ne chercherait pas à se défiler. Mais qu'elle ne s'inquiète pas, avait-il ajouté. L'armée ne voudrait pas d'un anarchiste et d'un semeur de troubles comme lui. Il ferait un trop mauvais soldat. Si on lui ordonnait de charger, il demanderait pourquoi et comment et proposerait qu'on en discute et qu'on vote. Ils avaient ri en imaginant les soldats débattre de la nécessité de charger ou pas l'ennemi et voter à mains levées. Mais son rire avait masqué sa peur, et quand la lettre qui commençait par les félicitations du Président était arrivée elle avait tenu à ce qu'ils se marient, persuadée de l'importance de porter son nom.

— Susan a finalement guéri, reprit Mercedes. Elle est devenue une petite fille. Entre-temps, Annie avait pris du poids, et elle avait moins peur de tout, et Ben était moins accaparé par son travail. Je suis devenue tante Merce. Susan allait vivre, et moi aussi.

Elle tressaillit soudain en reprenant conscience du présent.

— Oh, Johnny, et maintenant quelqu'un l'a tuée ! Mon bébé. Elle te ressemblait beaucoup. Tu l'aurais aimée. Elle était comme l'enfant que nous aurions eu ensemble. Un peu trop sentimental à ton goût ? Ne te moque pas, tu es pire que moi.

Tu n'as jamais pu voir un mélo au cinéma sans user une boîte de Kleenex. Et lors du match contre l'équipe de St. Brendan, quand tu as fait ce panier qui vous a valu la victoire à la dernière seconde, tu pleurais comme une Madeleine. A chaque fois que je te rappelais ce jour-là, tu en avais encore les larmes aux yeux ! Susan aussi aurait pleuré. Elle pleurait pour les baleines malades qui s'échouaient sur les plages et pour les phoques qui n'avaient pas l'idée de fuir les chasseurs et pour les oiseaux pris dans les marées noires. Ce sont des choses qui t'auraient fait pleurer, toi aussi.

Mercedes poussa un profond soupir.

Je suis folle, pensa-t-elle.

De parler à un mari décédé d'une nièce disparue.

Mais ils ont tué mon amour, se dit-elle.

Tout mon amour.

Mercedes montra sa plaque au policier en uniforme qui gardait l'entrée des bureaux de la police du comté de Dade. Elle prit l'ascenseur jusqu'au troisième étage et se présenta au service de la Criminelle. Une secrétaire la fit attendre sur une banquette inconfortable en faux cuir. Elle regarda autour d'elle, notant le mélange de neuf et d'ancien qui équipait les bureaux. Elle avait remarqué qu'à la police les choses, même lorsqu'elles étaient neuves, perdaient aussitôt leur brillant. Elle se demanda s'il y avait un rapport quelconque entre la saleté du travail et l'éternelle malpropreté des lieux. Son regard se posa sur les trois portraits photographiques accrochés au mur : le Président, le shérif, et un troisième homme qu'elle ne reconnut pas. Elle se leva et s'approcha. Il y avait une petite plaque sous le portrait de l'homme souriant, une plaque au bronze terni sur laquelle était gravé un nom, ainsi que la mention *Tué en service commandé*, à une date qui remontait à deux années plus tôt.

Elle se souvint de l'affaire : une arrestation de routine à la suite d'une querelle de famille qui s'était achevée par un homicide. Un père ivre et son fils à Little Havana. Un homicide par imprudence. Le père était là à sangloter au-dessus du corps de son fils quand la police arriva. L'homme semblait si bouleversé que les policiers l'avaient fait asseoir sur une chaise, sans lui passer les menottes. Personne n'avait pensé qu'il pût soudain éclater. Quand il fallut l'emmener, il s'empara du revolver d'un policier et fit feu sur le premier qui tenta de le désarmer. Mercedes se souvenait de l'enterrement, assez semblable à celui de son mari. Quelle façon idiote de mourir, pensa-t-elle. Puis elle se demanda s'il y avait une façon intelligente de mourir. Elle se détourna du portrait quand l'inspecteur Perry entra dans la pièce.

— Excusez-moi de vous avoir fait attendre, dit-il. Allons dans mon bureau.

Elle le suivit dans un couloir.

— Un box, en vérité. Fini les bureaux avec des portes, aujourd'hui. C'est le progrès, je suppose.

Elle lui sourit, et il lui indiqua une chaise.

— Alors ? demanda-t-il.

— C'est justement la question que j'allais vous poser, répliqua-t-elle.

Il poussa vers elle une feuille de papier. Elle s'en empara et contempla le portrait-robot d'un homme aux cheveux frisés, au teint mat, qui aurait été beau sans ses yeux profondément enfoncés qui lui donnaient un air cadavérique.

— Est-ce...

— On n'a pas pu faire mieux, l'interrompit-il. Le portrait a été distribué dans toute la ville et sur les campus. Il est passé dans tous les journaux télévisés pendant que vous étiez aux obsèques.

— Des réponses ?

— Comme d'habitude : des gens qui sont persuadés qu'il s'agit de leur proprio ou du voisin qui leur doit de l'argent ou du bonhomme qui courtise leur fille. Mais nous vérifions quand même chaque appel.

— Quoi d'autre ?

— Ma foi, quand on les compare, les cinq meurtres se ressemblent assez. Les filles ont toutes été ramassées dans un foyer d'étudiants ou un cinéma ou un bar dans un campus. Ramassées n'est pas le mot. Disons... suivies. Personne n'a vu le type aborder sa victime...

— Mais...

— Il n'y a pas de mais. Nous interrogeons toutes sortes de gens, des jardiniers, des étudiants, pour essayer de trouver un type qui serait un familier des campus de la région et qui, bien sûr, correspondrait au portrait-robot.

— Ça risque de prendre du temps.

— Nous avons douze hommes au travail.

Mercedes réfléchit pendant un instant. Il y avait dans l'attitude de Perry une confiance qui ne cadrait pas avec le fastidieux travail d'une enquête sur le terrain, toutes ces longues heures passées à tenter de recueillir des informations, avec en fin de journée la frustration pour seul résultat. Elle avait le sentiment que Perry cherchait à la rassurer. Elle savait également qu'elle devait poser la bonne question pour obtenir la bonne réponse. Elle réfléchit. Une idée lui vint soudain.

— Et les tentatives ?

— Pardon ? demanda Perry.

— Les tentatives de viol. Le premier meurtre a eu lieu il y a plus d'un an. On peut supposer qu'entre les cinq fois où le violeur a tué il y en a eu d'autres où il aura échoué. Il aura été surpris par quelqu'un juste au moment où il abordait sa victime, par exemple. Qu'en pensez-vous ?

— Ouais, c'est une idée intéressante, dit Perry.

— Je ne suis certainement pas la première à l'avoir.

— Euh...

— Ne me racontez pas d'histoires.

— Ce n'est pas mon intention.

— Alors, répondez.

Il déplaça quelques papiers sur son bureau, l'air visiblement mal à l'aise. Il leva les yeux et regarda dans le couloir, comme s'il cherchait de l'aide.

— Je veux savoir, insista Mercedes.

— D'accord, mais il y a des éléments que je ne pourrai pas vous communiquer.

Elle acquiesça d'un signe de tête.

— Il y en a deux, dit-il.

Elle hocha de nouveau la tête.

— La dernière tentative a eu lieu la veille de l'assassinat de votre nièce. Nous avons la marque de la voiture et une partie du numéro d'immatriculation.

— Un nom ?

— Je ne peux pas vous le dire.

Mercedes se leva.

— Dans ce cas, je vais aller voir votre patron, le mien, la presse...

Il lui fit signe de se rasseoir.

— Nous avons un nom, et l'homme est sous surveillance. Quand nous aurons assez d'éléments solides pour le coffrer, nous vous le ferons savoir.

— Vous êtes sûrs, à propos du type ?

— Rien n'est sûr. Vous savez, les journaux ont parlé de l'affaire dans tous ses détails. Alors nous y allons en douceur, et c'est pas sur une tentative de viol que nous voulons le coincer, mais sur les cinq meurtres qu'il a commis. Ça prend donc du temps.

— Oui, ne le ratez pas, dit-elle.

L'inspecteur Perry sourit, soulagé.

— On le ratera pas. Je veux que ce salaud sache ce que c'est qu'une boîte. La première, ce sera celle qui me servira à le piéger. A chaque fois qu'il tentera d'en sortir, je serai là avec une preuve, et il pourra jamais s'échapper. La deuxième boîte aura deux mètres cinquante sur trois dans la Raiford Riviera.

La section des condamnés à mort, pensa Mercedes. Elle approuva du chef.

— Et vous devinez quelle sera la dernière boîte.

Elle éprouva une soudaine et brève satisfaction.

— Merci, dit-elle en se levant.

— Vous voulez en être quand on l'épinglera ?

— Je n'aimerais pas rater ça.

— D'accord, je vous appellerai.

— Je serai là.

Ils se serrèrent la main, et elle s'éloigna. Pour la première fois depuis plusieurs jours, elle avait faim.

Quand elle retourna à son bureau deux jours plus tard, après une pénible journée passée à inventorier des pièces de voitures volées découvertes dans le secteur des entrepôts, elle trouva deux messages sur sa table. Elle en prit connaissance avec impatience. Le premier émanait de son supérieur et concernait les indices relevés sur les lieux où avait été découvert le corps de Susan. Le second était du médecin légiste.

Le lieutenant Ted March,

A l'attention de l'inspecteur Mercedes Barren.

Merce, c'était bien une trace de morsure. Mais elle n'était pas assez nette pour en faire un moule, et elle n'est donc pas d'une grande utilité. Les échantillons de salive recueillis dans cette zone contenaient des traces d'alcool qui nous ont empêchés d'établir le groupe sanguin. Le type a dû boire un verre ou deux. Peut-être seulement de la bière, mais c'est suffisant pour fausser l'analyse. J'ai quand même renvoyé les échantillons au labo en leur demandant d'essayer encore. Les deux préservatifs trouvés sur les lieux contenaient des spermes différents, tous deux considérablement décomposés. L'un était du type A/positif, l'autre du type O/positif. D'autres analyses sont encore en cours. Il n'y a pas d'empreintes relevables, mais ils vont essayer ce nouvel appareil au laser sur les boîtes de Coca et de bière. Je te tiendrai au courant. Désolé que ça n'ait rien donné, mais on continue de chercher.

Arthur Vaughn, médecin légiste,
A l'attention de l'inspecteur Mercedes Barren.
La cause du décès de la femme blanche, âgée de dix-huit ans, identifiée comme étant Susan Lewis de Bryn Mawr, en Pennsylvanie, est un traumatisme massif dans la partie droite de l'occiput associé à une asphyxie par strangulation effectuée au moyen d'un collant en nylon. (Voir rapport de l'autopsie pour les causes précises.) Prélèvements génitaux négatifs.
Elle était inconsciente quand elle a été violentée. Elle n'avait probablement pas repris connaissance quand elle a été étranglée. Toutefois l'acte sexuel a été ante-mortem. Il n'y a pas de traces d'éjaculation. Peut-être un préservatif a-t-il été utilisé.
Je suis terriblement peiné pour vous. Le rapport de l'autopsie devrait répondre à vos questions, mais n'hésitez pas à m'appeler si ce n'était pas le cas.

Mercedes rangea les deux messages dans son sac à main. Elle jeta un coup d'œil au rapport d'autopsie avec ses schémas et ses pages de jargon décrivant le corps de sa nièce. Poids. Taille. Cerveau : 1 220 grammes. Cœur : 230 grammes. Femme bien développée, post-adolescente. Pas d'anomalies. La vie était réduite à des chiffres et des schémas. Impossible de mesurer la vitalité, l'enthousiasme. Mercedes fut reconnaissante au médecin légiste de ne pas avoir joint au rapport les photos de l'autopsie.

En rentrant du bureau cette nuit-là, elle s'arrêta dans une librairie tenue par un homme aux petits yeux brillants qui se frottait tout le temps les mains et ponctuait ses paroles de petits hochements de tête.

— Quelque chose pour vous évader ? Un roman d'aventure, d'angoisse ? Du romanesque, ou du mystère ?

— La véritable évasion, dit Mercedes, c'est de substituer une réalité à une autre.

Le libraire resta songeur pendant un instant.

— Vous n'aimez pas la fiction ?

— Oh, je ne sais pas. Je ne me sens pas d'humeur romantique. Mais je voudrais quelque chose de distrayant.

Elle partit avec deux livres. Un récit de la guerre des Malouines et une nouvelle traduction de *l'Orestie*, la trilogie d'Eschyle. Il y avait un petit restaurant dans la rue. Elle s'offrit un poisson grillé avec une bouteille d'un chardonnay californien que le serveur lui garantit excellent. Elle mangerait bien, pensa-t-elle, lirait un peu. Il y avait un match de football à la télévision, et elle pourrait le regarder jusqu'à ce qu'elle ait sommeil. Elle sourit en pensant à la secrète passion qu'elle nourrissait pour ce jeu. Ses collègues masculins n'en savaient rien ; sa compétence professionnelle leur faisait déjà assez d'ombre comme cela pour qu'elle n'en rajoutât pas en se révélant une grande connaisseuse du jeu de ballon. Aussi en jouissait-elle en solitaire, dans un coin de tribune quand elle en avait le temps ou l'occasion, ou chez elle, devant la télé, sa seule concession à son propre sexe représentée par un verre de vin blanc frais servi dans un joli verre à pied au lieu de la boîte de bière chère aux sportifs en chambre. Elle se rappela le jour où Susan l'avait surprise, un dimanche, jurant devant le poste, incapable de tenir en place jusqu'à ce que le trois-quarts aile des Dauphins marque le point de la victoire dans les dernières secondes du jeu.

— Si tes collègues te voyaient... ! s'était exclamée Susan.

— Chut ! c'est un secret, avait répondu Mercedes. Ne le dis à personne.

— Oh, tante Merce, tu m'étonneras toujours, avait dit Susan. Mais pourquoi le foot ? Pourquoi les sports ?

— Parce que nous avons tous besoin de victoires dans notre vie, avait répliqué l'inspecteur Barren.

3

Plusieurs fois durant les jours suivants, Mercedes dut combattre une envie impérieuse d'appeler les inspecteurs de la Criminelle. Tout en vaquant à ses propres occupations, elle imaginait la surveillance dont le tueur faisait l'objet, épié dans chacun de ses mouvements pendant que d'autres policiers continuaient d'interroger et de rassembler les multiples pièces de l'affaire.

Moins de quinze jours après le meurtre de Susan, elle témoigna lors du procès d'un tueur à gages qui avait abattu un revendeur de drogue et son amie. Mercedes avait pu, d'après l'emplacement des douilles retrouvées sur le lieu du crime, situer l'emplacement exact d'où avait opéré le tueur. Son témoignage était important mais nullement capital. Aussi le contre-interrogatoire de la défense, représentée par un avocat grassement payé, n'était-il que de pure forme.

— Donc, inspecteur, vous en concluez, d'après l'emplacement des douilles, que le tueur se trouvait... où ça ? demanda, ironique, l'avocat.

— Si vous consultez le schéma qui se trouve dans le dossier du juge d'instruction, maître, vous verrez que les douilles ont été retrouvées à soixante-dix centimètres environ de la porte de la chambre à coucher. Un Browning neuf millimètres éjecte les douilles à une cadence régulière. Il est donc tout à fait possible de déterminer avec précision l'endroit où se tenait le tireur.

— Les douilles n'ont pas pu rouler ?

— La moquette à cet endroit de la pièce est épaisse de deux centimètres.

— Vous l'avez mesurée ?

— Oui, maître.

L'avocat se pencha sur ses notes, tandis que Mercedes regardait l'accusé. Un Colombien petit et sec, n'ayant jamais rien appris d'autre qu'à tuer sur commande. Il serait certainement condamné, pensa-t-elle, et dans l'heure suivante un autre, arrivé par le dernier vol d'Avianca, prendrait sa place. Les tueurs étaient les mouchoirs en papier de l'industrie de la drogue ; on les utilisait une fois ou deux, et puis on les jetait.

Son regard se porta au-delà de l'accusé, et elle vit le lieutenant Burns entrer dans la salle d'audience. Pendant un instant, elle pensa qu'il était là pour le procès. Puis elle le vit qui lui adressait subrepticement le signe de la victoire.

Son imagination bondit.

Elle suivit des yeux le lieutenant qui remontait l'allée centrale de la salle et se penchait par-dessus la barrière pour murmurer quelques mots à l'oreille d'un jeune procureur. Celui-ci se redressa sur son siège et se leva.

— Votre Honneur, dit le procureur au juge, puis-je m'entretenir un instant avec vous ?

— Est-ce important ? demanda le juge.

— Je le pense, répondit le procureur.

L'avocat de la défense, le greffier et le procureur s'approchèrent du juge avec lequel ils s'entretinrent à voix basse pendant un bref moment, puis ils regagnèrent leurs places respectives. Le juge se tourna alors vers les jurés.

— Nous allons procéder à une brève suspension d'audience, puis l'interrogatoire des témoins pourra reprendre. (Il regarda

Mercedes.) Inspecteur, il semble qu'on ait besoin de vous ailleurs. Vous serez appelée à témoigner de nouveau dans cette cour, aussi n'oubliez pas que vous êtes toujours sous serment.

Mercedes acquiesça d'un hochement de tête.

Le juge fronça les sourcils.

— Inspecteur, le greffier ne peut enregistrer un hochement de tête.

— Oui, Votre Honneur. Sous serment. J'ai compris.

Elle se hâta d'emboîter le pas au lieutenant.

— Ils ont coincé ce salaud il y a une heure et demie environ. Il est actuellement interrogé à la Criminelle. On fouille son domicile et sa voiture en ce moment. Le mandat de perquisition a été délivré ce matin même. On a essayé de te joindre, mais tu étais déjà partie au tribunal. Alors je suis venu te chercher.

Ils descendirent les marches du palais de justice. L'automne était là, version à peine moins chaude de l'été.

— Qu'est-ce qui les a poussés à intervenir ? demanda-t-elle.

— Il a acheté deux paires de collants en nylon dans un drugstore la nuit dernière. Il les a ensuite cachés, en même temps qu'un marteau de cordonnier, dans une armoire de vestiaire à l'université de Miami.

— Qui est-ce ?

— Un étudiant étranger. Originaire du Moyen-Orient. Un de ces types qui passent leur vie dans les universités. Il s'est inscrit dans plusieurs d'entre elles sous des identités différentes. On en saura plus très bientôt. (Le lieutenant s'arrêta devant la portière d'une voiture banalisée.) Tu préfères assister tout de suite à l'interrogatoire ou passer d'abord chez lui ?

— Chez lui, répondit-elle après une brève hésitation.

— D'accord, on y va.

Le décor urbain défilait devant eux tandis qu'ils roulaient en direction du domicile du suspect. Le lieutenant conduisait vite, sans parler. Mercedes essaya en vain de se faire une idée de l'homme. Elle ne savait rien de lui, pensa-t-elle, et il lui faudrait du temps, de longues observations, pour y parvenir. Le lieutenant ralentit et prit la direction de l'aéroport. Quelques blocs plus loin, il tourna dans une rue flanquée de petites maisons de parpaings, abritant pour la plupart des familles de Sud-Américains et de Noirs. Nombre d'entre elles étaient clôturées de grillages et gardées par des molosses. Les maisons se trouvaient légèrement en retrait de la rue, mais il n'y avait aucun jardin. Aucun arbre n'ombrageait le trottoir, pas même les palmiers qui avaient envahi la ville partout ailleurs. Mercedes pensa que cet endroit sinistre devait être l'été un véritable chaudron où bouillonnaient les tensions et les colères.

Au bout de la rue, plusieurs voitures de police étaient rangées autour de la dernière maison. Il y avait un véhicule de la fourrière.

— Le type avait un doberman dressé pour l'attaque. L'un des gars de la brigade d'intervention a dû l'abattre, expliqua le lieutenant.

Un avion passa au-dessus d'eux, noyant toutes choses dans un vrombissement assourdissant. Mercedes se dit que si elle devait entendre ce fracas toutes les cinq minutes, elle deviendrait comme un chien enragé.

Ils garèrent la voiture et se frayèrent un chemin à travers la petite foule de curieux qui observait la scène en silence. Mercedes salua d'un signe de tête l'inspecteur qui dirigeait la perquisition. D'abord simple agent, il avait ensuite été chargé d'infiltrer le Milieu, assez longtemps pour qu'on le soupçonne d'avoir soustrait cent cinquante mille dollars à deux jeunes dealers de cocaïne arrêtés en possession de cent mille dollars en petites coupures et d'un kilo de drogue. Les deux dealers, des étudiants, avaient affirmé sous serment qu'ils possédaient deux cent cinquante mille dollars en tout. Une situation délicate qui avait entraîné la mutation du policier. Les cent cinquante mille dollars manquants n'avaient jamais été retrouvés. Comme beaucoup de ses collègues, Mercedes s'était refusée à admettre l'évidence, préférant penser que quelqu'un avait menti en espérant que ce n'était pas le policier. Elle savait que c'était un homme d'expérience extrêmement compétent, et elle ressentit une sorte de soulagement alors qu'elle s'approchait de lui.

— Comment ça va, Fred ? demanda-t-elle.

— Bien, Merce. Et toi ?

— Ça peut aller.

— Nous le tenons, ce salopard, Merce. Viens voir à l'intérieur, et tu comprendras.

Il s'effaça pour la laisser entrer. Il faisait frais dans la petite maison. Elle entendait le ronronnement du conditionneur d'air. Elle frissonna, se demandant si c'était le changement de température.

A première vue, c'était le type même du logement d'étudiant. Il y avait une bibliothèque faite de parpaings et de planches, un canapé fatigué recouvert d'un grand châle indien aux couleurs passées, deux chaises en plastique, une table de bois au plateau marqué de brûlures de cigarettes. Les murs étaient couverts d'affiches d'agences de voyage vantant les verts paysages de la Suisse, du Canada et de l'Irlande.

— Plutôt banal, non ? fit Fred.

Elle se tourna vers lui.

— Oui. Tu as autre chose de plus intéressant à me montrer ?

— Jette donc un coup d'œil sur la machine à écrire.

Il y avait une machine sur la table, une feuille de papier insérée dans le rouleau. Elle se pencha pour voir ce qu'il y avait d'écrit :

sale sale sale sale sale sale sale sale sale sale sale sale sale
sale sale sale sale sale sale sale sale sale sale sale sale sale
Dieu Dieu Dieu Dieu Dieu Dieu Dieu Dieu Dieu Dieu Dieu
Tuer
Je dois purifier la Terre.

— Nous avons aussi trouvé son trésor.

— Son quoi ?

— Son trésor. Apparemment il conservait toujours quelque chose de ses victimes, du moins de certaines. Dans un placard il y avait une boîte à chaussures contenant des coupures de presse relatives aux crimes, quelques boucles d'oreilles, une bague ou deux, un soulier de femme et des bas nylon tachés de sang. C'est vraiment le genre de trouvaille qu'on rêve tous de faire dans des affaires de ce genre. Je ne sais pas si ça pourra prouver tous les meurtres, y compris celui de ta nièce, Merce, mais il y a suffisamment de quoi coincer ce salaud.

Elle le regarda.

— Je l'espère.

— J'en suis sûr. Le problème, c'est que cette ordure a peut-être commis d'autres crimes dont nous n'avons même pas eu connaissance.

Il passa son bras autour des épaules de Mercedes en la raccompagnant à la porte.

— Ne t'inquiète pas, Merce. Le type s'est peut-être déjà mis à table. Une seule chose m'intrigue : ces conneries qu'il a écrites sur sa machine. C'est sans doute un cinglé, un malade. Mais va donc le voir, tu jugeras toi-même.

— Merci, Fred.

— De rien. N'hésite pas à m'appeler, à n'importe quelle heure, si tu as besoin de savoir quelque chose.

— Merci encore, Fred. Je me sens déjà mieux.

— Super.

Mais c'était faux, elle ne se sentait pas mieux. Elle rejoignit le lieutenant Burns qui l'attendait à la porte.

— Allons voir ce type.

Elle ne se retourna pas pour regarder la maison tandis qu'ils s'éloignaient.

A la Criminelle, l'inspecteur Barren et le lieutenant Burns furent conduits dans une pièce sombre équipée d'une glace sans tain qui donnait sur une autre pièce. Ils échangèrent des poignées de main avec les autres policiers assistant à l'interrogatoire. Dans un angle de la pièce, un homme enregistrait au magnétophone ce qui se disait de l'autre côté de la glace. Personne ne parlait. Quelqu'un offrit une chaise à Mercedes et lui murmura :

— Il continue de nier. Ça fait deux heures qu'ils sont avec lui. Le type est assez fort. Difficile de dire s'il craquera dans cinq minutes ou dans cinq heures.

— Est-ce qu'il a demandé un avocat ? demanda-t-elle.

— Pas encore. Tant mieux.

Elle pensa à ce qu'elle avait lu sur la machine à écrire.

— Il est sain d'esprit ? s'enquit-elle en regardant le suspect pour la première fois.

C'était un homme de petite taille, très musclé, bâti comme un lutteur ou un boxeur poids léger, avec des cheveux noirs ondulés qui contrastaient bizarrement avec le bleu vif de ses yeux. Il portait un blue-jean et un tee-shirt orange qui proclamait la victoire de l'université de Miami au championnat national de football américain. L'homme semblait ramassé sur lui-même, comme s'il s'apprêtait à bondir.

— Non, il est plutôt fou. Il vient de citer le Coran il y a une minute. Mais écoutez...

Elle reporta son attention sur la scène qui se jouait de l'autre côté de la glace. L'inspecteur Moore posait les questions pendant que Perry prenait de temps à autre des notes mais fixait le plus souvent le suspect d'un regard perçant et dur, ses yeux suivant le moindre de ses mouvements et s'étrécissant de façon menaçante quand l'homme se dérobait. Ce regard brillant de courroux et de violence contenue dont le policier jouait avec un art consommé commençait à mettre le suspect particulièrement mal à l'aise. Du beau travail, apprécia Mercedes.

— Dites-moi pourquoi vous avez acheté les bas nylon.

— Pour faire un cadeau.

— Un cadeau à qui ?

— A quelqu'un, dans mon pays.

— Quel pays ?
— Le Liban.
— Et le marteau ?
— C'était pour réparer ma voiture.
— Où étiez-vous la nuit du 8 septembre ?
— Chez moi.
— Quelqu'un peut en témoigner ?
— Je vis seul.
— Pourquoi avez-vous tué toutes ces femmes ?
— Je n'ai tué personne.
— Alors comment se fait-il que nous ayons trouvé chez vous une boucle d'oreille appartenant à une jeune femme nommée Lisa Williams ? Et cette paire de bas nylon tachés de sang, des bas roses exactement comme ceux que portait Andrea Thomas juste avant qu'on la retrouve morte dans le parc du campus de Miami-Dade ? C'étaient des cadeaux, hein ? Et puis vous aimez bien collectionner les coupures de presse... surtout quand elles parlent de vous !
— Ces choses-là sont à moi ! A moi ! Vous n'avez pas le droit de me les prendre ! J'exige qu'elles me soient rendues !
— Espèce de salaud, c'est nous qui exigeons, ici !
— Vous êtes le diable !
— Et comment ! Je vous réserve une bonne place en enfer !
— Jamais je n'irai en enfer ! Je suis un vrai croyant.
— L'assassinat fait partie de votre credo ?
— Il y a des gens impurs dans le monde.
— Des jeunes femmes ?
— Particulièrement les jeunes femmes.
— Pourquoi sont-elles impures ?
— Ah, vous le savez bien.
— J'aimerais que vous me le disiez.
— Non, vous aussi vous êtes impur. Infidèle !
— Juste moi ou bien tous les policiers ?
— Tous les policiers.
— Vous aimeriez bien me descendre, hein ?
— Vous êtes un infidèle. Le livre saint dit que tuer un infidèle n'est pas un péché. Le Prophète dit que c'est un moyen d'accéder au paradis.
— Eh bien, là où vous irez, ça ne ressemble pas beaucoup au paradis.
— Ce n'est rien. Seulement la chair qui souffre.
— Parlez-moi de la chair.
— La chair est impure. La pureté vient des pensées.

— Que faites-vous à la chair impure ?
— Je la détruis.
— Combien de fois avez-vous détruit des chairs impures ?
— De nombreuses fois... dans mon cœur.
— Et avec vos mains ?
— Ceci ne regarde que moi et mon maître.
— Qui c'est, votre maître ?
— Je n'ai qu'un seul maître, celui qui réside en son jardin éternel.
— Qu'en savez-vous ?
— Il me parle.
— Souvent ?
— Quand il me donne un ordre, j'écoute.
— Que dit-il ?
— Apprends les manières des infidèles. Apprends leurs coutumes. Prépare-toi pour la guerre sainte.
— Quand la guerre sainte doit-elle commencer ?

Le suspect éclata de rire, se renversant en arrière sur sa chaise, la bouche grande ouverte. Des larmes roulèrent sur ses joues. Il continua de rire pendant quelques minutes, sans que les policiers l'interrompent. Finalement il se calma, regarda dans les yeux l'inspecteur Perry et dit d'une voix égale et sinistre :
— Elle a déjà commencé.

Perry se leva soudain de sa chaise et frappa des deux poings sur la table qui le séparait du suspect. Le bruit résonna comme une détonation, et Mercedes vit se raidir les hommes qui étaient dans la pièce avec elle.
— La guerre contre les jeunes filles, hein ? Les tuer fait partie du plan de bataille ?

L'homme considéra avec stupeur le policier.

Un lourd silence tomba.

Quand il parla, sa voix était de nouveau froide, assurée.
— Je ne sais rien des femmes impures.

Il pointa un doigt vers le policier.
— Je ne vous dirai plus un mot. Je ne suis pas obligé de vous parler. Je connais mes droits, je connais mes droits, je connais mes droits... répéta-t-il en ponctuant ses phrases de coups de poing sur la table.

Les deux inspecteurs se redressèrent en fixant sur lui des regards haineux.
— Vous ne me faites pas peur, reprit le suspect. Dieu est avec moi, et je ne crains pas votre justice d'infidèles. J'exige la

présence d'un avocat ! Vous entendez ? Sadegh Rhotzbadegh exige l'avocat auquel votre Constitution lui donne droit !

Les deux inspecteurs quittèrent la pièce.

— Je suis un vrai croyant ! cria l'homme derrière eux. Un vrai croyant !

Il les regarda sortir. Puis il se tourna vers la glace sans tain et pointa son majeur, dans un geste obscène. Le magnétophone enregistra un nouvel éclat de rire, coupé par un policier qui jura tout bas. Mercedes se leva et soupira. Au moins, pensa-t-elle, l'assassin de Susan était facilement haïssable, et elle éprouva quelque réconfort à cette pensée.

Mercedes reprit le travail de routine, écartant de ses préoccupations l'arrestation de l'étudiant libanais. Elle connut cependant une journée difficile quand elle se rendit dans la chambre de Susan, au campus, pour récupérer les affaires de la jeune fille et les envoyer à sa mère. Elle tomba sur une lettre d'amour adressée à un garçon nommé Jimmy, qu'elle n'avait jamais rencontré mais qui devait être cette grande perche un peu gauche qu'elle avait remarquée aux obsèques. Le jeune homme s'était tenu à l'écart des parents et des proches, l'expression triste et vaguement incrédule, comme s'il n'avait pas encore pris conscience de la réalité des faits. Mercedes lut : « *... Comme il me tarde de commencer l'année universitaire. Dans le courant du premier trimestre, nous devons partir aux Bahamas pour y travailler en laboratoire. Nous vivrons une semaine sur le bateau de recherches et serons tout le temps sous l'eau. Je regrette que tu ne puisses pas venir partager cette expérience avec moi. Je pense à ces dernières nuits et à tout ce que nous avons vécu ensemble...* » Mercedes sourit. Qu'avaient-ils vécu ? Pendant un instant elle souhaita que sa nièce ait connu un authentique amour et qu'elle se soit abandonnée au plaisir. Elle avait le sentiment que cela atténuerait un peu l'horreur de sa fin brutale.

Elle rangea la lettre. Il y avait de l'indiscrétion à la lire, pensa-t-elle, mais cela lui avait procuré un étrange plaisir, comme si Susan avait non pas ressuscité mais réapparu là, devant elle, durant quelques secondes.

Un mardi en fin d'après-midi, dix jours après l'arrestation de Sadegh Rhotzbadegh, elle appela l'inspecteur Perry à la Criminelle pour connaître la décision prononcée à l'encontre de l'inculpé par la chambre des mises en accusation qui s'était réunie ce jour-là. L'inspecteur répondit aussitôt.

— Merce, excusez-moi de ne pas vous avoir appelée plus tôt, mais j'ai été affreusement occupé...

— Ce n'est rien, Perry, répondit-elle. Comment ça s'est passé à la chambre ?

— Bien et mal.

— Comment ça ?

— Il y aura plusieurs chefs d'inculpation pour homicide volontaire avec préméditation, mais pas pour les meurtres de Susan et de l'une des autres victimes.

— Je ne comprends pas.

— Ecoutez, les six meurtres — cinq à Dade et un dans le comté de Broward — ont tous été commis selon le même procédé. De toute façon, il possédait chez lui des coupures de presse relatives aux six. Son groupe sanguin correspond à celui relevé dans le sperme contenu dans l'un des préservatifs trouvés près du corps de Susan... mais pas à l'autre. C'est toutefois un type de sang très commun, et il n'a pas été possible de pousser l'analyse plus loin. Le problème est le même dans le meurtre de Broward.

— Et alors ?

— Nous le tenons avec trois pièces à conviction — des bijoux, de la lingerie et un soulier — qu'il a gardées Dieu sait pourquoi, et qui ont été formellement identifiées comme appartenant à trois des victimes. En conclusion, on a trois chefs d'inculpation qui sont absolument irréfutables, et pour les trois autres de lourdes présomptions qui à elles seules pèseraient dans la balance, si besoin était. Merce, ce type est bon pour la peine capitale. C'est ce qui compte, non ?

— La fouille de sa voiture a donné quoi ?

— Une boucle d'oreille... non, elle n'appartient pas à Susan, s'empressa-t-il de dire pour prévenir la question de Mercedes. Les parents de l'une des victimes l'ont identifiée. Quant aux autres boucles, elles ne correspondent malheureusement pas à celle trouvée près du corps de Susan.

— Continuez de chercher.

— Merce, c'est ce que nous faisons. Mais vous savez comment ça se passe. Je dois justifier de mon temps et de mes hommes à mes supérieurs. Pour eux, avec trois chefs d'inculpation, l'affaire est déjà classée.

— J'ai l'impression d'être roulée.

— Pensez à tous les assassins qui s'en sont sortis. Allons, Merce, c'est déjà presque inespéré d'avoir épinglé ce salaud.

— Il n'est pas mentalement...

— Non, l'interrompit-il. Oh, la défense essaiera toujours de plaider l'aliénation mentale, mais sans grandes chances de convaincre le jury. Allah lui a peut-être soufflé à l'oreille de tuer ces filles, mais il ne lui a certainement pas conseillé de les violer.

— Et il n'a rien avoué ?

— Non, il est bien trop malin pour ça. Vous savez, il suivait des cours de droit dans l'une des universités où il était inscrit.

Ils restèrent silencieux pendant un moment.

Mercedes se sentait mal à l'aise, comme s'il faisait soudain trop chaud dans la pièce. Elle entendit la voix de Perry à l'autre bout de la ligne.

— Ecoutez, Merce, appelez-moi quand vous voudrez. Si nous avons autre chose, je vous le ferai savoir.

Elle le remercia et raccrocha.

C'était, pensa-t-elle, parfaitement injuste et absurde, mais conforme au système légal. Même lorsque tout accusait l'assassin présumé, il fallait fournir la preuve tangible, sinon obtenir les aveux. Policier de métier, c'était là une chose qu'elle comprenait mieux que quiconque, et pourtant cette compréhension même la mettait en rage.

Elle ne put dormir cette nuit-là. Elle regarda la télé, lut *l'Orestie* jusqu'à l'aube et partit travailler tôt. Elle resta tard au bureau, rédigeant ses rapports avec un soin extrême, examinant méthodiquement les éléments des enquêtes en cours, jusqu'à ce que, lasse et vidée, elle rentre chez elle, se déshabille et, allant chercher une couverture et un oreiller dans sa chambre, se couche à même le parquet, convaincue que seule une dure ascèse soulagerait sa tension.

Quelques jours passèrent durant lesquels elle eut l'impression que sa vie resterait en suspens, ses sentiments comme sous scellés, aussi longtemps que la mort de Susan ne serait pas résolue. Quand l'inculpation fut définitivement prononcée pour trois des meurtres, elle alla voir le procureur général et lui rappela que, bien qu'il ne fût pas accusé du meurtre de Susan, l'étudiant libanais en était responsable. Elle assista à toutes les auditions organisées par les deux jeunes procureurs désignés par le parquet. Elle réexamina les preuves, chercha les points faibles qui pourraient être exploités par la défense, fit parvenir ses remarques à l'accusation, sachant que son acharnement risquait de les importuner mais déterminée à ce que le procès soit mené avec toute la rigueur possible.

Elle se rendit également à la prison du comté, où le Libanais occupait une cellule individuelle dans le quartier de haute sécurité. Elle tirait une chaise dans le couloir, juste devant la cellule de l'inculpé, et restait là à le regarder. La première fois, il avait commencé par rire et lui crier des insultes. Elle était restée impassible et avait continué de faire peser sur lui un regard que rien ne semblait pouvoir fléchir. Il avait alors tenté de l'attraper à travers les barreaux en hurlant et crachant de rage. A la fin, il s'était rencogné dans les toilettes, sortant de temps à autre la tête de derrière le mur pour voir si elle était toujours là. Jamais elle ne lui parla, comptant seulement sur la force de son silence pour, espérait-elle, le terrifier.

Elle ne parla à personne de ces visites clandestines. Et le personnel de la prison, conscient des raisons qui la poussaient, ne consigna jamais ses entrées et ses sorties. C'était, lui dit le gardien-chef du quartier de sécurité, le moins qu'ils puissent faire pour elle.

Elle assista à l'audition des policiers témoins de la perquisition au domicile de l'accusé. Elle prit place au premier rang, les yeux fixés sur le dos du Libanais. Elle savait qu'il sentait son regard, et ce fut avec une grande satisfaction qu'elle le vit s'agiter sur son siège et tourner la tête vers elle.

— Bien joué, dit-elle à son ami Fred, l'inspecteur du comté de Dade, quand il eut fini de témoigner.

— Du velours, murmura-t-il en passant à côté d'elle.

Elle fut encore là quand les avocats de la défense se plaignirent auprès du juge de ce que leur client s'affaiblissait moralement. Ce à quoi le juge répondit, au grand plaisir de Mercedes, que c'était là une réaction tout à fait normale de la part d'un homme qui risquait la peine capitale.

Des mois passèrent. L'hiver vint. Les journées se firent plus claires, l'air plus vif. La nuit, Mercedes flânait sur sa terrasse, jouissant de cette fraîcheur qui était comme un baume après les chaleurs de l'été. Elle attendait avec une vigilance de guetteur que Sadegh Rhotzbadegh comparaisse enfin devant ses juges, et le seul plaisir et le seul moment d'oubli qu'elle s'accordait était d'aller voir jouer les Dauphins qui poursuivaient avec ardeur leur ascension vers le titre national.

Un soir, une semaine avant la date du procès, elle reçut un appel téléphonique de l'inspecteur Perry. Il parlait d'une voix animée.

— Merce, dit-il, ça se passe demain.
— Comment ça, demain ?
— En accord avec la défense, il plaide coupable.
— Quel avantage pense-t-il en tirer ?
— La vie, rien que ça. Il est entendu qu'il écopera du maximum pour chaque meurtre, ce qui devrait lui valoir pas loin de cent ans de prison, sans remise de peine possible. Quand il rentrera à Raiford, il pourra commencer tout de suite à creuser sa tombe, parce que c'est là-bas qu'il crèvera.
— Mais il devrait être condamné à mort.
— Merce, il passera devant le juge Rule, et ce vieux salopard se fait un point d'honneur de n'avoir jamais envoyé personne à la chaise électrique.
— Tout de même...
Il l'interrompit.
— Je sais, ça vous fait mal au ventre, comme ça doit le faire aux familles des autres victimes. Mais le parquet, le juge, tout le monde est d'accord pour cette solution parce qu'ils redoutent que les avocats de la défense parviennent à jouer la carte du dérangement mental.
— Peut-être, mais...
— Il n'y a pas de mais. Vous voulez courir ce risque ?
Avant qu'elle ait le temps de répondre, l'inspecteur Perry ajouta :
— Et ne vous imaginez surtout pas, Merce, que vous pourrez vous payer ce salaud vous-même. Je suis au courant de vos visites à la prison. N'y pensez pas, Merce.
— Il mérite de mourir.
— Il va mourir, Merce.
— Bien sûr, dit-elle, nous allons tous mourir.
— Merce, dit Perry d'une voix radoucie, il faut vous efforcer d'oublier, maintenant. Ce type est fini, il crèvera en taule, et l'affaire est désormais classée. Ne m'obligez pas à vous tenir ce discours, que vous devez connaître par cœur pour l'avoir déjà tenu vous-même en d'autres circonstances. Tout sera officiellement terminé demain matin à neuf heures.
— J'y serai, dit-elle.
Et elle raccrocha.

Sadegh Rhotzbadegh semblait frissonner, tassé sur lui-même, malgré la chaleur étouffante qui régnait dans la salle bondée du tribunal. Quand il aperçut l'inspecteur Barren, assise à sa place habituelle au premier rang, il se rapprocha peureusement de l'un de ses avocats, qui se retourna et lança à Mercedes un regard de défi. Les voix se turent quand le juge entra. C'était un homme âgé aux longs cheveux blancs qui lui donnaient un air d'artiste. Il jeta un bref coup d'œil sur la salle, passant sur le banc des familles des victimes et sur la rangée de reporters de la télévision et de la presse qui se pressaient le long des murs.

— Il y a, je crois, une requête déposée par le parquet en accord avec la défense, dit-il.

— Oui, Votre Honneur. (L'un des jeunes procureurs s'était levé.) Il a été accordé à la défense que si elle plaidait coupable l'Etat ne requerrait pas la peine capitale. Il est bien entendu qu'à cette condition M. Rhotzbadegh se verra infliger le maximum d'emprisonnement prévu par la loi pour chacun des meurtres, soit un total de cent onze ans, sur lesquels aucune remise de peine ne sera jamais accordée.

Il se rassit. Le juge regarda le banc de la défense.

— C'est exact, dit l'un des avocats.

Le juge porta alors son regard sur l'accusé. Celui-ci se leva.

— Monsieur Rhotzbadegh, est-ce que vos avocats vous ont expliqué ce que vous encourez ?

— Oui, Votre Honneur.

— Et vous êtes d'accord avec les termes de cet arrangement ?

— Oui, Votre Honneur.

— Vous n'avez subi aucune pression physique ou mentale pour accepter cet accord ?

— Non, Votre Honneur.

— Vous savez que vous aviez le droit de plaider non coupable et de vous défendre des accusations portées contre vous devant un jury populaire et de forcer l'Etat à apporter la preuve irréfutable de ce dont vous êtes présumé coupable ?

— Je sais cela, Votre Honneur. Mes avocats comptaient plaider l'aliénation mentale, mais je ne suis pas fou.

— Avez-vous quelque chose à ajouter ?

— Ce que j'ai fait, je l'ai fait parce que Allah me le commandait. Pour vous, je suis coupable, mais aux yeux du Prophète je suis sans reproche. J'accueillerai avec joie le jour où je rejoindrai les fidèles dans les jardins d'Allah.

Dans la salle, les journalistes griffonnaient sur leurs carnets, attentifs à ne pas perdre un mot de ce qui se disait.

— Tant mieux, déclara le juge, si votre foi vous est de quelque secours...

— D'un grand secours, Votre Honneur.

— Très bien, très bien. Merci.

Le juge l'invita à se rasseoir d'un petit geste de la main, puis il regarda la salle.

— Est-ce que les parents des victimes sont là ?

Le silence se fit. Un couple, assis à la droite de Mercedes, se leva, suivi aussitôt d'un autre couple et de toute une famille. Mercedes aussi se leva. Elle vit Sadegh Rhotzbadegh se tasser davantage en rentrant la tête dans les épaules et en regardant obstinément devant lui.

— L'un de vous aurait-il une déclaration à faire ? demanda le juge.

Il y eut un moment de confusion. Les mots se bousculaient dans la tête de Mercedes. Lesquels choisir pour dire qui était Susan et ce qu'elle représentait pour elle ? L'émotion manqua la faire vaciller, et elle se rassit. Mais un homme grand, mince, à l'allure distinguée, fit un pas en avant. Il avait les yeux rougis. Il jeta vers le banc de la défense un regard qui sembla souffler sur la salle un vent glacial. Puis il se tourna vers le juge.

— Votre Honneur, je suis Morton Davies, père d'Angela Davies, victime...

Il hésita.

— Nous avons accepté cet arrangement parce que nous ne voulons pas voir cet assassin confié à un établissement psychiatrique dont il serait sorti un jour ou l'autre. Notre perte, Votre Honneur, notre perte...

Il ne put continuer.

Sa phrase resta suspendue dans la salle silencieuse. Comment exprimer avec des mots la perte d'un être aimé, pensa Mercedes. L'homme eut une brève inclination de la tête, comme pour un salut, puis il tourna les talons et s'en fut d'un pas rapide vers la sortie. L'éclair d'un flash crépita, et l'image du chagrin se fixa sur une pellicule. Mercedes se tourna de nouveau vers le devant de la salle. Sadegh Rhotzbadegh s'était levé, encadré par ses avocats. Le juge prononçait la sentence, et les années s'additionnaient par dizaines à mesure que se déroulait la litanie des crimes de celui qu'on avait surnommé le Tueur du Campus. Quand le juge eut fini, deux gardes s'approchèrent de Sadegh Rhotzbadegh et l'invitèrent à les suivre hors de la salle. Elle entendit le juge annoncer la levée de la séance et disparaître dans un mouvement de robe noire par une porte latérale. Les journalistes assiégeaient déjà les parents des victimes. Dans l'agitation et le brouhaha qui régnaient maintenant dans la salle, Mercedes aperçut Perry qui échangeait de cordiales poignées de main avec les deux jeunes procureurs. Elle s'écarta du groupe de journalistes qui la pressaient de questions pour voir sortir l'étudiant libanais. Il allait franchir la petite porte derrière laquelle l'attendait l'escorte policière qui le conduirait à la prison de Raiford quand il se retourna et parcourut des yeux la salle. Il rencontra le regard de Mercedes. Il semblait que pour la première fois il n'y avait plus de peur ni de haine dans les yeux du Libanais, mais une profonde tristesse. Il secoua la tête avec vigueur, cherchant manifestement à lui exprimer une farouche dénégation dont elle ne comprit pas la raison. Elle le vit articuler deux ou trois mots dont elle ne saisit pas davantage le sens avant qu'il soit pressé d'avancer par les gardes et disparaisse à sa vue.

Elle ressentit alors en elle une impression de grand vide.

Au début, elle fit toutes choses avec excès. Habituée à un petit jogging matinal qui n'excédait jamais trois kilomètres, elle en courut le triple, suant et souffrant avec une espèce de rage contenue. Elle travailla deux fois plus, apportant un soin maniaque à ses enquêtes et à ses rapports. Elle but davantage aussi, préférant, dans ce qu'elle pensait être un reste de bon sens, le vin aux calmants qu'un ami lui avait conseillés. Ses rêves, quand elle parvenait à dormir, étaient hantés par l'étudiant libanais, ou Susan, ou son mari défunt. Parfois le visage de l'homme qui lui avait tiré dessus lui apparaissait. D'autres fois, c'était celui de son père. Il la regardait tristement et comme affligé, même dans la mort.

L'idée que tout était fini et que l'assassin vivrait lui était insupportable. Elle se rappelait sans cesse cet instant dans la salle, juste avant qu'il ne disparaisse par la sortie réservée aux condamnés. Qu'avait-il donc voulu nier avec une étrange conviction ? Elle revoyait la scène, décomposait lentement, comme un ralenti au cinéma, ce geste de la tête qu'il avait eu et ses lèvres qui articulaient d'inaudibles paroles.

Elle s'entraîna au tir chaque week-end. Curieusement, la sensation de l'arme tressautant dans sa main l'apaisait. Elle acheta un Browning 9 mm, gros, puissant, avec lequel elle devint particulièrement adroite.

Elle téléphona à l'inspecteur Perry.

— Vous savez, Merce, on a bien failli le coincer pour le meurtre de Susan. Deux étudiants qui étaient dans ce club avec Susan la nuit du meurtre l'ont reconnu quand la photo a été publiée dans la presse. Ils auraient volontiers témoigné, mais ils ne l'ont pas vu parler avec Susan ni la suivre quand elle est sortie. D'ailleurs l'un d'eux se rappelle formellement l'avoir remarqué au bar après le départ de Susan. Aussi...

— Puis-je avoir leurs noms ?

— Bien sûr.

Elle prit note, comptant bien leur rendre visite.

La dernière image de Sadegh Rhotzbadegh secouant farouchement la tête continuait de la hanter. Qu'avait-il voulu lui dire ?

Elle reposait dans sa chambre, les lumières éteintes. Des semaines encore avaient passé. Le printemps revenait, enveloppant la ville d'une vague senteur grasse et végétale. Suppose, pensa-t-elle, qu'il ait voulu te dire : non, je n'ai pas tué Susan. Allons, ne sois pas ridicule. Il était rempli de haine et de fanatisme. Non, il n'attendait pas de moi un quelconque pardon. Mais alors, que disait-il ?

Un doute aussi étrange que sournois s'empara soudain d'elle, comme si elle prenait conscience d'avoir commis un irréparable oubli. Elle fit de la lumière, se leva pour aller jusqu'au petit bureau dans un coin de sa chambre où elle gardait les doubles de tous les rapports d'enquête relatifs au meurtre de Susan. Elle les étala d'un geste lent devant elle. Puis, s'exhortant au calme et à la raison, elle entreprit de les relire attentivement. Cherche, s'encouragea-t-elle. La réponse doit se trouver là-dedans.

Elle trouva.

Ce n'étaient que deux mots, *traces d'alcool*, mais ils eurent aussitôt en elle une curieuse résonance.

Elle lut : *Le type a dû boire un verre ou deux. Peut-être seulement de la bière, mais c'est suffisant pour fausser l'analyse.*

— Ah, nom de Dieu ! jura-t-elle tout haut.

Elle courut chercher un dictionnaire dans la petite bibliothèque du salon, chercha à *Musulman* mais ne trouva pas grand-chose. Elle aperçut, traînant sur une table, le catalogue des cours universitaires que Susan avait un jour oublié chez elle. Elle trouva à la page cinquante-quatre le nom du professeur chargé du cours de Civilisation orientale. Par bonheur, il y avait son nom dans l'annuaire du téléphone.

Elle regarda l'heure. Trois heures du matin.

Elle resta assise, immobile, luttant contre sa nervosité.
Il était six heures quand elle composa le numéro.
— Harley Trench ? demanda-t-elle.
— Bon Dieu, marmonna une voix ensommeillée. Je vous ai déjà dit en cours de ne pas m'appeler de si...
— Professeur Trench, je suis l'inspecteur Mercedes Barren de la police de Miami. Je vous appelle pour une raison professionnelle.
— Oh, excusez-moi. Je vous avais prise pour l'une de mes étudiantes. Elles savent que je me lève tôt, et elles en profitent... Que puis-je pour vous ?
— Nous avons un suspect originaire du Moyen-Orient impliqué dans une affaire criminelle. Il prétend être un musulman chiite.
— Oh, comme cet horrible individu qui a tué six jeunes filles.
— Un cas semblable.
— Eh bien, je vous écoute...
— Voilà, nous pourrions inculper cet homme si nous pouvions prouver qu'il a bu de l'alcool le soir du meurtre.
— De l'alcool ?
— Oui, de la bière, ou un gin. Une boisson alcoolisée.
— Vous devez savoir que s'il est musulman pratiquant, il n'y a aucune chance qu'il ait bu une seule goutte d'alcool.
— Pardon ?
— Oui, boire de l'alcool est considéré par les musulmans, et en particulier par les intégristes chiites dont votre suspect semble se réclamer, comme un péché mortel. En aucun cas un musulman, tel que ce fou dont je vous parlais il y a un instant, ne toucherait à un verre, fût-ce de bière. Est-ce que cela répond à votre question, inspecteur ?
Mercedes demeurait silencieuse.
— Inspecteur ?
— Oui. Excusez-moi, je réfléchissais. Eh bien, je vous remercie, professeur.
Traces d'alcool, pensa-t-elle.
Elle raccrocha, et de nouveau l'image du Libanais lui adressant désespérément cette dénégation muette s'imposa à elle.
Elle courut dans sa chambre, chercha le rapport de la perquisition effectuée au domicile de Sadegh Rhotzbadegh. Pas de bouteille d'alcool.
Mais il se trouvait au bar, deux témoins l'avaient vu. Mais l'avaient-ils vu boire ?
Oh, mon Dieu, pensa-t-elle. Elle alla dans la salle de bains.

Son visage dans le miroir exprimait une peur intense. Elle fut prise d'une brusque nausée, et elle vomit, pliée en deux au-dessus de la cuvette des toilettes.

Elle se passa de l'eau sur le visage et se regarda de nouveau dans la glace.

— Oh, mon Dieu, dit-elle à son reflet. Il est peut-être toujours là, dehors. Oh, Susan, je suis désolée, mais ce monstre court toujours... Pardon, Susan, pardon...

Elle éclata en sanglots et, pour la première fois depuis cet appel téléphonique en pleine nuit, elle donna libre cours au chagrin qu'elle avait contenu jusqu'ici.

II. Un cours de littérature anglaise

L'éclat du soleil frappa le pare-brise, l'aveuglant une fraction de seconde, et il revit son frère assis en face de lui qui disait :

— Tu sais, j'aurais aimé que nous soyons plus proches l'un l'autre, devenus grands...

Il se rappela sa réponse brève et plus sincère qu'il n'y paraissait :

— Mais nous sommes plus proches que tu ne le penses. Beaucoup plus proches.

Douglas Jeffers roulait en direction du sud. La lumière, je me souviens toujours de la lumière, pensa-t-il en revoyant les traits de son frère affadis par l'éclairage jaunâtre de la cafétéria de l'hôpital. Il pressa l'accélérateur et regarda les arbustes et les buissons qui bordaient la route monter vers lui à toute vitesse jusqu'à se fondre en un flou verdissant.

L'Amérique dans un brouillard, pensa-t-il en accélérant encore. Il sentit la poussée de la voiture et observa avec un certain délice le paysage défiler par les vitres. Quand le compteur afficha 180 kilomètres/heure, il relâcha brusquement l'accélérateur jusqu'à redescendre à un modeste cent. Il chercha une station sur la radio et reçut clairement Florence, en Georgie. Johnny Cash égrenait de sa voix de basse brisée une complainte country à émouvoir tous les routiers du pays. Jeffers entonna le refrain et repensa à sa rencontre avec son frère, deux jours plus tôt.

Il attendait dans un coin de la cafétéria de l'hôpital que Martin ait fini sa visite matinale.

— Excuse-moi de t'avoir fait attendre... commença son jeune frère en arrivant.

Mais Douglas l'interrompit d'un haussement d'épaules. Les appliques orange qui éclairaient la salle leur faisaient un teint pâle et maladif.

— Rien que cette lumière aurait de quoi rendre n'importe qui schizoïde, dit Douglas.

Martin Jeffers rit.

— Ça fait combien de temps ? demanda-t-il.

— Deux ans. Peut-être trois, répondit Douglas.

— C'est curieux, on ne dirait pas que ça fait si longtemps.

— C'est parce que nous sommes tous deux très occupés.

— C'est vrai.

Douglas pensa qu'il avait rarement entendu le rire de son frère. Son cadet semblait promis à cette tranquille gravité qu'on pouvait attendre d'un psychiatre passant ses journées dans l'enfer climatisé d'un grand hôpital pour aliénés.

— Pourquoi restes-tu ici ? demanda-t-il.

Martin haussa les épaules.

— Je ne sais pas vraiment. Je suis bien ici, la paie est bonne, et j'ai aussi le sentiment de faire quelque chose d'utile pour la société... bref, un tas de raisons.

Pénitence, pensa Douglas Jeffers.

— Comment va l'industrie des malades ? demanda-t-il.

— Florissante, répondit Martin Jeffers. Mais seulement par le nombre des patients. C'est toujours le même malheur, la même histoire racontée de façon différente ou dans une langue étrangère. Oh, ça reste toujours intéressant, mais il m'arrive d'envier la variété de ton métier.

Douglas fronça les sourcils.

— Ne crois pas que ce soit tellement différent, dit-il. Que je prenne des photos d'une émeute à San Salvador ou dans un ghetto de Los Angeles, c'est toujours la même misère, la même souffrance, que ce soit l'écrasement d'un 727 ou le naufrage de boat-people en mer de Chine. Chaque jour il y a un drame, chaque semaine une tragédie. Je ne fais que courir derrière les talons du diable, fixant un aperçu du ravage avant de me dépêcher vers le suivant.

Il sourit. Il aimait cette métaphore.

Son frère secoua la tête.

— Dit comme ça, ce doit être... plutôt décourageant ?

— Non, pas du tout.

— Tu ne t'en lasses jamais ? Moi, ça m'arrive avec mes patients...

— Non, j'adore ce genre de chasse.

Son frère ne répondit pas.

Douglas Jeffers regarda la route devant lui. Le goudron miroitait sous la chaleur. De grands pins bordaient la route, jetant sur le bas-côté une ombre tentante. Il songea pendant un instant à s'arrêter et à aller s'asseoir au pied d'un arbre. Ce serait plaisant, songea-t-il, de faire quelque chose de simple et d'enfantin. Puis il secoua la tête et reporta toute son attention sur le ruban de macadam qui s'étirait à l'infini à travers le paysage.

— Dis-moi, lui avait demandé son frère, qu'est-ce qui te plaît le plus dans la photographie ?

Douglas Jeffers s'était accordé un temps de réflexion avant de répondre.

— J'aime l'idée qu'une photo soit une trace indélébile. Quelque chose comme une relique. Elle ne ment jamais. Elle saisit à la perfection l'instant, l'événement. Dans ton travail, pour remonter le temps, tu dois te frayer un chemin à travers les émotions, les angoisses, les souvenirs et les écrans qui les masquent. Moi, je n'ai qu'à feuilleter un album, choisir une photo.

— Ça n'est jamais aussi simple que ça, répliqua Martin.

— Détrompe-toi, insista Douglas. Ceux qui achètent tes photos cherchent toujours la meilleure illustration d'un événement. Ce n'est pas nécessairement la meilleure photo que tu auras pu en faire. Chaque photographe a sa collection personnelle, son trésor de guerre, sa propre mémoire en images.

Ils étaient restés silencieux pendant un moment. Douglas savait exactement la question que son frère allait lui poser ensuite. Il se demanda pourquoi il avait tant tardé à le faire.

— Et pourquoi cette visite, aujourd'hui ? interrogea Martin Jeffers.

— Je pars en voyage, et je voudrais te laisser les clés de mon appartement. C'est possible ?

— Euh... bien sûr, mais où vas-tu ?

— Je ne sais pas. De-ci de-là. Une sorte de pèlerinage dans certains coins où je suis passé.

— Il n'y a donc pas d'adresse où je puisse te joindre en cas de besoin ?

Douglas ne répondit pas.

— Tu ne veux pas ou tu ne peux pas me le dire ? insista Martin.

— Vois-tu, il s'agit d'un voyage sentimental, répondit-il en donnant une intonation moqueuse à sa voix. Laisser une adresse quelque part nuirait à l'imprévu de la balade.

— Je ne comprends pas très bien...

Douglas l'interrompit d'un rire.

— Ecoute, je voulais seulement te dire au revoir. Ça n'a rien de tellement étrange, non ?

— Bien sûr que non, mais...

— Raccompagne-moi, veux-tu ? coupa une nouvelle fois Douglas.

— D'accord, acquiesça aussitôt le cadet.

Les deux hommes se dirigèrent en silence vers la sortie. Quand ils atteignirent la porte principale de l'hôpital, ils s'arrêtèrent et se regardèrent.

— Quand est-ce que je te revois ? demanda Martin.

— Quand tu me verras.

— Tu restes en contact ?

— A ma façon.

Douglas voyait bien que son frère brûlait d'envie de lui poser d'autres questions, mais il le savait trop retenu et discret pour le faire.

— Peut-être entendras-tu parler de moi, dit-il d'une voix traînante.

— Je... je ne comprends pas, dit Martin.

Mais Douglas secoua la tête, et pour toute réponse il appuya doucement son poing fermé contre l'épaule de son frère. Puis il se détourna et se dirigea vers la sortie. Mais avant de franchir la porte il se retourna, dégageant d'un geste expert la bretelle de son appareil, et le porta à son œil d'un mouvement fluide. Il cadra rapidement son frère, et l'obturateur cliqueta plusieurs fois. Martin Jeffers esquissa un sourire et, gauchement, leva un bras pour saluer son frère dont la silhouette disparaissait déjà sous la grande porte.

C'est ainsi qu'il avait pris congé. Douglas Jeffers rit tout haut au souvenir du visage de son frère. Adieu, Marty, adieu. Quand le temps viendra, prends la clé de l'appartement et fais enfin connaissance de ton frère aîné.

La vue d'une voiture de police garée à l'ombre d'un arbre lui fit baisser les yeux sur le compteur de vitesse. Il roulait à cent. Parfait, pensa-t-il, ni trop vite ni trop doucement. Il n'avait pas envie d'attirer l'attention des flics. Il se pencha pour tâtonner sous le siège. La gaine de cuir était là où il l'avait planquée. Il se représenta le revolver à canon court. Pas aussi précis que le 9 mm rangé dans sa valise ni aussi ouvragé que la carabine Ruger de calibre .30 qui se trouvait dans le coffre. Mais il était précis en tir rapproché, et il passait inaperçu dans la poche de sa veste, ce qui n'était pas négligeable. Il se voyait mal déambulant dans les allées d'un campus, la poche gonflée par une arme.

Il passa un panneau routier. La frontière de la Floride n'était plus qu'à une quinzaine de kilomètres.

Je me rapproche, pensa-t-il, le cœur battant d'impatience comme s'il se réveillait au premier matin de grandes vacances.

Il poursuivit sa route en direction de Tallahassee. Les arbres lui paraissaient moins grands, moins majestueux, et comme tassés par la chaleur. Il trouva un motel minable à une vingtaine de kilomètres de la ville. Il signa d'un faux nom, paya d'avance pour cinq nuits et prit la clé du bungalow le plus éloigné à l'arrière du motel. A en juger par l'indifférence avec laquelle la vieille femme à la réception l'avait accueilli et avait pris son argent, il était persuadé que personne ne viendrait le déranger. La chambre coûtait dix-huit dollars la nuit, et il en avait pour son argent. Le lit grinçait, les draps étaient d'un blanc douteux, et la couverture était usée jusqu'à la trame. Mais dans l'ensemble c'était propre, et surtout parfaitement isolé. Il glissa les armes sous le matelas, prit une douche et alluma la télévision. Il n'y avait rien d'intéressant, et il l'éteignit. Allongé sur le lit, il pensa de nouveau à ce problème qui le préoccupait depuis plusieurs semaines.

Devait-il choisir une étudiante en histoire ? En sociologie ? En littérature ? En journalisme ? La première aurait certainement le sens de la continuité et la capacité de relier les événements entre eux, mais saurait-elle écrire ? Aurait-elle cette vivacité nécessaire pour répondre aussitôt à telle ou telle suggestion qu'il pourrait faire ? La deuxième saurait voir les choses dans une perspective plus sociale. Une étudiante en psychologie exigerait trop d'exactitude clinique, et une élève en sciences politiques serait dogmatique et, finalement, incompétente. Sa première idée était probablement la bonne : trouver une littéraire ou encore une journaliste, bien que cette dernière ne verrait peut-être que l'événement et passerait à côté du contexte. Non, pensa-t-il, ce que j'ai l'intention de faire pourrait remplir un livre, et c'est dans un cours de littérature anglaise que je trouverai celle que je cherche. Il me faudra choisir soigneusement : pas de solitaire, pas d'introvertie, mais pas de vedette non plus. Ni rat de bibliothèque ni vamp de campus.

Il se sentit plus calme à présent que sa décision était prise. Les insectes attirés par la lumière venaient cogner sur la vitre, et au loin sur la route les camions passaient avec de sourds grondements.

Suis ton plan, pensa-t-il. C'est un bon plan.

Satisfait, il ne tarda plus à s'endormir.

Une vive lumière pénétrait par les grandes baies du MacDonald situé en bordure du campus de l'université de Floride, à Tallahassee. L'air conditionné laissait fuser un sourd ronflement, sollicité par la chaleur extérieure et celle qui montait de la rangée de plaques chauffantes où grésillaient doucement hamburgers et œufs frits. Malgré l'heure matinale, le restaurant était déjà envahi d'étudiants. Douglas but une gorgée de café et examina de nouveau un plan du campus, notant les salles où se tenaient les cours qu'il avait relevés dans le calendrier des matières enseignées dont il avait obtenu facilement un exemplaire à la bibliothèque de l'université quelques instants plus tôt.

A sa troisième tasse de café, il était parvenu à sélectionner les lieux et les cours sur lesquels il fondait son espoir de trouver celle qu'il cherchait. Il rangea ses affaires dans sa serviette et gagna les toilettes. Il vérifia son apparence dans la glace, réajusta son nœud de cravate et balaya de son front une mèche de cheveux. Il portait une veste de sport bleue et un pantalon kaki. Personne ne prêterait une attention particulière aux lunettes noires, banales dans le paysage d'un campus en Floride. Il arrangea les capuchons de stylos qui saillaient de sa poche et sortit un exemplaire de *l'Amateur* de John Fowles qu'il fourra dans sa poche en vérifiant que le titre dépassait bien du rabat. Il avait acheté le livre la veille mais avait pris soin d'en assouplir la couverture et d'en écorner les pages. Il regretta de ne pas avoir emporté celui qu'il avait chez lui. Il sourit à son image, satisfait par son air de jeune professeur stagiaire à la mise soignée mais décontractée, plutôt bel homme et, surtout, d'apparence inoffensive.

Il s'en fut en direction du campus, confiant et sourdement excité par la perspective de l'action.

Mais d'abord, pensa-t-il, une petite halte spirituelle.

Il descendit une rue paisible, ombragée d'arbres, croisant de temps à autre un groupe d'étudiants qu'il saluait d'un petit signe de tête. Il aperçut bientôt l'enseigne du cercle d'étudiantes et s'arrêta à l'ombre d'un grand chêne pour observer la façade blanche d'une maison en bois d'un étage située à une vingtaine de mètres du trottoir. Il vit deux filles sortir en riant par la grande porte de devant, et il se détourna pour regarder de l'autre côté de la rue. Quand elles se furent éloignées, il reporta son regard vers la maison. Il sourit en lisant le nom du foyer gravé sur l'enseigne au-dessus du perron : *Alpha et Omega*. Le commencement et la fin.

Oui, c'est bien ici que ça s'est passé, pensa-t-il.

Son œil enregistra le décor avec une rapidité professionnelle. Vite, attrape cette lumière oblique sur la façade avant qu'elle ne se déplace. Fais gaffe qu'on ne te voie pas. Il cadra visuellement, incorporant dans le champ un grand chêne situé en bordure de la pelouse et qui fournissait un ordre de hauteur comparatif. Puis, après avoir jeté un coup d'œil de droite et de gauche, il se baissa, comme s'il voulait renouer le lacet de sa chaussure, ouvrit sa serviette et en sortit son appareil. Il ajusta la vitesse et la distance, arma tout en portant le viseur à son œil, fit un dernier réglage et, sans bouger de sa position accroupie, prit trois instantanés. Satisfait, il rangea l'appareil dans la serviette, refit les nœuds de ses lacets et se redressa. S'assurant d'un regard que personne ne l'avait vu, il se remit en marche.

Il ne s'arrêta qu'une bonne centaine de mètres plus loin pour s'asseoir sur un banc inoccupé sous un arbre, prenant soudain conscience qu'il haletait légèrement, signe de la secrète jouissance qu'il ressentait.

Quel drôle de touriste je fais, pensa-t-il. Quand tout le monde en Floride court voir Disneyworld ou le parc des Everglades, moi je visite l'endroit où... où quoi ? Il réfléchit. Pour un grand nombre de citoyens habitant dans les environs, le foyer des étudiantes resterait le lieu où deux jeunes femmes avaient été sauvagement assassinées pendant leur sommeil, et une autre grièvement blessée. « Sauvagement assassinées » appartenait au langage journalistique, mais pour une fois ce n'était pas excessif : le meurtrier avait dans sa folie sectionné d'un coup de dents le téton d'une des victimes et fracassé le crâne d'une autre avec une branche d'arbre comme quelque lointain ancêtre anthropophage. Douglas Jeffers repensa aux deux filles qu'il avait vues sortir du foyer un moment plus tôt. S'enfermaient-elles à double tour dans leurs chambres, la nuit venue ?

Jeffers se rappelait le visage du meurtrier, un homme de petite taille aux cheveux bruns ondulés, qu'il avait vu pour la première fois dans une salle du tribunal de Miami, de nombreux mois après l'affreuse tuerie.

L'imbécile ! pensa-t-il au souvenir de l'assassin.

Sa mémoire lui restituait les photos qu'il avait prises. Cette grimace du tueur tourné vers le photographe, cette bouche ouverte articulant une insulte muette, ces traits déformés par la haine constante qu'il manifestait à l'égard de tous, juge, jurés, et qui rendait le verdict d'autant plus inéluctable.

Quel imbécile ! pensa-t-il de nouveau.

Et dire que les journalistes l'avaient jugé intelligent !

Où était l'intelligence dans cette incapacité à maîtriser ses propres désirs ? Où étaient la rigueur, la réflexion, l'invention quand on faisait irruption en pleine nuit dans un dortoir de filles pour les massacrer de façon primitive ?

Non, quand on était si bête dans tous les sens du terme, il n'était que justice de se retrouver dans la section des condamnés à mort.

Homicide par imbécillité.

Il se leva du banc. Il faisait plus chaud, à présent qu'on approchait de midi. Il se dit qu'il pourrait aller manger quelque chose avant de passer à l'action.

La cafétéria était peuplée, bruyante, anonyme. Jeffers emporta son plateau à une table dans le fond et commença à manger lentement, son plan et son catalogue ouverts devant lui, en jetant de temps à autre un regard dans la salle. Il se rappela les quelques mois qu'il avait passés à l'université avant de commencer une carrière de photographe. Il employait alors son temps de la même façon qu'aujourd'hui, seul, préférant observer plutôt que participer, écouter plutôt que parler. Il se souvenait de cette journée d'hiver, froide et grise, où il avait fourré quelques affaires dans un sac, pris ses deux appareils photo et avait quitté le campus, saluant la liberté de son pouce levé pour faire du stop en direction de l'ouest. Il avait vendu sa première photo une semaine plus tard. Il était assis devant une tasse de café dans une misérable gargote des faubourgs de Cleveland quand il avait vu plusieurs voitures de pompiers passer toutes sirènes rugissantes et s'arrêter une centaine de mètres plus loin. Il avait empoigné son appareil et couru jusqu'à cette maison de trois étages que dévoraient les flammes. Dans la fumée et les hurlements des locataires pris dans les étages, il avait saisi l'image d'un pompier sortant du foyer, un enfant de six ans dans les bras. Il avait proposé cette photo au patron du *Plain Dealer*. Celui-ci, d'abord sceptique, s'était cependant laissé convaincre de lui prêter sa chambre noire. Jeffers se rappelait encore toute la minutie qu'il avait apportée au développement du négatif. Et puis dans le bain du révélateur était apparu le regard du pompier — un émouvant mélange d'épuisement et de joie à sauver l'enfant dont les yeux emplis de terreur ajoutaient un saisissant contrepoint. C'était un cliché remarquable, et le patron le fit passer en première page.

— Je vous en donne cinquante dollars, dit l'homme. Où dois-je envoyer le chèque ?

— Je suis de passage ici.

— Pas d'adresse ?

— Non, à part celle de l'auberge de jeunesse.

— Où allez-vous ?

— Californie.

Le directeur du journal tira deux billets de vingt et un de dix de son portefeuille.

— Pourquoi ne restez-vous pas un peu ici ? Vous pourriez faire d'autres photos pour nous. Je paie bien.

— Combien ?

— Quatre-vingt-dix dollars par semaine.

— Il fait froid à Cleveland.

— Pareil qu'à Chicago, Detroit ou New York. Mon petit, si vous voulez la chaleur, alors filez à Miami ou à L.A. Si vous voulez travailler, commencez par ici puisque vous y êtes. J'irai jusqu'à quatre-vingt-quinze dollars par semaine, et j'ajouterai de quoi vous payer une parka et des caleçons longs.

— Et quel genre de photos je dois faire ?

— Vous ne ferez pas les expositions canines ni les banquets municipaux. Donnez-moi seulement d'autres photos comme celle que vous venez de prendre.

— Je veux bien essayer, accepta Jeffers.

— Très bien, petit. Ah, une chose, quand même : Cleveland est une ville de petits bourgeois conformistes. Faites-vous couper les cheveux.

Il passa onze mois, la coupe en brosse, à Cleveland.

Il se rappela : un manifestant pacifiste matraqué dans le dos par un flic, pris au 250e avec un téléobjectif. La qualité du grain avait accentué la violence. A l'enterrement d'une personnalité, la rage de ce garde du corps à l'encontre de la rangée de photographes et de cameramen. Il avait été rapide, saisissant le rictus de fureur du gros bras, au millième de seconde, à moins de trois mètres. Il y avait eu aussi ce junkie découvert mort d'une overdose, le corps gelé par un froid glacial de février. Il gisait sur la berge de la Cuyahoga, et les eaux reflétaient sur la photo tout un monde brumeux et recouvert d'une pellicule de givre. Mais, comme toujours, quand il évoquait Cleveland, il pensait à la fille.

Il se trouvait dans la chambre noire du journal, un petit transistor qu'il s'était payé avec son premier chèque diffusant le *Light My Fire* rocailleux et sensuel des Doors, quand il lui sembla entendre la voix du directeur qui hurlait de l'autre côté de la porte :

— Jeffers, espèce de branleur, sors de là !

Il acheva sans se presser de sécher la photo qu'il venait de sortir du bain. Il avait appris depuis longtemps que son patron oscillait toujours entre deux états : l'ennui et la panique.

— Quoi ? demanda-t-il en passant la tête par la porte entrebâillée.

— Un cadavre, Jeffers. Une gentille adolescente blanche découverte assassinée dans le beau quartier des Heights. Cours !

Quand il était arrivé, un cordon de policiers interdisait aux photographes et aux cameramen d'approcher du corps de la victime, et ces derniers devaient se contenter des commentaires laconiques qu'ils parvenaient parfois à arracher à l'un des inspecteurs de la Criminelle accourus sur les lieux. Il s'écarta du groupe des journalistes et parvint sans se faire remarquer à se hisser dans un arbre. Allongé comme un prédateur sur une branche, il emboîta un téléobjectif et cadra les policiers qui entouraient le corps de la jeune fille. Il avait tressailli à la vue d'une jambe bizarrement pliée sur elle-même. Jeffers avait commencé par mitrailler cette chair meurtrie, jurant tout bas à chaque fois que l'un des hommes lui masquait sa proie. Il voulait la voir tout entière et emporter d'elle la dernière image d'un sein, d'une cuisse, de l'ombre du sexe.

Il avait gardé ces photos pour lui. Le journal s'était satisfait de celle qu'il avait prise d'un bras dépassant, blanc et fragile, des silhouettes de deux policiers en civil accroupis près du corps, et également de celle qui avait sa préférence, un petit groupe d'adolescentes qui s'étaient approchées de la scène et qui contemplaient avec un mélange d'horreur et de fascination le corps enveloppé d'une bâche en plastique qu'on emportait.

Il sourit à la pensée qu'il avait toujours ces photos, des années plus tard. Et qu'il les aurait toujours.

Un rire à une table voisine le ramena à la réalité. Il consulta sa montre. Il était une heure de l'après-midi, et il voulait arriver avant que ne commence le cours de littérature qui avait ce jour-là pour sujet « La conscience sociale dans la littérature du dix-neuvième siècle ». Il coupa rapidement à travers le campus en direction du bâtiment abritant la salle 101.

Il trouva une place sur le côté dans le haut de l'amphithéâtre qui se remplissait d'élèves. Il sourit à la jeune femme assise à côté de lui. Elle lui rendit son sourire sans interrompre la conversation qu'elle entretenait avec son voisin. Il balaya les rangées du regard. La plupart des étudiants bavardaient à voix basse en attendant l'arrivée du professeur. Certains lisaient, et il feignit d'en faire autant tout en essayant de déceler parmi les filles celle qui par un geste, une attitude, une parole pouvait se révéler celle qu'il cherchait.

Il en repéra une, assise seule, plusieurs rangées plus bas. Elle lisait *Au cœur de la vie* d'Ambrose Bierce, un auteur dont il avait toujours apprécié le talent satirique. Une autre qui dessinait rêveusement sur son calepin attira également son attention. Il se demanda si elle saurait dessiner avec des mots. Il décida de surveiller ces deux-là.

Une minute plus tard, le professeur fit son entrée.

Jeffers fronça les sourcils. L'homme devait avoir dans les trente-cinq ans, comme lui. Il commença son exposé par une critique amusée de Charles Dickens, critique qui eut le don d'exaspérer Jeffers. Il chercha parmi l'auditoire celles qui ne riaient pas des sarcasmes du conférencier.

Il y en avait une, assise un peu plus loin à sa gauche. Elle leva la main.

— Oui, mademoiselle... euh...

— Hampton, répondit la jeune femme.

— Quelle est votre question, mademoiselle Hampton ?

— Voulez-vous dire par là que Dickens devait accommoder ses idées et son style au format qu'imposait le journal ? Ne pensez-vous pas que ce serait plutôt le contraire, que Dickens parvenait par son talent à adapter les contraintes du pamphlet à tout ce qu'il avait à dire ?

Jeffers sentit son cœur battre plus lentement tandis qu'il concentrait toute son attention sur la discussion qui s'engageait.

— Mademoiselle Hampton, nous savons tous quelle importance Dickens apportait à la forme.

— Plus qu'au fond, monsieur ?

— Mademoiselle Hampton, ce n'est pas ce que je voulais dire. Avez-vous jamais pensé à ce qu'il aurait pu écrire s'il n'avait été limité dans un rôle de pamphlétaire ?

— Non, monsieur, je ne me le suis jamais demandé.

— C'est cela que je voulais vous faire comprendre, mademoiselle... euh... Hampton.

Tu parles, pensa Jeffers. Il observait la jeune femme qui, la tête penchée, prenait quelques notes d'une écriture rapide. Elle avait des cheveux d'un blond sale qui lui tombaient sur le visage dont ils masquaient la grande beauté. Jeffers remarqua que les sièges étaient vides de chaque côté d'elle.

Il sentit son corps frissonner malgré lui.

Sois patient, s'exhorta-t-il. Ne t'attends donc pas à trouver ta biographe du premier coup. Observe-la, et attends. Il se contraignit à étudier les deux autres qu'il avait remarquées un moment plus tôt. Il avait de nouveau l'impression d'être un prédateur guettant sa proie, tapi dans la pénombre.

III. Boswell

1

Le soleil de l'après-midi filtrait à travers la fenêtre de la bibliothèque, baignant d'une lumière crue la table à laquelle était assise Anne Hampton. Elle baissa les yeux sur la page de son bloc-notes ouvert devant elle, et la blancheur aveuglante du papier sous le soleil lui rappela les champs de neige en hiver, chez elle, dans le Colorado. Elle s'imagina prête à s'élancer à skis du haut d'une longue pente scintillante dans la lumière matinale. Un univers blanc où toutes choses semblaient nivelées, adoucies par ce tapis hivernal et ce miroitement qui en irradiait pour se fondre dans l'air froid et laiteux. Elle filerait sur la pente, soulevant dans son sillage des gerbes de flocons étincelants comme des cristaux.

L'image était si vive qu'elle rit tout haut. Puis, reprenant conscience du lieu où elle se trouvait, elle porta la main à sa bouche d'un air embarrassé et se renversa en arrière sur sa chaise pour contempler par la fenêtre les branches des palmiers qui se balançaient doucement sous la brise.

Elle reporta son regard sur les livres étalés devant elle. Il ne devait pas être difficile de repérer les étudiantes en lettres, pensa-t-elle. Elle fit deux piles distinctes de ses bouquins : Conrad, Melville, Camus, Dostoïevski d'un côté de son bloc-notes, Dickens et Twain de l'autre. Les ténèbres et la lumière, pensa-t-elle. Elle ne pouvait lire tous ces livres en même temps, et elle se demanda pourquoi elle les trimbalait toujours avec elle, comme si le poids de tous ces mots allait de quelque mystérieuse façon imprégner son esprit et motiver son comportement. Elle imagina qu'elle pourrait classer les livres en fonction du temps qu'elle les gardait avec elle : plus d'un mois, c'était un classique ; trois semaines, c'était un coup de cœur pour un bon roman ; une semaine, l'auteur développait des idées intéressantes, mais l'ouvrage manquait de charme, et sa mémoire n'en retiendrait que le titre.

Elle se demandait parfois si les livres étaient vivants, si, une fois refermés, les personnages et les situations et les lieux ne se mettaient pas à changer, discuter, et ne retrouvaient leur place qu'au moment où on les rouvrait. Elle regarda le Camus. Sisyphe se reposait-il, quand le lecteur l'abandonnait à son funeste destin ? Parvenait-il à immobiliser son rocher et à souffler un peu ?

Elle fut soudain tentée d'ouvrir brusquement le livre avec l'espoir de surprendre Sisyphe en flagrant délit de repos.

Elle sourit.

Elle leva les yeux et rencontra le regard d'un homme assis à quelques tables d'elle. Elle ne pouvait pas déchiffrer le titre de l'ouvrage qu'il lisait. Il avait, semblait-il, levé la tête en même temps qu'elle. Il lui sourit, et elle lui rendit son sourire. Un jeune prof, pensa-t-elle. Elle détourna les yeux, consulta ses notes d'un air distrait puis contempla de nouveau le paysage par la fenêtre. Quand elle regarda en direction de l'homme, celui-ci n'était plus là.

Il lui revint soudain en mémoire ce que lui avait dit sa mère :

— Mais tu ne connais personne en Floride.

Ce à quoi elle avait répliqué :

— Je n'ai besoin de personne.

— Tu vas nous manquer... et la Floride est si loin.

— Vous aussi vous me manquerez.

— Il fait chaud tout le temps, là-bas.

— Maman...

— D'accord, d'accord, je ne dirai plus rien. Après tout, si c'est ce que tu veux...

— C'est ce que je veux.

Sa mère se trompait : il ne faisait pas tout le temps chaud. Il y avait de temps à autre, en hiver, des masses froides venues du nord qui, dans leur ruée vers le sud, venaient souffler sur la Floride un air glacé et humide qui vous transperçait jusqu'aux os. Et ce froid soudain était tellement incongru dans ce paysage de palmiers et de plages de sable blanc qu'on était tout étonné de se retrouver couvert d'un pull et d'un manteau de pluie. Elle songea avec ironie qu'elle avait plus souffert du froid en janvier à Tallahassee qu'au cours de tous les hivers pourtant rudes qu'elle avait connus dans le Colorado.

Elle regarda la lumière dorée et chaude qui tombait sur sa table. Béni soit le soleil, pensa-t-elle. Elle était tout de même frappée qu'en trois ans et demi elle n'ait pas réussi à se faire un seul ami, malgré ce climat de chaleur qui facilitait les rencontres.

Amis de plage, amis de terrasses de cafés, de promenade sur le front de mer, amis d'une nuit. De ces derniers il y en avait bien eu quelques-uns, mais elle n'avait pas su les garder. Ouvre les yeux, se dit-elle : tu es froide comme un glaçon. Un glaçon qui ne fondrait même pas au soleil, songea-t-elle sans en ressentir d'amertume ou de mélancolie. Elle se redressa sur sa chaise et reprit la lecture de ses notes.

Le soir tombait quand Anne Hampton quitta la bibliothèque. A l'ouest le soleil couchant éclairait d'un pourpre violent la barre de nuages qui s'étendait quelque part au-dessus du golfe du Mexique. Elle aimait se promener à cette heure-ci. La lumière déclinante se faisait en même temps plus précise, comme si elle voulait donner aux choses des contours plus nets et une existence plus forte avant de les abandonner à la nuit.

Le jour qui meurt, pensa-t-elle.

Elle se souvint d'une autre lumière déclinante, celle qui avait frappé la combinaison ruisselante de l'homme-grenouille remontant du trou béant à la surface gelée de l'étang, et tenant son jeune frère dans ses bras d'étrange créature palmée. Elle avait eu le temps d'entrevoir les traits bleuis du jeune garçon avant que l'équipe de secours ne l'entoure et l'emporte au pas de course vers l'ambulance. Ses patins gisaient en bordure de l'étang. Elle s'était dégagée de la main de son grand-père figé par la douleur et avait couru les ramasser.

Son frère n'était mort que deux heures plus tard, dans la salle de réanimation bourdonnante de tous les appareils qui l'avaient maintenu un temps à la frontière entre la vie et la mort. Elle se rappelait les lumières de la salle des urgences. Il y en avait partout, puissantes, blanches, dressées comme un rempart contre l'ombre et la mort.

Elle avait pu jeter un bref coup d'œil sur la fiche médicale. L'heure de la mort y était mentionnée en haut de la page. 18 h 42. Cela lui avait paru arbitraire. Tommy était mort quand elle avait senti sous ses propres pieds la glace qui craquelait presque imperceptiblement, se couvrant lentement d'un entrelacs semblable à une toile d'araignée. Il est mort quand je lui ai crié de prendre garde et qu'il m'a répondu d'un haussement d'épaules irrité. Il est mort à l'instant où il a disparu dans ce trou noir béant brusquement sous ses pieds, sans même réapparaître une seule fois à la surface. Elle se souvenait de l'engourdissement qui avait gagné ses jambes alors qu'elle courait dans la neige vers la maison de son grand-père. A chaque pas la neige lui semblait plus froide, plus profonde, plus traîtresse. Elle était tombée plusieurs fois, secouée de sanglots. Je n'étais encore qu'une petite fille, pensa-t-elle, et il était déjà mort.

Le soleil disparaissait, laissant toutes choses imprégnées de la chaleur dispensée tout au long du jour.

Pas d'étang gelé en Floride, se dit-elle.

Elle coupa à travers le campus et prit la direction de Raymond Street, où elle habitait. Elle se rappela qu'elle n'avait que quelques yaourts et un peu de fromage dans son réfrigérateur, pensa un bref instant à s'arrêter pour prendre un cheeseburger puis repoussa l'idée. Contente-toi de cacahuètes, se dit-elle en riant. Ses parents n'avaient jamais conçu l'alimentation autrement que copieuse. A chaque fois qu'elle leur rendait visite, elle se retrouvait immanquablement devant une platée de purée et un énorme steak. Ils doivent penser que je suis anorexique.

Elle passa sous le lampadaire à vapeur de mercure au coin de Raymond Street et de Bond Street, s'amusant comme toujours de la lueur pourpre qu'il jetait sur ses vêtements et sa peau. Il y eut un bruyant éclat de rire dans une maison voisine, suivi d'un brusque déluge de décibels déversé par un ampli de guitare électrique. Rires et musique, c'était ce que l'on entendait le plus pendant les cours d'été. Dans cette atmosphère détendue et peu propice à l'étude, l'application qu'elle continuait de mettre inlassablement dans son travail n'en prenait que plus de relief et de poids.

Elle approchait de chez elle, et elle ne remarqua l'homme qu'au moment où elle arrivait à sa hauteur.

— Excusez-moi, dit-il. Vous pourriez m'aider ? Je crois que je me suis perdu.

Elle tressaillit. L'homme se tenait en bordure du trottoir, à côté d'une voiture dont la portière était ouverte.

— Je vous ai fait peur ? demanda-t-il.
— Non, pas du tout... mais j'avais la tête ailleurs.
— Je sais ce que c'est, dit-il. Une pensée en entraîne une autre, et puis on se retrouve à rêver. Veuillez me pardonner mon intrusion.
— Le réel est toujours une intrusion, dit-elle.
Il rit.
Elle le regarda plus attentivement à la lueur diffuse du lampadaire au coin de la rue.
— Ce n'est pas vous qui étiez à la bibliothèque tout à l'heure ? demanda-t-elle.
Il sourit.
— Oui, je suis allé lire un peu. (Il la dévisagea à son tour.) Et vous êtes celle qui avait un tas de bouquins sur sa table ? J'ai pensé que vous ne sortiriez plus jamais de la bibliothèque si vous deviez les lire tous.
Elle sourit.
— J'en ai déjà lu la plupart.
— Vous faites lettres ?
— Oui.
— Ce n'est pas difficile à deviner.
— C'est curieux, je me suis dit la même chose il n'y a pas deux heures.
Ils se sourirent. Elle le trouvait bel homme. Il était grand et bien bâti, et sa tenue sport lui donnait un air rassurant et familier.
— Vous êtes professeur ? demanda-t-elle.
— En quelque sorte.
— Mais vous n'êtes pas d'ici ?
— Non, c'est la première fois que je viens. Et je n'arrive pas à trouver Garden Street. Ça fait un bon moment que je tourne en rond...
— Vous n'en êtes pourtant pas très loin. C'est à deux rues d'ici. Vous tournez à gauche à la prochaine, et deux blocs plus loin vous prenez à droite. Garden Street se trouve deux carrefours plus loin. Je ne me souviens pas de la rue qu'elle croise.
— J'ai un plan, dit l'homme. Ça ne vous ennuierait pas de me montrer exactement où c'est ?
— Non, bien sûr.
Elle se rapprocha de lui tandis qu'il étalait le plan sur le toit de la voiture.
— Où est-ce que j'ai mis ce fichu stylo ? marmonna-t-il en fouillant dans ses poches. Zut ! J'ai fait tomber la clé de ma

chambre ! dit-il soudain. Attendez, ne bougez pas... (Il se pencha, scrutant le bord du trottoir.) Elle est bien quelque part...

Elle se baissa pour l'aider, mais il l'invita à se relever.

— Voyez plutôt si vous pouvez repérer l'endroit où nous sommes sur ce plan, dit-il.

Elle se pencha sur le plan et plissa le front d'un air perplexe. Ce n'était pas Tallahassee qu'elle avait sous les yeux, mais Trenton, dans le New Jersey.

— Ce n'est pas le plan de...

Elle n'eut pas le temps d'achever sa phrase.

Alors qu'elle se tournait vers l'homme toujours accroupi, elle remarqua qu'il tenait à la main un petit appareil rectangulaire.

— Bonne nuit, mademoiselle Hampton, dit-il.

Il se saisit soudain de sa jambe et appuya l'instrument contre sa cuisse. Il y eut un crépitement, et une insupportable douleur irradia son corps tout entier. Comment sait-il mon nom ? pensa-t-elle avant de voir le monde tournoyer autour d'elle et s'assombrir rapidement. Elle eut la fugitive vision de son petit frère disparaissant dans les eaux glacées de l'étang, puis elle perdit connaissance.

2

Sa première pensée en revenant à elle fut que la mort n'était pas ce qu'elle avait imaginé. Puis, comme ses facultés lui revenaient lentement, elle prit conscience d'être en vie. Aussitôt après, ce fut la douleur qui se manifesta. Elle avait l'impression d'avoir été rouée de coups. Sa tête élançait douloureusement et sa cuisse brûlait là où elle avait été touchée. Elle gémit faiblement en s'efforçant d'ouvrir les yeux.

Elle entendit sa voix. Proche et désincarnée à la fois.

— Ne bougez pas. Essayez de vous détendre.

Elle gémit de nouveau.

Elle cligna des yeux, se disant qu'elle ne devait pas paniquer. Elle suffoquait. Près d'elle, la voix reprit :

— Essayez de rester calme. Je sais que c'est difficile, mais essayez quand même. Parce que si vous restez calme, vous prolongez votre vie. Si vous paniquez... je sais que vos nerfs sont sur le point de lâcher... ma foi, ce serait embêtant pour vous comme pour moi. Respirez profondément et reprenez le contrôle de vous.

Elle s'efforça de faire ce qu'on lui disait.

Elle ouvrit les yeux. Il n'y avait qu'une petite lumière dans un coin, et le reste de la pièce était plongé dans la pénombre. Elle ne pouvait pas voir l'homme, mais elle percevait sa respiration. Elle ne prit que lentement conscience qu'elle ne pouvait bouger. Elle était allongée sur le dos dans un lit, les mains et les pieds attachés aux montants du lit d'une façon qui lui interdisait le moindre mouvement, ainsi qu'elle put en juger en tentant de voir où elle se trouvait.

— Ah, de la curiosité. Cela prouve que vous réfléchissez.

La découverte de sa vulnérabilité l'emplit brusquement d'un violent désespoir, aussitôt suivi d'une bouffée de colère. Je vivrai, pensa-t-elle avec force. Je ne mourrai pas.

L'homme parla de nouveau, et elle eut l'impression qu'un vent glacé soufflait sur sa détermination.

— Il y a mille façons d'infliger la douleur. Je les connais toutes. Ne me forcez pas à exercer mes talents.

Elle sentit ses yeux se mouiller de larmes. Elle se demanda ce qu'il allait lui arriver, puis elle pensa : rien de bon. Les mots sortirent de sa bouche contre sa volonté.

— Je vous en prie, laissez-moi partir. Je ferai tout ce que vous voudrez, mais laissez-moi partir !

Il y eut un silence. Elle savait qu'il ne répondrait pas à sa demande.

— Dites-moi ce que vous voulez de moi, demanda-t-elle d'une voix faible en s'efforçant de chasser la vision de tout ce qu'il pourrait lui faire subir.

— Vous êtes étudiante, dit-il. Vous devrez donc apprendre.

L'homme vint se planter devant elle, et elle le vit pour la première fois. Il s'était changé, et la veste de sport et le pantalon kaki avaient été remplacés par un jean et une chemise noirs. Elle dut le regarder attentivement pour être certaine que c'était le même homme. Son visage aussi semblait différent. Il n'avait plus cette expression bienveillante dont elle avait un vague souvenir. Il était dur et aigu, maintenant. Il plongea son regard dans le sien, et elle eut la pénible sensation d'être complètement désarmée. Elle déglutit avec peine.

— Ne luttez pas, dit-il. Si vous luttez, vous ne ferez que prolonger le supplice. Il serait plus sage de ne pas résister.

— Je vous en supplie, dit-elle d'une voix plaintive. Ne me faites pas de mal. Je ferai tout ce que vous voudrez.

— Naturellement que vous ferez ce qu'on vous dira.

Il y avait dans le ton de sa voix une certitude qui la fit frissonner.

— Mais vous dites ça trop hâtivement, reprit-il après une pause. Il faut d'abord apprendre, et la leçon vient seulement de commencer.

Il leva la main pour qu'elle vît le petit appareil rectangulaire. Elle tressaillit. Il pressa un bouton situé sur le côté de l'instrument, et elle vit un arc électrique se former entre les deux pôles.

— Vous avez déjà fait connaissance avec ça, dit-il, indifférent au sanglot qu'elle étouffait. Savez-vous que l'on peut acheter ce pistolet électrique sans même avoir à fournir une pièce d'identité dans une bonne douzaine d'Etats ? Ils sont également en vente par correspondance, mais il faut dans ce cas un nom et une adresse. De toute façon, pourquoi les gens achèteraient-ils un truc pareil ?

Il répondit lui-même à sa question :

— Uniquement pour faire mal.

Elle sentit sa lèvre inférieure trembler. Le chevrotement de sa voix était incontrôlable.

— Je vous en supplie, je ferai ce que vous voudrez.

Il abaissa son bras.

— Ce serait tout de même injuste, dit-il, d'utiliser de nouveau ce pistolet contre vous. Je suis sûr que votre cuisse en garde un souvenir cuisant.

Elle entrevit un espoir, du moins un répit, mais soudain il approcha son visage du sien et lâcha d'une voix sifflante :

— Il n'était pas au maximum de sa puissance quand je l'ai utilisé tout à l'heure. Imaginez un peu la douleur si je balance tout le courant. Vous aurez l'impression qu'on vous arrache l'âme. Pensez à ça.

Elle eut la vision d'une agonie atroce, et elle s'entendit gémir d'une voix de petite fille :

— Oui, oui, oui... Oh, mon Dieu...

— Ne priez pas, dit-il vivement.

— Non, non, je ne prierai pas. Je ferai ce que vous dites. Je vous en supplie.

— Ne me suppliez pas.

— D'accord, d'accord.

— Pensez seulement.

— Oui, oui.

Elle hocha la tête vigoureusement.

— Bien. Mais rappelez-vous ce que vous risquez à tout moment.

— Je ne l'oublierai pas, je ne l'oublierai pas...

Sa voix changea soudain, se fit courtoise.

— Vous avez soif ?

Le mot lui fit réaliser qu'elle avait la gorge parcheminée. Elle fit signe que oui. Il disparut de sa vue, elle entendit un robinet couler. Il revint avec une serviette mouillée et lui humecta doucement les lèvres.

— C'est extraordinaire, le soulagement qu'une simple serviette mouillée peut apporter... dit-il d'une voix lointaine.

Elle hocha la tête.

— Quand on pense à la terreur que la même serviette peut provoquer !

Ce disant, il lui écrasa la serviette sur la bouche et le nez. Elle suffoqua, cherchant à hurler, étouffée par le linge humide. Je vais mourir, pensa-t-elle en ayant la vision de son frère s'enfonçant dans la glace. Elle eut l'impression qu'on lui arrachait les poumons de la poitrine. Elle roula les yeux, tira sur ses liens, la panique la submergea comme une vague noire.

Puis il la relâcha.

Elle lutta pour retrouver son souffle, gonflant désespérément ses poumons.

— Et maintenant, le soulagement.

Il lui tamponna le front avec la serviette. Elle se remit à sangloter.

— Qu'allez-vous me faire ?

— Si je vous le disais, il n'y aurait plus de mystère.

— Mais... pourquoi ? parvint-elle à articuler entre deux sanglots.

Il ignora sa question et la laissa pleurer pendant un moment. Elle finit par se calmer et le regarda.

— Pas d'autres questions ? demanda-t-il.

— Non... non...

Il la considéra pensivement avant de lui demander de ce ton suave qu'il affectait parfois :

— Avez-vous jamais lu dans le journal le récit d'un fait divers, un crime, par exemple, en vous disant que cette horrible histoire pourrait arriver à n'importe qui ?

— Euh... non... peut-être... je vous en prie, comme vous voudrez.

Il la regarda avec colère.

— Eh bien, c'est ce qui vous arrive précisément. Vous êtes

un fait divers. (Il rit.) Seulement, le récit n'en est pas encore écrit. Et le titre même reste à inventer. Vous comprenez ? Vous comprenez ce que je suis en train de vous dire ?

Elle secoua la tête.

— Cela veut dire que vous avez une chance de vivre.

Elle eut un sanglot en même temps que de nouveau elle éprouvait une ombre d'espoir. Et puis il la frappa sévèrement à la mâchoire, et elle lutta contre l'évanouissement. Elle avait un goût de sang dans la bouche, et l'une de ses dents semblait déchaussée.

— Mais cela veut dire aussi que vous risquez d'y rester. Ne l'oubliez pas.

Il attendit un moment, observant sa réaction. Elle était incapable de dissimuler sa terreur. Sa lèvre inférieure tremblait.

— Je n'aime pas ça, dit-il d'une voix neutre.

Il la frappa de nouveau. Elle fut presque surprise d'éprouver encore de la douleur. Cette fois, elle ne lutta pas contre l'évanouissement, et le monde disparut à sa vue.

Quand elle se sentit émerger de l'inconscience, elle eut le réflexe de ravaler le gémissement de douleur qui accompagnait le retour de ses facultés. Elle avait les lèvres enflées et un goût de sang dans la bouche. Elle était toujours attachée, et ses chevilles et ses poignets élançaient douloureusement.

Elle ne pouvait entendre l'homme, mais elle savait qu'il était là, tout proche.

Elle respira lentement, luttant contre la douleur. Sans bouger la tête, elle examina le plafond de la pièce. Une ampoule nue pendait au bout d'un fil, mais elle était éteinte. La pièce était petite, et elle supposa qu'elle se trouvait dans un petit appartement ou une chambre de motel. En tournant légèrement la tête de côté, elle pouvait voir une table de chevet au vernis écaillé, une mauvaise chaise cannelée et une fenêtre dont le store était tiré. Il semblait y avoir un petit couloir au-delà de son champ de vision. Elle ne pouvait pas voir d'où venait la lumière qui filtrait faiblement dans la pièce, mais elle pensa qu'il devait s'agir de la salle de bains dont il avait laissé la porte ouverte. Elle n'aurait su dire quelle heure il était ni combien de temps elle était restée inconsciente.

Elle dut faire un effort de mémoire désespéré pour se rappeler qu'elle rentrait de la bibliothèque quand c'était arrivé. C'était le mardi de la dernière semaine de juillet. Combien restait-il de semaines avant la rentrée ? Quatre, cinq ? Elle ne savait plus ! Elle se mordit la lèvre, et des larmes lui brouillèrent la vue. Elle était désespérée de ne pas pouvoir se rappeler. Depuis combien de temps se trouvait-elle dans cette chambre ?

Et puis, comme s'il avait lu dans ses pensées, l'homme répondit :

— C'est moi qui contrôle le temps, désormais.

Il y avait dans cette voix une telle certitude, une telle inéluctabilité, qu'elle ne put réprimer ses larmes. Elle sanglota, le corps secoué de désespoir.

Elle pleura longtemps sans qu'il se manifeste. Quand elle cessa, elle l'entendit soupirer et dire doucement :

— Très bien. Nous pouvons continuer, maintenant.

Elle sentit son corps se raidir, tandis qu'il fouillait dans un sac.

— Qu'allez-vous faire ? demanda-t-elle.

Il fut aussitôt au-dessus d'elle.

— Pas de questions ! siffla-t-il sauvagement.

Et il la gifla durement.

— Pas de questions !

Il la frappa de nouveau.

Cela s'était passé si vite que la douleur et la surprise semblaient se mêler.

— Non, non, je regrette... gémit-elle.

Il la regarda.

— Des questions ? demanda-t-il.

Elle secoua la tête.

Il eut un rire bref.

— C'est bien ce que je pensais, dit-il.

Elle entendit un cliquetis métallique, et elle tourna la tête pour voir ce que c'était.

— C'est le moment de la mise à nu, dit-il.

Il tenait à la main une paire de ciseaux de chirurgien.

Elle sentit le froid du métal contre sa peau. Elle frissonna, tandis que les ciseaux mordaient dans la toile de son blue-jean.

Il découpa d'abord une jambe de la cheville à la taille, puis l'autre. Elle sentit sa main qui s'enfonçait sous elle, entre ses reins et le matelas. Il la souleva légèrement et dégagea son blue-jean. Elle ferma les yeux et sentit de nouveau le froid des ciseaux trancher le coton de son tee-shirt puis les bretelles de son soutien-gorge. Le métal glissa plus bas, sur le ventre, les hanches, coupant net les attaches de son slip.

Elle pleura de nouveau, remplie de désespoir à l'idée d'être ainsi exposée nue, son intimité dévoilée, offerte. Ce qui allait se passer lui semblait inéluctable, tellement évident qu'elle pouvait seulement souhaiter qu'il en finisse vite.

Elle attendit de sentir son poids sur elle.

Les secondes passèrent. Elle avait froid. Elle frissonna, les yeux toujours clos.

Elle ne percevait rien d'autre que sa respiration à côté d'elle.

Elle eut une pensée qui la terrifia : et s'il était impuissant ? Imaginer sa frustration... Elle rouvrit lentement les yeux. Il était assis sur la chaise, laissant son regard errer sur son corps.

— Vous réalisez, bien sûr, que je pourrais faire ce que je veux ?

Elle acquiesça d'un signe de tête.

— Ecartez les jambes.

Elle écarta ses jambes aussi loin que ses liens le permettaient. Elle perçut le bruit de bourdon d'un moteur d'appareil photo, et derrière ses paupières à demi closes elle entrevit l'éclair d'un flash. Il y en eut deux autres, et elle rouvrit lentement les yeux.

— Très bien, dit-il.

Il rangea l'appareil dans un sac.

Elle resserra les jambes.

— Est-ce que vous... commença-t-elle de dire, mais ses mots se perdirent dans le claquement d'une gifle.

— Je pensais que vous aviez compris, dit-il.

Il la frappa de nouveau.

— Pardon, pardon, gémit-elle. Ne me frappez plus.

Il la regarda.

— D'accord. Posez votre question, maintenant.

Elle eut un sanglot.

— Allez !

— Est-ce que... vous allez me violer ?

Il demeura silencieux.

— Dois-je le faire ? répliqua-t-il.

Il posa sa main sur son pubis. Elle sentit sa peau se rétracter sous son contact.

Il la frappa soudain. Elle eut un hoquet de douleur.

— Je vous ai posé une question. Répondez.

— Oh, Dieu, je ne sais pas... faites ce que vous voulez, je vous en prie.

— Bien, dit-il.

Il se leva et alla se placer au pied du lit. Il avait à la main un objet qui luisait à la faible lumière.

— Vous voyez ce que c'est ?

Elle gémit en reconnaissant la lame d'un rasoir.

— J'ai toujours été fasciné, dit-il, par le fait qu'une lame de rasoir pourrait vous trancher la gorge d'une façon si subtile qu'on en prendrait conscience seulement au moment où le sang jaillirait à gros bouillons de votre jugulaire.

Elle écarquilla les yeux de terreur.

Leurs regards se rencontrèrent.

— Je vous en supplie, commença-t-elle, se taisant aussitôt à la vue de la lueur menaçante qui s'allumait dans ses yeux.

Il s'approcha d'elle et fit courir doucement la lame du rasoir sur sa hanche. Elle ne sentit rien, mais elle put en relevant la tête voir le mince trait de sang qui s'était formé.

— Vous penserez à moi comme à un rasoir, dit-il.

Il lui effleura un bras du tranchant de la lame, et un nouveau trait de sang apparut.

Elle fut prise d'une sensation de vertige, et elle lutta de nouveau contre l'évanouissement. Il approcha soudain son visage du sien, et la lame luisait dans ses doigts. Il lui plaqua brutalement une main sur la bouche et le nez en sifflant :

— Et si je charcutais un peu le visage ?

Elle perdit connaissance pour la troisième fois.

Anne Hampton se réveilla en se disant qu'elle allait se préparer un solide petit déjeuner avec des œufs et du bacon. Elle le prendrait tranquillement en lisant le journal. Après quoi elle aurait certainement oublié ce cauchemar où scintillaient des lames de rasoir maniées par un dément. Dans un demi-sommeil, elle tenta de se lever, mais ses liens l'en empêchèrent. Elle en éprouva une certaine confusion, se demandant si elle n'était pas encore en train de rêver, jusqu'à ce que la réalité des cordes qui lui liaient les chevilles et les poignets s'impose cruellement à elle et lui arrache un sanglot de défaite et de désespoir.

Et puis elle pensa à son visage.

Sa main se porta dans un geste involontaire vers ses yeux, pour être aussitôt arrêtée par ses liens. Il faut que je sache ce qu'il m'a fait, pensa-t-elle frénétiquement. Il faut que je sache !

Elle pouvait voir la coupure qu'il lui avait faite à l'avant-bras. Le sang avait séché en un trait noirci. Elle ne ressentait pas la moindre douleur, et cela redoubla sa terreur. Son visage ! Qu'avait-il fait à son visage ? Elle fronça les narines, testant ses réflexes. Elle plissa le front, haussa les sourcils, guettant la sensation de tiraillement qui révélerait une entaille de la chair. Ses lèvres étaient enflées. Elle les étira en un sourire grimaçant, sentit ses joues se contracter. Elle avait l'impression d'être une aveugle dont on aurait complètement bouleversé la maison et qui ne trouverait plus les repères qu'elle avait patiemment établis.

Il y avait dans cette incertitude une torture particulièrement cruelle. Elle ferma les yeux, priant en silence pour que ce cauchemar cesse, qu'elle retrouve l'univers rassurant de sa chambre, les photos rangées sur son bureau : celles de ses parents, de son frère décédé, du vieux chien de la famille. Elle possédait un coffret à bijoux, un antique bibelot de bois gravé, où elle gardait ses boucles d'oreilles et ses bagues. Elle se souvint de ce Noël où ses parents lui avaient fait cadeau de ce coffret, de sa joie à caresser le grain du bois et les fines gravures qui le décoraient.

Mais ce souvenir lui paraissait extrêmement lointain, et elle en vint à se demander si tout ce qui avait existé quelques heures plus tôt avait jamais été réel.

Elle frissonna, mais ce n'était pas de froid.

Où est-il ? se demanda-t-elle.

Elle ne pouvait l'entendre respirer, mais cela ne voulait rien dire : elle savait qu'il était là. Elle souleva la tête pour scruter la pénombre qui régnait dans la pièce. Elle ne vit pas l'homme, mais ce qu'elle découvrit la bouleversa. Elle eut le sentiment, cette fois, qu'elle ne se possédait plus, qu'elle n'existait plus, qu'elle n'était plus qu'un jouet, qu'un automate dans les mains de cet homme.

Il l'avait rhabillée.

Elle portait un pantalon neuf, un nouveau soutien-gorge et un tee-shirt.

Elle se mit à sangloter comme une enfant.

Ce ne fut qu'au bout d'un moment qu'elle s'aperçut que l'homme se tenait derrière elle, assis sur la chaise. Comme ses pleurs se calmaient, il lui humecta de nouveau les lèvres avec la serviette mouillée. Puis il lui essuya doucement le visage. Elle concentra toute son attention sur la sensation du linge humide sur sa peau, guettant la moindre douleur qui pourrait lui révéler qu'il avait mis à exécution sa menace de la défigurer. Mais sa peau semblait lisse, et elle s'efforça de masquer son soulagement. Elle sentit ses muscles se détendre, et elle veilla à rester vigilante, pensant qu'elle devait être prête au pire. Mais elle constata qu'elle avait le plus grand mal à contrôler ses membres. La peur et la tension de ces dernières heures avaient fini par avoir raison de sa volonté et du simple contrôle de soi-même. La voix de l'homme s'éleva derrière elle, une voix douce et calme, dont elle haïssait maintenant le son.

— Très bien, dit-il. Détendez-vous. Respirez lentement. Fermez les yeux, essayez de retrouver vos forces.

Elle pensa : il ment. Ce qu'il veut, c'est que je perde jusqu'à la dernière parcelle d'énergie.

— Ecoutez les battements de votre cœur, dit-il. Vous êtes toujours vivante. Vous avez tenu jusqu'ici. Vous avez fait des progrès.

Elle dut réprimer l'envie qu'elle avait de lui poser mille questions.

— Contentez-vous de rester tranquille.

Sa respiration était plus régulière, et son cœur battait plus lentement. Elle gardait les yeux fermés. Il s'était écarté du lit, et elle entendait son pas sur le parquet. Soudain, il revint auprès d'elle.

— C'est bien comme ça, dit-il avec douceur. Gardez les yeux fermés.

Il lui caressa le front.

— Me soupçonnez-vous de vouloir encore vous faire du mal ? demanda-t-il d'un ton suave.

— Non, répondit-elle sans rouvrir les yeux.

— Vous vous trompez, dit-il de la même voix mielleuse.

Elle eut la sensation d'une explosion de lumière derrière ses yeux fermés quand il la frappa. Le claquement de sa main sur sa joue était sec et horrible, et elle eut un hoquet de stupeur. Elle ouvrit les yeux et le vit qui levait la main pour la frapper de nouveau.

— Non, non, je vous en supplie, gémit-elle.

Il y eut un silence. Anne Hampton ne pensait plus maintenant qu'à la douleur, une douleur qu'elle redoutait, haïssait.

— Je vous dois une autre gifle, dit-il enfin. Pensez-y.

Elle l'entendit qui s'écartait de nouveau du lit pour se fondre dans la pénombre de la petite pièce. Elle continua de garder les yeux fermés, consciente que le monde n'était plus pour elle qu'une douleur sans cesse renouvelée.

Elle finit par ne plus savoir précisément si elle était éveillée ou endormie. Les différences entre l'imaginaire et le réel, entre le rêve et la lucidité, semblaient avoir disparu. Elle se demanda avec effroi si la frontière même entre la vie et la mort n'était pas en train de disparaître. Pourtant force lui était de reconnaître qu'elle était toujours en vie : s'il avait eu l'intention de la tuer, il l'aurait déjà fait, pensa-t-elle. Il ne lui aurait pas appliqué ces tortures subtiles s'il n'avait pas eu besoin d'elle. Et ce besoin pour lui signifiait la vie sauve pour elle.

Puis, de nouveau, le désespoir vint assombrir ses pensées, et elle se dit qu'elle se trompait : il avait bel et bien l'intention de la tuer, et le supplice qu'elle avait enduré jusqu'ici n'était que le prologue sadique d'une mise à mort qui ne saurait plus tarder. Elle s'efforça de chasser cette pensée, mais elle ne put empêcher que défilent dans son imagination ces scènes si fréquemment retransmises par la télévision de policiers penchés au-dessus du corps de la victime tandis qu'autour d'eux se bouscule la foule des reporters et des curieux. Dans ce rêve éveillé où c'était elle la silhouette gisant aux pieds des enquêteurs, elle tentait en vain de crier à la foule qu'elle était toujours vivante, qu'elle respirait, pensait, souffrait. Mais personne ne l'entendait. Pour tous ces gens, elle était morte, et elle se voyait avec horreur chargée sur une civière, emportée vers la morgue. Elle continuait de hurler, mais ses cris montaient, ignorés des hommes, pour se perdre dans le ciel nocturne.

Dans sa rêverie elle vit l'homme se rapprocher de son lit, un revolver à la main.

— J'ai d'autres armes, dit-il d'une voix égale.

Pendant un moment elle eut du mal à concevoir la réalité de sa vision et de ce qu'elle entendait. Puis, lentement, elle prit conscience de la faible lumière, des murs beiges, des liens qui la maintenaient sur le lit, et elle émergea de sa rêverie pour entrer dans le huis-clos de la chambre.

— Soulevez les hanches, dit-il.

Elle s'exécuta.

Il posa le revolver et, tandis qu'elle se soulevait, il abaissa le pantalon et la culotte dont il l'avait vêtue. De nouveau elle se retrouva nue face à lui.

— Un revolver est une chose extrêmement froide, dit-il.

Il plaça l'arme sur son ventre. Elle pouvait sentir le poids et le froid du métal. Il attendit un moment puis reprit le revolver.

— Si vous vouliez détruire votre identité, dit-il, ne commenceriez-vous pas par vous tirer une balle dans le sexe ?

Il pointa le canon entre ses jambes.

— Oh, non, je vous en supplie ! s'écria-t-elle.

Elle perçut le cliquetis du chien qu'il armait. Elle vit sa main se resserrer autour de la crosse, l'index s'affermir sur la détente, et elle se tortilla frénétiquement sur le lit, tentant en vain d'arracher ses liens, ses yeux écarquillés d'horreur fixés sur la gueule noire du canon pointé sur son bas-ventre, une gueule noire qui lui semblait grossir, prendre des proportions démesurées et menacer de l'engloutir. Elle tira une dernière fois sur ses liens puis se laissa retomber, inerte et fataliste, le regard toujours fixé sur l'arme, attendant le fracas de la détonation.

L'homme la regarda, hésita un bref instant puis appuya sur la détente.

Le chien s'abattit avec un claquement métallique.

— Vide, dit l'homme.

Il pressa de nouveau la détente, et le percuteur frappa une chambre vide.

Elle poussa un si long soupir de soulagement qu'elle suffoqua comme si elle s'étouffait et chercha avidement son souffle.

Il la contempla avec intensité. Puis il sortit de sa poche des cartouches et les inséra lentement dans le chargeur de l'arme.

Elle se sentit prise de nausée.

— S'il vous plaît... je vais être malade...

Il fut aussitôt à côté d'elle, lui souleva la nuque d'une main en lui présentant de l'autre une petite cuvette en plastique. Elle eut un violent haut-le-cœur mais ne vomit rien d'autre qu'un mince filet de bile. Il laissa doucement reposer sa tête sur l'oreiller et lui humecta les lèvres avec la serviette mouillée. Elle suçota l'humidité qui perlait du linge et se remit à sangloter.

— Soulevez vos hanches.

De nouveau elle fit ce qu'il lui commandait.

Il lui remonta sa culotte et son pantalon, puis lui montra le revolver.

— Je suis très adroit avec ça, dit-il. Mais vous vous en doutez, n'est-ce pas ?

Elle hocha la tête affirmativement.

— En vérité, poursuivit-il, j'ai un grand savoir en matière de souffrance et de mort. Et je n'ai pas besoin de vous le dire pour que vous en soyez persuadée, n'est-ce pas ?

Elle secoua la tête.

— Je vois que vous apprenez.

Il la regarda d'un air pensif et marqua une pause avant de reprendre :

— Vous avez lu Dostoïevski, n'est-ce pas ?

Elle hocha la tête.

— *Crime et Châtiment ? Les Frères Karamazov ?*

— Oui, et *L'Idiot* aussi.

— Quand ?

— L'an passé, en première année.

— Bien. Vous vous rappelez ce qui est arrivé à l'écrivain avant qu'il soit expédié dans un camp de travail en Sibérie ?

Elle secoua la tête.

— Le groupe de libéraux dont il faisait partie fut condamné à mort par le tsar, et ils étaient sur le point d'être passés par les armes, la salve allait être tirée, et chacun recommandait déjà son âme à Dieu quand un messager arriva à bride abattue, porteur de la grâce impériale. Le tsar pardonnait. L'émotion fut si forte que certains des hommes succombèrent d'une attaque. Les autres furent envoyés dans les camps. Comment survivriez-vous dans un camp ?

Il lui fallut une seconde pour saisir qu'il lui avait posé une question. Elle repensa à la petite salle de cours où elle avait étudié la littérature russe en compagnie de neuf autres étudiants. Elle pouvait même revoir l'éclat du soleil sur le tableau vert.

— En obéissant, répondit-elle.

— Bien. Pensez-vous que c'est pareil, ici ?

Elle hocha la tête.

Il hésita en la considérant attentivement.

— Dites-moi, de tout ce qui vous est arrivé, qu'est-ce qui vous a fait le plus peur ? Qu'est-ce qui vous a infligé la plus grande douleur ?

Il s'assit au bord du lit, attendant la réponse.

Elle fut submergée par une vague d'émotions et de souvenirs. Elle pensa au revolver qu'il avait pointé sur son sexe, à la décharge cruelle du pistolet électrique, au rasoir étincelant au-dessus de son visage, à la sensation d'étouffement quand il lui avait pressé sur la bouche et le nez la serviette mouillée, à tous les coups administrés de façon capricieuse et arbitraire. Tout faisait mal, pensa-t-elle. Tout me fait peur. Pourquoi lui posait-il cette question ? Quel piège lui tendait-il ? Elle se sentait incapable de réfléchir. L'idée d'être soumise si totalement à quelqu'un, d'être à ce point livrée à son pouvoir lui ôtait ses facultés. Et puis elle pensa soudain avec terreur qu'il voulait peut-être savoir ce qu'elle redoutait le plus dans le seul but pervers de le lui infliger. Oh, mon Dieu, se dit-elle, comment puis-je lui répondre ?

— Allons, dit-il avec une note d'impatience dans la voix. Qu'est-ce qui est le pire pour vous ?

Elle hésita. Parle, parle, s'exhorta-t-elle.

— Le... le rasoir, articula-t-elle faiblement, tandis que de grosses larmes roulaient sur ses joues.

— Le rasoir ? répéta-t-il.

Il se leva, disparut un instant de sa vue et revint en brandissant le rasoir dans sa main.

— Ce rasoir ? demanda-t-il.

— Oui, oui, je vous en supplie, non...

Il approcha la lame de son visage.

— C'est ça qui vous fait le plus peur ?

Il appuya le dos de la lame à la base de son nez.

— Non, je vous en supplie...

— Vous ne pouvez le supporter, hein ?

Elle éclata en sanglots, l'esprit paralysé par la peur.

— D'accord, dit-il simplement.

Elle le regarda à travers ses larmes.

— Je n'utiliserai plus le rasoir... sauf pour me raser. (Il rit.) C'était une blague. Vous avez le droit de sourire.

Elle continua de pleurer, tandis qu'il se taisait. Quand elle commença à reprendre le contrôle d'elle-même, il l'observa et demanda :

— Avez-vous envie d'aller dans la salle de bains ?

Elle acquiesça d'un hochement de tête timide, surprise par sa proposition.

— D'accord, dit-il. Je pense que vous savez vous tenir, maintenant. La salle de bains est juste là, dans l'entrée. Il y a à l'intérieur une petite fenêtre qui risque de vous placer devant un choix. Pour certains, une fenêtre ouverte signifierait la liberté. Mais laissez-moi vous assurer que c'est tout le contraire. Vous n'avez plus qu'une seule façon de recouvrer votre liberté, c'est quand je vous dirai que vous pouvez le faire. Vous devriez avoir compris cela à l'heure qu'il est. N'empêche, cette fenêtre existe. Aussi le choix vous appartient encore.

Il lui détacha les poignets et les chevilles. Elle s'assit avec peine au bord du lit et essaya de se lever, mais le sang lui monta brusquement à la tête, et elle fut prise d'un vertige. Elle dut se retenir au pied du lit pour ne pas tomber.

— Prenez votre temps. Ne tombez pas.

Il était resté assis.

Elle se redressa lentement, sentant tous les muscles de son corps se contracter de douleur. Elle fit un pas en avant, puis un autre.

— Des petits pas de bébé, dit-il. Oui, comme ça, c'est très bien.

En s'appuyant contre le mur, elle gagna la petite entrée où se trouvait la porte entrouverte de la salle de bains. La lumière lui fit fermer les yeux. Mais sa première pensée fut de se voir dans la glace, et malgré la douleur que cela lui causait elle rouvrit les yeux pour y examiner son visage. Ses lèvres étaient tuméfiées, mais elle s'y était attendue. Elle avait une plaie au front dont elle n'avait aucun souvenir. Ses joues étaient rouges et enflées là où il l'avait frappée. Hormis ces quelques marques, elle était intacte. Elle laissa échapper un sanglot de soulagement. Elle ouvrit le robinet et laissa couler l'eau sur ses mains tremblantes. Elle s'aspergea le visage. Elle fut soudain prise d'une soif intense et elle se mit à avaler de grandes gorgées d'eau fraîche jusqu'à ce qu'elle en ait la nausée. Elle eut un haut-le-cœur et se précipita au-dessus de la cuvette des toilettes pour rendre ce qu'elle venait de prendre. Quand les spasmes se furent calmés, elle se redressa et se baigna de nouveau le visage.

Puis elle leva la tête et vit la fenêtre.

Elle était ouverte, ainsi qu'il le lui avait dit.

Pendant un bref instant, elle songea à fuir, pour se dire aussitôt qu'il devait l'attendre de l'autre côté. Elle en était convaincue. Elle s'approcha cependant de l'ouverture et posa une main sur le rebord, comme si elle attendait de la fraîcheur de la nuit le soulagement de ses misères. Elle contempla l'obscurité. Il est là, pensa-t-elle. Elle aperçut du coin de l'œil sa silhouette qui se déplaçait lentement. Il la guettait. Il me tuerait, pensa-t-elle, et le mot tuer n'évoquait pas pour elle une souffrance plus grande que celle endurée jusque-là.

Elle songea soudain : je mets trop de temps ! Il sera en colère ! Elle revint au lavabo et s'aspergea une dernière fois le visage, but une gorgée d'eau et se mit en devoir de regagner le plus vite possible la chambre.

— Je vous attends, l'entendit-elle dire au moment où, s'appuyant toujours contre le mur, elle sortait de la salle de bains.

Elle se laissa choir sur le lit, étendant les bras pour qu'il puisse l'attacher facilement. Elle fit de même avec ses jambes et sentit les cordes se serrer autour de ses chevilles.

— Ça va mieux ? demanda-t-il.

Elle hocha la tête affirmativement.

— Préférez-vous dormir ou répondre à mes questions ?

Elle ressentait une fatigue extrême. Son passage dans la salle de bains avait épuisé toutes ses forces.

— Dormir, n'est-ce pas ? l'entendit-elle dire tout bas.

Elle sombra aussitôt dans le sommeil.

Il était assis au pied du lit quand elle se réveilla.

— Depuis combien de temps je... commença-t-elle à demander, mais il l'interrompit.

— Cinq minutes. Cinq heures. Cinq jours. Quelle différence ça fait ?

Elle hocha la tête. Somme toute, il avait raison.

— Puis-je vous poser une question, maintenant ? demanda-t-elle.

— Oui, vous pouvez.

— Allez-vous me tuer ?

Elle regretta aussitôt ce qu'elle venait de dire.

— Non, si vous ne m'y forcez pas, répondit-il. Voyez-vous, ça n'a pas changé : votre destin est entre vos mains.

Elle ne le croyait pas.

— Pourquoi me faire tout ça ? Je ne comprends pas.

— J'ai un travail pour vous, et je veux m'assurer que vous le ferez. J'ai besoin d'avoir confiance en vous.

— Je ferai ce que vous voulez. Demandez-moi n'importe quoi.

— Non, dit-il. Merci de votre offre, mais votre parole ne me suffit pas. Il faut que vous mesuriez combien vous êtes en mon pouvoir, que vous sachiez que vous êtes sans cesse à un doigt de la mort.

Il se leva et lui détacha les mains du dossier du lit pour les renouer devant elle.

— Je dois m'absenter. Je serai vite de retour. Je n'ai pas à vous rappeler ce que j'attends de vous.

Il s'écarta du lit et fit un pas en direction de la porte.

— Je vous en prie, dit-elle, ne me laissez pas seule.

Elle fut surprise par le ton de sa voix, et davantage encore par les mots qu'elle avait prononcés.

— Je ne serai pas long, dit-il.

Elle entr'aperçut l'obscurité de la nuit alors qu'il franchissait la porte.

Restée seule, elle regarda autour d'elle. La chambre, sans la présence de l'homme, paraissait encore plus effrayante. Elle frissonna. C'est fou, pensa-t-elle, c'est à toi qu'il fait tout ça, et ceci n'est pas un cauchemar mais la réalité. Il n'avait pas fermé la porte à clé. N'importe qui pouvait entrer, abuser d'elle, et s'en aller sans être inquiété. L'homme serait furieux, et il la considérerait sans doute comme une espèce de marchandise avariée, dont il s'empresserait de se débarrasser. Elle pouvait en se redressant défaire ses liens aux chevilles, elle pouvait peut-être s'emparer du revolver qu'il avait glissé sous le matelas. Quand il reviendrait, elle le tuerait ! C'était sa seule chance !

Mais elle resta rivée sur son lit.

Détache-toi ! se dit-elle. Fuis !

Fuir, où ça ?

Où suis-je ? Où pourrais-je aller ?

Il me tuera, pensa-t-elle. Il ne l'a pas fait, mais il n'hésitera pas à le faire si je tente de m'enfuir. Il doit être là, dehors, me guettant. Je ne ferais pas dix mètres !

Elle se mit à pleurer et pensa à sa famille, à ses amis, à sa vie, mais tout cela lui paraissait terriblement lointain, éphémère. La seule chose qui existe, pensa-t-elle, c'est cette chambre.

Elle laissa retomber sa tête sur l'oreiller et attendit le retour de l'homme. Elle s'efforça de ne plus penser à rien, mais ses peurs continuaient de la tenailler. Elle était incapable d'évaluer le temps qui passait. Etait-il parti une heure ? Cinq minutes ? Le silence dans la pièce était étouffant, l'obscurité menaçante. Elle tendit l'oreille, guettant le bruit qui lui signalerait son retour, un pas sur le dallage ou sur le gravier d'une allée, mais rien ne lui parvenait de l'extérieur. Elle porta les mains à ses yeux, pressant fermement les paumes contre ses paupières, se disant qu'elle pouvait toujours se réfugier dans sa propre obscurité et peut-être y trouver quelque chose à quoi se retenir. Elle essaya de nouveau de penser à un objet, une affaire personnelle dont le souvenir lui redonnerait conscience d'avoir existé, qui lui rappellerait son passé. Elle pensa à ses parents, mais ils lui parurent soudain aussi immatériels que des spectres. Elle dut recomposer le visage de sa mère, trait par trait, à la manière d'un peintre, dut fouiller dans sa mémoire pour retrouver ce sourire qui aurait pourtant dû lui être familier.

Elle tressaillit soudain.

L'homme se tenait au pied du lit.

— Je ne vous ai pas entendu arriver, dit-elle.

Il la regarda durement pendant un moment.

— Je suis là, cependant, dit-il. (Et il la frappa de sa main ouverte.) Vous savez que je suis là ?

— Oui, je vous en prie.

Il la frappa encore. Son corps fut parcouru d'un frémissement de douleur.

— Vous voulez vivre ?

Il la frappa. Elle hocha la tête avec vigueur.

— Je ne vous crois pas, dit-il.

Il la frappa une troisième fois.

— Oui, oui, supplia-t-elle, je veux vivre.

Une quatrième gifle claqua.

Puis une cinquième, une sixième, suivies d'une grêle de coups comme si l'homme voulait annihiler en elle toute résistance. Elle continua pendant un moment de le supplier entre deux coups, puis elle abandonna, offrant son visage ruisselant de larmes à la furie de son bourreau. Celui-ci ne s'arrêta que lorsqu'il commença à haleter.

Il s'assit au bord du lit, reprenant son souffle. Quand il lui parla de nouveau, ce fut d'une voix distante.

— Vous me frustrez, dit-il.

Elle sentit ses mains agripper les jambes de son pantalon, et il les tira brusquement, comme il l'avait déjà fait, la dénudant.

— Vous m'écoutez ? demanda-t-il.

— Oui, oui, dit-elle en rouvrant les yeux et en le regardant.

Elle vit qu'il avait repris son revolver.

— Vous me décevez, dit-il d'un ton égal et froid. J'avais placé des espoirs en vous, mais vous n'apprenez rien. Alors je vais vous baiser et vous tuer, ce que j'aurais dû faire dès le début.

Les mots lui parvinrent à travers sa souffrance, et elle sortit de sa torpeur momentanée.

— Je vous en supplie, non, non, non. Je ferai tout ce que vous voudrez, tout. Donnez-moi une chance. Dites-moi seulement ce que vous voulez que je fasse, et je le ferai. Je vous en prie...

Il se tenait devant le lit, pointant l'arme sur elle.

— Non, je vous en supplie, sanglota-t-elle.

Elle aurait voulu s'évader par la pensée, passer ses derniers moments dans un imaginaire qui l'aurait arrachée à la vision terrifiante du revolver braqué sur elle. Les secondes passèrent.

— Vous feriez tout ? Vraiment tout ? demanda-t-il.

— Oui, oui, tout ce que vous voudrez...

Il s'écarta de sa vue pendant un moment puis revint. Il tenait le pistolet électrique. Il le lui plaça dans la main.

— Déchargez-le sur vous, dit-il en pointant son doigt vers son sexe. Là !

Il lui sembla alors que ce qu'elle avait enduré jusqu'ici était bénin comparé à cette nouvelle terreur qui l'envahissait. Elle avait l'impression d'étouffer, comme si les sévices qu'il lui avait infligés s'abattaient de nouveau sur elle tous en même temps. Mais au milieu de ce brouillard de souffrance, elle gardait une pensée claire : n'hésite pas, se dit-elle.

Et elle appuya l'appareil contre son pubis, essayant de se raidir contre le surgissement de la douleur qu'elle allait s'infliger.

La décharge électrique ne se produisit pas.

Elle le regarda avec stupeur.

— Débranché, dit-il.

Il lui reprit le pistolet.

— Une grâce, dit-il. (Il rit.) De la part du tsar.

Elle se remit à pleurer, presque étonnée d'avoir encore des larmes.

— Il y a un espoir pour vous.

Il attendit une seconde et ajouta :

— Littéralement parlant, j'entends.

Il s'éloigna dans l'ombre de la pièce et la laissa pleurer.

La première pensée d'Anne Hampton quand elle cessa de pleurer fut que quelque chose avait changé. Elle ne savait quoi exactement, mais elle aurait pu comparer sa situation à celle d'un alpiniste qui, après avoir dévissé de la paroi qu'il escaladait, se balancerait dans le vide, retenu miraculeusement par sa corde de sécurité. Malgré le danger toujours présent, elle avait le sentiment d'être sauve pour le moment. Pour la première fois elle pensa qu'elle aurait une chance de survivre si elle se soumettait. Elle essaya de penser à elle, aux ambitions qu'elle avait pu nourrir, mais elle n'en avait plus aucun souvenir. Résolue à faire ce qu'on lui ordonnerait afin de rester en vie, elle s'efforça de ne pas s'émouvoir de cette perte de mémoire et d'identité. Elle leva les yeux et vit que l'homme la regardait.

— Nous pouvons nous passer de ça pendant quelque temps, non ? dit-il.

Il se pencha au-dessus d'elle pour défaire ses liens.

— Déshabillez-vous, commanda-t-il.

Elle s'exécuta, insensible au contact de ses mains tandis qu'il l'aidait à ôter ses vêtements.

— Pourquoi ne prenez-vous pas une douche ? Vous vous sentirez mieux après, dit-il.

Elle hocha la tête et se dirigea d'un pas incertain vers la salle de bains. Quand elle atteignit la porte, elle se tourna vers lui, mais il était assis, absorbé par la lecture d'une carte routière.

L'eau chaude ruissela sur elle, et elle ne pensa plus à rien d'autre qu'à la sensation de la mousse et de l'eau sur son corps. Pour la première fois elle se sentait l'esprit vide et reposé. Elle jeta un regard vers la fenêtre. Une aube grise se levait.

Elle éprouva une certaine tristesse en arrêtant l'eau, comme si elle avait perdu sous la douche quelque chose d'ancien et de familier. Elle se sécha rapidement, s'enveloppa la tête d'une serviette et en serra une autre autour de sa taille. Elle voulait se hâter, mais elle dut se retenir au chambranle tant sa faiblesse était grande.

— Attention de ne pas glisser, dit-il. Il vous faudra quelque temps avant de retrouver vos forces.

Elle s'assit au bord du lit.

— Le jour se lève, dit-elle. Depuis quand suis-je ici ?

— Depuis toujours, répondit l'homme. (Il s'approcha d'elle et lui tendit un gobelet rempli d'eau et une pilule.) Prenez ça.

Elle s'abstint juste à temps de lui demander pourquoi cette pilule et avala sans broncher. Il devina sa pensée.

— Un simple analgésique. A la codéine, pour être précis. Ça vous aidera à dormir.

— Merci, répondit-elle. (Elle jeta un coup d'œil vers la carte étalée au pied du lit.) Quand partons-nous ?

— Ce soir. Et je dois me reposer avant de partir.

— Bien sûr, dit-elle en s'allongeant sur le lit.

Il fouilla dans le sac où il rangeait ses armes et en sortit une paire de menottes.

— Ce sera plus pratique que les cordes, dit-il. Asseyez-vous.

Il lui passa une menotte, bouclant l'autre à son propre poignet.

— Allongez-vous, maintenant, ordonna-t-il. (Il se coucha à côté d'elle.) Faites de beaux rêves.

Tels des amants épuisés, ils s'abandonnèrent au sommeil.

Anne Hampton se réveilla au bruit de la douche dans la salle de bains. Elle était de nouveau attachée au bois du lit. Elle se tourna sur le côté comme elle le pouvait et attendit. La serviette qu'elle avait nouée autour de sa taille avait disparu, et elle était nue. Pendant un moment elle se demanda si l'homme allait la violer quand il reviendrait, mais cette pensée se dissipa rapidement, remplacée par une sourde résignation.

Le bruit d'eau cessa, et l'instant d'après l'homme réapparut. Il était nu et finissait de se sécher.

— J'ai dû prendre votre serviette, dit-il. Ce motel est plus que minable : il n'y a même pas une grande serviette de bain.

Elle l'observa qui enfilait un blue-jean et un chandail de sport en coton. Elle remarqua son corps athlétique, mince et musclé. Il s'assit au bord du lit pour chausser une paire de tennis. Il rangea le pistolet électrique et le revolver dans un petit sac de toile. Il tira ensuite une petite valise de sous le lit, et elle aperçut sa veste de sport soigneusement pliée sur la pile de linge.

— Je reviens dans une minute, dit-il.

Elle le regarda s'éloigner. Il fut de retour l'instant d'après, portant un sac de toile rouge présentant plusieurs poches à fermeture Eclair.

— Je suis désolé, dit-il vivement, mais j'ai dû choisir moi-même la taille et la couleur.

Il la délivra de ses liens et la considéra avec attention.

Le sac était rempli de vêtements. Il y avait un pantalon large de couleur kaki, un blue-jean, deux chemisiers, dont l'un imprimé de fleurs allait avec une jupe courte, un blouson de nylon, un chandail et un pull-over. Il y avait aussi une robe habillée. L'un des compartiments du sac était rempli de sous-vêtements, de chaussettes et de bas.

— Mettez le jean, dit l'homme. Ou le pantalon kaki.

Il se tourna pour lui tendre deux boîtes à chaussures. Il y avait une paire d'escarpins et des tennis.

— Rangez les escarpins, précisa-t-il.

Il la regarda s'habiller.

— Vous êtes jolie, dit-il quand elle eut fini.

— Merci, répondit-elle d'une voix qui lui sembla appartenir à quelqu'un d'autre.

Il lui tendit un sac en papier à l'en-tête d'une pharmacie. Elle l'ouvrit et vit une brosse à dents, du dentifrice, des produits de maquillage, une paire de lunettes de soleil et une boîte de Tampax. Elle sortit cette dernière et la regarda sans comprendre. Une peur sourde s'insinuait en elle.

— Mais je n'ai pas mes...

Elle se tut.

— Vous avez toutes les chances d'être indisposée avant que nous en ayons terminé, dit-il.

Elle avait envie de pleurer, et elle s'aperçut qu'elle en était désormais incapable. Elle se mordit la lèvre et acquiesça d'un signe de tête.

— Allez faire votre toilette, dit-il. Nous allons partir.

Elle gagna la salle de bains. Elle se lava les dents puis se maquilla légèrement, s'efforçant de masquer les marques sur son visage. Il se tenait dans l'encadrement de la porte.

— Elles disparaîtront dans deux ou trois jours.

Elle ne répondit pas.

— Prête ? demanda-t-il.

Elle hocha la tête affirmativement.

— Si vous avez envie de faire pipi, c'est le moment. Nous avons pas mal de route à faire.

Elle se demanda si elle n'avait pas perdu toute pudeur. De nouveau elle eut le sentiment que c'était une autre qu'elle qui était assise là, sur la lunette des toilettes, à uriner sous le regard de l'homme. Peut-être était-elle redevenue une enfant.

— Vous porterez votre sac, dit-il.

Elle rangea ses affaires de toilette dans l'un des compartiments du sac. Il était muni d'une bretelle, et elle passa celle-ci à son épaule.

— Je peux porter autre chose, dit-elle.

— Tenez, et faites attention.

Il lui tendit un sac de photographe au cuir fatigué et lui ouvrit la porte.

Anne Hampton sortit dans la douce chaleur de la nuit. Elle vacilla légèrement sur ses jambes et hésita. L'homme lui posa une main sur l'épaule et lui désigna une Chevrolet Camaro de couleur bleu sombre, garée devant la petite chambre du motel. Elle leva les yeux vers le ciel. Il était rempli d'étoiles, et elle distingua la Grande Ourse. Elle se perdit un instant dans la contemplation des étoiles, rêvant de se fondre dans cette immensité parsemée de points scintillants.

— Venez, dit l'homme.

Il était devant la voiture dont il avait ouvert la portière du côté passager, attendant qu'elle monte.

Elle le rejoignit.

— C'est une belle nuit, dit-elle.

— C'est une belle nuit, Doug, la corrigea-t-il.

Elle le regarda d'un air perplexe.

— Dites-le.
— C'est une belle nuit. Doug, dit-elle.
— Bien. Vous m'appellerez Doug, dorénavant.
— D'accord.
— Je m'appelle Douglas Jeffers.
— D'accord, Doug. Douglas. Douglas.
Il sourit.
— En fait, je préfère Douglas à Doug, mais vous pourrez m'appeler comme il vous plaira.
Elle devait avoir l'air perplexe, car il sourit et ajouta :
— C'est mon véritable nom. Comprenez dès maintenant que je ne vous raconterai jamais de mensonge. Je ne vous dirai que la vérité, et rien que la vérité. Ou du moins ce que l'on peut considérer comme tel.
Elle hocha la tête. Elle ne doutait pas de ce qu'il lui disait.
— Il y a toutefois un problème, dit-il soudain, et il y avait dans sa voix une dureté qui réveilla ses craintes. Je n'aime pas votre nom. Il faut en trouver un autre, un qui s'accorde avec la nouvelle vie qui commence pour vous.
Elle acquiesça, se surprenant elle-même à trouver l'idée raisonnable.
Il lui fit un signe, et elle monta en voiture.
— La ceinture, dit-il.
Elle boucla sa ceinture de sécurité.
— Vous allez être une biographe, dit-il.
— Une biographe ?
— Oui. Vous trouverez des blocs-notes et des stylos à bille dans la boîte à gants. C'est pour vous. Assurez-vous d'avoir toujours de quoi écrire et de pouvoir noter ce que je vous dicterai.
— Je ne comprends pas très bien, dit-elle.
— Je vous expliquerai ça en route.
Il la regarda avec un sourire.
— A partir de maintenant, vous êtes Boswell *.
— Boswell ?
— Oui. (Il sourit.) C'est un clin d'œil littéraire.
Il ferma la portière, fit le tour de la voiture et s'installa au volant.
— Essayez votre poignée de portière, dit-il.
Elle actionna le court levier de la poignée. Celle-ci bougea, mais la portière ne s'ouvrit pas.

---

* Boswell : mémorialiste anglais (1740-1795), auteur d'une vie de Samuel Johnson.

— L'un des avantages d'une Chevrolet Camaro est la facilité avec laquelle on peut bloquer les portes. Aussi, quand nous nous arrêterons, vous attendrez bien sagement que je vienne vous ouvrir. Compris ?

Elle hocha la tête.

— J'ai appris ça à Cleveland alors que je couvrais pour mon journal le procès d'un joueur de football qui aimait prendre des auto-stoppeuses devant lesquelles il s'exhibait. Quand elles essayaient de sortir, elles trouvaient la portière verrouillée. C'était ça qu'il aimait, les voir prises au piège.

Douglas Jeffers la regarda.

— Voyez-vous, c'est ce genre de choses que vous devrez noter, dit-il en indiquant d'un geste la boîte à gants.

Elle eut un moment de panique et tendit la main vers le compartiment.

Il arrêta son geste.

— Ça va pour cette fois, dit-il. Je vous donnais seulement un exemple.

Il la regarda de nouveau.

— Voyez-vous, quand on s'appelle Boswell, on prend note de tout.

Elle acquiesça d'un vigoureux hochement de tête.

— Très bien, Boswell.

Il démarra, accéléra en douceur et pénétra lentement dans l'obscurité que trouaient les phares. Elle leva les yeux vers le ciel et les étoiles. A cette époque de l'année, la nuit était zébrée des sillages lumineux de nombreuses étoiles filantes. Soudain elle en aperçut une, signant sa course d'un éclair fugitif. Fais un vœu, se dit-elle. Et ses lèvres esquissèrent silencieusement le mot « vivre ».

IV. Séance de thérapie chez les Garçons Perdus

Des obscénités s'échangèrent autour de lui, mais il n'y prêta pas attention. Il revit son frère assis à la cafétéria, souriant avec cette insouciance presque enfantine qui, sur un visage d'adulte, avait quelque chose de déroutant. Il se rappela avec une certaine gêne la remarque qu'il avait faite : « Tu sais, j'aurais aimé que nous soyons plus proches, devenus grands... » Et la réplique cruelle, laconique, de Douglas : « Mais nous sommes beaucoup plus proches que tu ne le penses. »

A sa droite, les voix de deux des hommes avaient pris une intonation rageuse. Martin Jeffers se tourna vers eux, essayant de mesurer le degré de la querelle, conscient que celle-ci faisait partie intégrante de la thérapie mais n'oubliant pas qu'il avait affaire à des hommes violents, parfaitement capables de s'entretuer. Cette fois-ci, cependant, ils lui faisaient l'effet de vieilles femmes querelleuses, se disputant davantage par goût du conflit que pour un motif quelconque. Il décida d'intervenir.

— Je ne crois pas que vous pensiez ce que vous dites.

C'était l'un de ses commentaires habituels. Le caractère paradoxal de ses attitudes frustrait ces hommes pragmatiques et directs. Il voulait les faire penser, ressentir, d'une façon plus abstraite. Alors la communication pouvait commencer.

Il se souvenait de ce que leur avait dit une fois un professeur à l'école de médecine :

— Pensez à l'expérience de la maladie. A la façon dont elle mobilise nos sens, nos sensations, nos émotions. Et puis rappelez-vous, même et surtout si vous avez une haute opinion de vos capacités, que vous ne valez jamais que votre dernier diagnostic.

Ce à quoi, dix ans plus tard, Martin Jeffers pensait qu'il aurait ajouté : et votre dernier traitement.

Jeffers regarda les deux hommes qui se querellaient.

— Va te faire foutre, Jeffers, dit le premier en balayant l'air d'un geste mou.

— Toi, va te faire foutre, intervint le second.

— Non, mais écoutez-le, çui-là.

— C'est moi qu'y faut regarder quand tu causes, p'tit mec.

— Arrête, j'vais m'mettre à trembler. T'es une vraie terreur, ma parole.

Jeffers observait attentivement les deux hommes, guettant les signes qui annonceraient que la dispute allait dégénérer. Toutefois, il n'était pas très inquiet : Bryan et Senderling se querellaient souvent ainsi. Aussi longtemps qu'ils échangeaient des insultes, le conflit avait toutes les chances de rester verbal. En d'autres circonstances, les deux hommes auraient peut-être été amis. C'était le silence qu'il redoutait. Parfois, pensa-t-il, ils s'arrêtent de parler, mais ce n'est pas parce qu'ils sont à court d'arguments ou qu'ils se lassent. C'est un silence imposé par la colère. Les yeux s'étrécissent, le regard prend une fixité qui signale l'attaque, ou bien quelquefois c'est seulement une tension subtile des muscles.

Jeffers songea qu'il avait souvent guetté le blanchissement des phalanges d'une main serrant l'accoudoir de la chaise. Il y avait eu un homme dans le groupe, se souvint Jeffers, qui s'asseyait toujours au bord de son siège, les jambes croisées en X sous lui. Quand un matin l'homme décroisa les jambes, Jeffers était déjà debout, prêt à affronter le déchaînement qui allait se produire une seconde plus tard. Jeffers prit conscience qu'au fil des mois il en était arrivé à connaître chaque homme dans le groupe, non seulement par son histoire personnelle mais aussi par l'interprétation de ses attitudes et de ses mouvements.

— Va te faire foutre !

— Vas-y toi-même !

Les obscénités étaient monnaie courante chez ces douze délinquants sexuels qu'à l'hôpital on surnommait par euphémisme les Garçons Perdus. Combien de fois par jour entendait-il le mot foutre ? Cent fois ? Certainement plus. Le mot n'avait plus pour lui de rapport avec l'acte sexuel qu'il suggérait. C'était seulement une manière de ponctuation, une espèce de virgule. Il se rappelait le fameux sketch de Lenny Bruce où le célèbre chansonnier déversait sur son auditoire un tel flot d'insultes que celles-ci en perdaient tout sens. Jeffers pensait qu'il se produisait le même phénomène dans la salle de jour : le mot « foutre » avait perdu tout son poids. L'ironie voulait toutefois que ces hommes aient tous été condamnés pour crime sexuel.

— Ah, ferme-la donc, dit Bryan. (Il se tourna vers Jeffers.) Hé, toubib, ça vous ennuierait pas de rappeler à cet enfant de putain pourquoi il est là ?

— Ecoute, pauvre cloche, répliqua Senderling. J'sais très bien pourquoi on est là. J'sais aussi qu'on y est pour un bout d'temps. Et quand on sortira d'ici, ce sera pour aller en taule, et pendant très, très longtemps.

Un autre homme intervint en commençant par envoyer aux deux hommes un baiser sonore. C'était Steele, assis à l'autre bout de la pièce, et qui prenait toujours plaisir à taquiner Bryan et Senderling.

— Et vous savez bien, mes chéris, combien on apprécie les gens comme vous, ici.

Les trois hommes échangèrent des regards mauvais, puis ils se tournèrent vers Jeffers. Celui-ci comprit qu'ils attendaient de lui un commentaire. Il regretta de ne pas avoir prêté davantage attention à l'échange.

— Vous connaissez tous les termes du contrat que vous avez passé en entrant ici.

Un silence lui répondit.

Jeffers regarda les hommes un à un. Certains le fixaient d'un regard dur, d'autres détournèrent les yeux, l'air indifférent ou l'esprit obstinément ailleurs, comme si tout ce qui pouvait se dire ou se faire dans cette salle ne les concernait jamais. Ils étaient douze hommes, douze criminels, et Jeffers était frappé par le fait que tous avaient souffert d'être abandonnés par leur famille ou la communauté à un moment ou à un autre de leur enfance ou de leur adolescence. La plupart des gens s'efforçaient en grandissant d'oublier les blessures initiales et finissaient par s'en accommoder. Les Garçons Perdus, eux, n'avaient jamais pardonné aux adultes de les avoir rejetés.

Douze hommes qui devaient totaliser une centaine d'actes criminels reconnus, ce qui devait en laisser deux fois plus inavoués, insolvables, pas même déclarés, et qui allaient du simple vandalisme et du vol à l'arraché au viol. Trois d'entre eux étaient des tueurs. Ils avaient assassiné dans des circonstances que le code pénal considérait comme atténuantes, bien que la distinction établie par la justice sur les coups et blessures ayant entraîné la mort sans intention de la donner, selon la formule consacrée, ait souvent paru arbitraire à Jeffers, surtout considérée du point de vue de la victime.

Le silence persistait, et Jeffers repensa à son frère. Cela lui ressemblait bien, pensa-t-il, de débarquer comme ça, à l'improviste, au bout de trois ans d'absence entrecoupés de rares et brefs appels téléphoniques, et de laisser les clés de son appartement en même temps que de laconiques instructions. Typique.

Que faisait-il ? se demanda Jeffers. Il songea de nouveau à leur rencontre à la cafétéria, revit son frère assis en face de lui, ses cheveux blond sable décolorés par le soleil. Doug, pensa-t-il, avait une apparence détendue et sereine qui lui semblait l'expression même d'une vie menée avec un soin extrême. Pendant un moment, il envia le blue-jean et les chaussures de jogging de son frère qui s'accordaient avec sa profession de photographe, et il regretta le formalisme tranquille de son propre métier. Son frère vivait dehors, chassant l'événement et opérant là où les choses se passaient, alors que sa fonction à lui se limitait à en parler. Il se demanda soudain comment il pouvait supporter le monde clos de l'hôpital, l'atmosphère de confessionnal de son cabinet.

Il secoua la tête. Non, ce n'était pas vrai : il aimait son travail. Il se demanda toutefois à quoi devait ressembler la vie à travers le viseur d'un appareil photo.

— Oh, nous sommes beaucoup plus proches que tu ne le penses.

A travers l'objectif, c'était l'instant même que son frère voyait et saisissait. Lui n'entendait que le récit qui en était rapporté.

Il s'étonna d'être incapable de se rappeler le premier appareil photo de son frère. Il lui semblait que Doug en avait toujours possédé un. Quand et comment s'était-il procuré le premier ? Il ne venait sûrement pas de leurs parents.

D'eux ils n'avaient hérité que des misères, pensa Jeffers.

Les deux frères avaient toujours été d'accord sur ce point.

Il se souvint de la nuit où ils avaient été emmenés, et cette soudaine évocation d'un passé aussi lointain le troubla. La pluie crépitait contre les vitres du poste de police par cette nuit d'été où soufflait la tempête. Son frère et lui étaient assis à l'intérieur sur un banc de bois dont ils agrippaient à deux mains le rebord rugueux. Ils étaient très jeunes encore, et leurs yeux étaient emplis de crainte. Son estomac se noua au souvenir de l'apparition de sa cousine, le visage dur et sévère, et de ses premières paroles : « Votre mère est morte, on savait tous que ça devait arriver. Vous allez vivre avec nous, maintenant. Suivez-moi. » Il se rappela la silhouette voûtée de sa cousine qui les entraînait dehors sous les rafales de vent et de pluie. J'avais quatre ans, pensa-t-il, et Doug six.

Il se demanda pourquoi ils n'avaient jamais reparlé de leur vraie mère. Il essaya de se représenter les traits de son visage. C'était une femme aigrie, qui semblait être dans un perpétuel courroux. Elle n'avait pas été très différente de cette cousine devenue leur marâtre. D'elle, il revoyait très bien le chignon sévère qui contrastait avec les lèvres pleines fardées de rouge qui ne souriaient jamais. Dans la voiture, alors que la pluie tambourinait sur le toit, la cousine s'était tournée vers eux pour leur dire : « Nous sommes vos parents, maintenant. Je suis votre maman, et lui votre papa, avait-elle ajouté en désignant l'homme assis derrière le volant. Et qu'il ne soit plus jamais question de ceux que vous avez eus. »

Son propre thérapeute lui avait demandé une fois :

— Mais qu'est-il arrivé à votre mère ?

Et sa réponse :

— Je n'ai jamais pu le savoir.

Le thérapeute était resté silencieux, de ce silence qui exprimait le doute et qu'il avait lui-même si fréquemment utilisé par la suite.

Que s'était-il passé ? se demanda-t-il.

C'était simple : elle avait disparu. Morte ou enfuie, quelle différence cela faisait-il ? Tous les deux, ils avaient dû travailler dans le drugstore de leurs parents adoptifs. Lui nettoyait les fioles et tenait rangé le stock de médicaments. Il était devenu médecin. Doug, lui, avait pour tâche d'assister leur « papa » à la chambre noire du magasin. Il avait fini par développer lui-même les photos et, plus tard, il était devenu photographe professionnel. C'était simple.

On s'est bien débrouillés, pensa-t-il.

Mais que sommes-nous devenus ?

Rien n'était simple en réalité.

Il le savait. C'était la première chose qu'il avait apprise dans son métier. Les choses de l'esprit pouvaient sembler claires, mais elles l'étaient rarement. Si les théories psychanalytiques, les diagnostics et les traitements étaient intelligibles et apparemment adéquats, les comportements lui semblaient étrangement inexplicables. Il comprenait en gros pourquoi les Garçons Perdus étaient des délinquants sexuels, mais il s'avouait confondu par la multiplicité des pulsions qui composaient et agitaient chaque personnalité. Il pouvait se figurer ce qu'il fallait de force physique pour maîtriser la victime et la violer, mais il n'arrivait pas à mesurer l'intensité de la volonté de puissance que cela exigeait.

Il secoua la tête.

Doug comprend les réalités, pensa-t-il. Moi, je comprends les théories.

Il songea à sa propre vie. Je survivrai, se dit-il. Tous les deux, nous survivrons. On s'est bien démerdés jusqu'ici. Puis il ne put s'empêcher de penser à ce paradoxe : acquérir tout le savoir et l'expérience des fragilités humaines et en même temps être incapable d'en user pour soi-même.

Il rit en lui-même : tu es un menteur, pensa-t-il.

Il se demanda pourquoi la visite de son frère avait réveillé tant de souvenirs, puis il trouva la question stupide : il était naturel que la visite de son frère l'amène à se tourner vers le passé et leur histoire.

Il eut chaud soudain, et il vit qu'un rayon de soleil entrant par la fenêtre le frappait au torse. Il s'agita, mal à l'aise, puis s'écarta de la source de chaleur.

— Vous savez ce que je déteste le plus ? dit l'un des Garçons Perdus. C'est d'être traité comme une espèce de monstre de foire.

Jeffers leva les yeux pour voir qui avait parlé. Son regard passa sur Simon, l'aide-infirmier préposé au maintien de l'ordre parmi ces têtes brûlées. Simon avait l'air de sommeiller au soleil, imperméable au bruit des voix. C'était un Noir gigantesque dont la carrure était bien dissimulée sous l'ample blouse blanche. Jeffers savait que l'homme était ceinture noire de karaté et qu'il avait été professionnel de boxe thaï. La présence de Simon était la dernière dissuasion contre la violence.

— Ouais, des monstres, c'est ça qu'on est.

Meriwether avait parlé. C'était l'un de ses leitmotive préférés. Un petit bonhomme, Meriwether, d'une quarantaine d'années, qui avait travaillé comme comptable et avait été reconnu coupable du viol d'une adolescente, la fille d'un voisin. Meriwether faisait partie des cas que Jeffers considérait comme irrécupérables. Il était persuadé que Meriwether n'en était pas à sa première agression quand il avait été arrêté, et il doutait que le « programme » ait jamais un effet quelconque sur lui. Un jour, pensa Jeffers, il ira draguer dans la rue et tombera sur une gosse qu'il préférera tuer après l'après avoir violée pour ne plus courir le risque d'être reconnu.

— Je ne supporte pas la façon qu'ils ont de nous regarder, dit Meriwether.

— De te regarder, toi, dit Miller, assis en face de lui.

Miller était un tueur en plus d'un violeur. Il avait tué deux hommes au cours de bagarres dans des bars, avait fait trois fois de la prison pour agression à main armée, vol et extorsion de fonds sous la menace. Jeffers aimait la façon avec laquelle Miller répondait aux séances de thérapie de groupe : il détestait ça. Toutefois, il n'était pas un cas douteux : Jeffers ne désespérait pas de le convaincre de ne plus violer. Pour le reste, l'homme resterait un délinquant.

— Tu vois, p'tit mec, ils sentent quelque chose chez toi. Quelque chose de gluant sous la peau. On le sent tous, p'tit mec. Tous. Ça te fait pas réfléchir, ça ?

— Peut-être qu'ils peuvent sentir quelque chose chez moi, comme tu dis, mais il leur suffit de voir ta gueule une seule fois pour savoir ce que tu es. *Savoir*, oui, *savoir*.

Miller grogna, puis il éclata de rire. Jeffers appréciait la force de Miller : jamais il ne cédait à une provocation. Evidemment, avec un verre dans le nez, il n'aurait peut-être pas fait preuve de tant de retenue.

Les autres hommes rirent et sourirent avec lui. Wright, Weingarten, Bloom qui avait plutôt un penchant pour les garçons, Wasserman, le plus jeune, avec ses dix-neuf ans, et coupable du viol d'une fille qui lui avait refusé une danse, Pope, quarante-deux ans, intraitable, malveillant, des bras de déménageur couverts de tatouages. Lui aussi devait avoir commis plus de crimes qu'il ne lui en était reproché, pensait Jeffers. L'homme n'ouvrait jamais la bouche, et il était le premier sur la liste des irrécupérables. Parker et Knight complétaient les douze Garçons Perdus. Ils se ressemblaient, avec leur acné, leur colère de jeunes hommes à peine sortis du collège. L'un avait travaillé comme programmateur, et l'autre comme employé municipal. Ils ricanaient beaucoup au cours des séances, mais Jeffers pensait qu'ils finiraient par saisir qu'ils avaient encore une chance dans la vie.

Les rires se turent, et Meriwether rompit aussitôt le silence.

— N'empêche, ça me plaît pas.

— Qu'est-ce qui te plaît pas, p'tit mec ?

— On n'est pas des cinglés, alors qu'est-ce qu'on fout ici ?

Plusieurs voix se firent entendre :

— On est là pour le programme...

— On est là pour se branler...

— On est là, connard, parce qu'on a tous plongé pour viol. T'as pas encore compris ?

— Peut-être que toi tu sais pas pourquoi t'es là, mais moi je le sais...

Ce dernier sarcasme provoqua des rires. Jeffers observa Meriwether qui attendait que le silence revienne.

— Vous êtes encore plus cons que je le pensais... commença-t-il, déclenchant les huées.

Il attendit une fois de plus que retombe le silence, un sourire satisfait aux lèvres, manifestement content de faire l'objet de l'attention générale.

— Ouais, réfléchissez, bande de tarés. On est ici chez les fous, et pourtant on n'est pas fous. Et si on était des vrais criminels, on nous aurait foutus en taule, un point c'est tout. Au lieu de ça, on nous met ici au régime carotte-bâton. Suivez le programme, ils disent, apprenez à aimer comme il faut, apprenez à haïr ce que vous avez été. Laissez-nous vous remettre sur le droit chemin...

Il s'arrêta, jugeant de son effet.

— Vous savez ce qui me plaît ? A chaque fois que je traverse la salle ou le jardin des autres pavillons, les mecs s'écartent sur mon passage. Sans blague, ils s'écartent ! Ça te fait pas rigoler, ça, Miller ? Mais ils savent, hein ? Ils savent.

Il rit.

— On sait tous au fond de nous qu'on s'en sortira un jour ou l'autre. Il n'y a qu'à tenir et faire ce qu'ils nous disent... mais s'ils croient qu'ils vont me changer !

Il se tourna vers Jeffers.

— Vous pouvez vous la foutre dans le cul, votre thérapie de groupe. Moi, je suis plus malin que ça.

— Vous le pensez vraiment ? répliqua Jeffers.

— Quelle question ! Vous voyez donc pas que c'est ce qu'on pense tous ?

Miller grogna.

— Parle pour toi, tordu.

— Bien sûr que je parle pour moi, dit Meriwether.

Les deux hommes se regardèrent, et Jeffers pensa de nouveau à son frère. Il se souvint de sa stupeur en apprenant que Doug piochait régulièrement dans le tiroir-caisse. Il avait trouvé cela mal, non parce que c'était immoral de voler mais parce que les conséquences seraient terribles en cas de découverte. Il se rappela le rire de son frère et son insistance à prétendre qu'il ne faisait pas ça uniquement pour l'argent.

— Tu ne comprends donc pas, Marty ? A chaque fois que je lui prends un peu d'argent ici, un peu d'argent là, ça me donne le sentiment que je ne suis pas sa victime.

Doug allait sur ses quatorze ans à ce moment-là. Et il se trompait : nous étions ses victimes.

Il battait Doug, pensa Jeffers, mais pas moi. Peut-être Doug était-il trop ouvertement rebelle. Mais ce n'était pas que ça. Doug était difficile, mais il y avait autre chose, quelque chose que leur père adoptif avait découvert en lui et qui avait déclenché sa colère et un violent désir de punir.

— P'tit mec, dit Miller, tu me fais vraiment pitié.

— Il n'y a que la vérité qui blesse, rétorqua Meriwether.

— Dis-moi comment tu la vois, la vérité, reprit Miller. Toi qui sais tout, hein, p'tit malin. Raconte un peu ce que tu sais de la vie.

Meriwether rit.

— Voyons... (Il évalua Miller d'un regard dégoûté.) Eh bien, j'dirais... commença-t-il en prenant son temps, conscient de l'attention de tout le groupe. J'dirais que t'as probablement détesté ta mère...

Tous rirent, sauf Miller.

— Elle aimait tout le monde sauf toi.

Meriwether sourit à la ronde et poursuivit :

— Et maintenant, comme tu ne peux pas la punir... tu te venges sur les autres.

Meriwether souriait d'un air satisfait.

Miller arborait un visage sombre. Jeffers se surprit à essayer de nouveau d'évoquer le visage de sa mère. Le mot « mère » ne suscitait jamais chez lui que le souvenir de leur marâtre, cette cousine qui passait ses après-midi dans un coin de la maison, à boire du thé, solitaire et indifférente aux gens et aux saisons qui passaient.

— Continue tes conneries, connard, grogna Miller. T'es déjà dans la merde. Un peu plus, un peu moins...

Jeffers se demanda pendant un instant si Miller allait exploser, puis il se dit que l'homme était bien trop avisé pour se laisser piéger par les provocations de Meriwether. S'il devait prendre une revanche, il le ferait à son heure. Il saurait attendre. Les condamnés savaient qu'ils avaient tout le temps devant eux, et différer sa vengeance, en savourer l'attente était un plaisir aussi grand que celui que l'on prendrait au moment voulu en plantant dans le ventre de l'offenseur une lame patiemment fabriquée dans le secret. Jeffers nota dans le cahier des séances qu'il faudrait surveiller le conflit entre les deux hommes.

— Dis donc, quel âge avait ta dernière victime ? Celle que tu as battue, dépouillée et pour finir enfilée, reprit Meriwether. Elle avait quoi ? Vingt ans ? Non, peut-être plus. Trente, alors ? Non, plus. Quarante ? Désolé, mais ce n'est pas ça non plus. Bon, cinquante ? Soixante ? Langue au chat ? Soixante-treize, les mecs ! Ouais, soixante-treize balais !

Meriwether ferma les yeux et se renversa sur sa chaise.

— Ouais, assez vieille pour être ta mère.

Il observa un silence avant de se tourner vers Jeffers.

— Hé, toubib, vous devriez me payer pour faire le boulot à votre place.

Jeffers ne dit rien.

— Allez, Miller, continua Meriwether, dis-nous comment c'était.

Les yeux de Miller se plissèrent. Il attendit que le silence se fasse.

— C'était parfait, connard, dit-il d'une voix métallique. C'est toujours parfait. T'es pas de cet avis ?

— Oh, mais certainement, dit Meriwether avec ironie.

Jeffers considéra les douze hommes en espérant que l'un d'entre eux interviendrait. Il en doutait cependant. Il savait que pour rien au monde ils ne se seraient passés du plaisir de voir naître une querelle. Ils étaient au spectacle, et ils se garderaient bien de descendre dans l'arène avec Miller et Meriwether. Jeffers nota de nouveau dans le cahier de leur parler de ce problème en séance individuelle. Le groupe, pensa-t-il, ne servait qu'à renforcer les idées soulevées lors des séances journalières avec chacun des douze. Des fois une communication inattendue se créait, un voile se levait. Le reste du temps n'était qu'un lent cheminement le long d'une muraille dont on aurait cherché la faille.

— Miller, dit Jeffers, est-ce que vous voulez dire par là que le viol d'une femme de soixante-treize ans est une expérience sexuelle satisfaisante ?

Il n'aurait jamais posé une question aussi directe aux autres, pensa-t-il.

Miller secoua la tête.

— Non, toubib. C'est pas comme ça qu'il faut considérer la chose, répondit Miller d'une voix ricanante. Ce que je voulais dire — et le connard assis en face de moi sait très bien de quoi je parle, pas vrai, p'tit mec ? —, c'est que j'étais là, avec cette vieille devant moi, et qu'il n'y avait rien d'extraordinaire à la baiser.

— Vous trouvez que pour elle ce n'était pas extraordinaire ?

Miller risqua une plaisanterie.

— Peut-être qu'elle n'a jamais rien eu d'aussi bon...

Il y eut quelques rires qui se dissipèrent rapidement.

— Allons, Miller, vous avez sauvagement agressé et violé une vieille femme. Quel genre d'homme peut faire une chose pareille ?

Miller décocha un regard noir à Jeffers.

— Vous n'écoutez pas, toubib. Je vous le répète, elle était là, j'étais là, ça s'est fait comme ça. La grande affaire !

— C'est une grande affaire.

— Pas pour moi.

— Si ça ne l'est pas, dites-nous alors ce que vous pensiez quand vous l'avez agressée.

— Penser ? (Miller hésita.) Putain, j'en sais rien. Je tenais pas à ce qu'elle puisse me reconnaître, alors je lui ai cassé ses lunettes, et puis j'ai fait gaffe à pas faire trop de raffut. J'voulais pas réveiller les voisins...

— Allons, Miller, vous avez laissé vos empreintes partout dans la maison, et vous vous êtes fait pincer en essayant de fourguer les bijoux que vous lui aviez volés. A quoi pensiez-vous ?

— Merde, j'en sais rien !

Il croisa les bras et regarda droit devant lui.

— Essayez de vous rappeler.

— Ecoutez, toubib, tout ce que je me rappelle, c'est que j'étais en colère. J'avais l'impression que rien n'avait jamais marché dans ma putain de vie. Alors j'étais en rogne, tellement en rogne que j'avais envie de hurler. Je voulais faire mal à quelqu'un, vous comprenez ? C'est tout, simplement faire mal à quelqu'un. J'ai choisi cette vieille. Elle se trouvait là, et c'est elle qui a écopé. Ça vous va, comme réponse ?

Jeffers se renversa contre le dossier de sa chaise. Il n'était pas mécontent d'avoir provoqué cette réaction chez Miller.

— Très bien, dit-il. Parlons de la colère. Quelqu'un ?

Il y eut un court silence avant que Wasserman, qui bégayait, ne dise :

— D-d-des fois je pense que j-je suis toujours en colère.

— En colère après qui ? demanda une voix.

Jeffers consulta sa montre. Il ne restait que quelques minutes avant que prenne fin la séance de groupe, mais il savait que la colère était un bon sujet. Tous les Garçons Perdus étaient des hommes en colère. C'était une chose qu'ils connaissaient bien.

Il jeta un regard circulaire sur la pièce. C'était un lieu vaste et aéré, peint en blanc, avec une rangée de fenêtres donnant sur le terrain de jeux. Le mobilier était vieux et fatigué, mais c'était là chose courante dans un établissement public. Il y avait une table de ping-pong pliée dans un coin. Elle était rarement utilisée. Il y avait eu jadis un billard, mais une queue de billard dans les mains d'un psychotique avait envoyé deux infirmiers à l'infirmerie, et le jeu avait été retiré. Il y avait des magazines sur une table basse et une télévision qu'ils n'allumaient que pour regarder des feuilletons affligeants de nullité. Il y avait un vieux piano désaccordé. De temps à autre quelqu'un y plaquait quelques accords pour s'en détourner aussitôt, déçu de ne pouvoir en tirer un seul son harmonieux. L'instrument était comme ses patients, pensa Jeffers. Nous appuyons sur les touches dans l'espoir d'une mélodie, et nous n'entendons que discordance. Jeffers aimait cette pièce. Il s'en dégageait une atmosphère tranquille et douce qui semblait faire barrage à toute velléité de violence.

Il ne se rappelait pas s'être jamais battu avec son frère.

C'était inhabituel : tous les frères se battaient, pourquoi en avait-il été autrement pour eux ? Mais il n'avait pas le moindre souvenir de l'une de ces rages qui jettent deux frères l'un contre l'autre, pour disparaître brusquement l'instant d'après.

Il se souvint de la fois où Doug l'avait facilement maîtrisé en le plaquant à terre et en lui bloquant les bras dans le dos. Mais c'était pour l'empêcher de courir après leur mère partie montrer à son mari son bulletin scolaire. Il avait eu pour la première fois une mauvaise note en français, et il en avait éprouvé une grande honte. Douglas s'était contenté de le retenir. Martin ne savait pas ce qu'il aurait fait : arracher le bulletin des mains de la marâtre, le déchirer ? Ce qu'il savait, c'était que leur père serait furieux. Il fut puni, contraint de rester enfermé dans sa chambre pendant une semaine. Le trimestre suivant, il eut un seize en composition française et décrocha le maximum, un dix-huit, le dernier trimestre.

— Hé, Pope ! (C'était encore Meriwether.) Dis-nous, Pope, toi qui es un tueur, tu dois être dans une colère noire quand tu tues quelqu'un.

Jeffers attendit, ainsi que tous les autres, que réponde Pope le silencieux, Pope le taciturne. C'est une bonne question, pensa-t-il, peut-être pas d'un point de vue thérapeutique, mais sous l'angle de la curiosité.

Pope renifla de mépris. Il avait des yeux noirs assez rapprochés, et ses épaules semblaient disproportionnées pour sa taille. Jeffers se figura que l'homme devait avoir une force extraordinaire.

— J'ai jamais tué un type parce que j'étais en colère.

Meriwether rit.

— Allez, Pope, tu as tué ce type dans le bar. Tu nous as raconté ça la semaine dernière. Une bagarre, tu te rappelles ?

— Eh bien quoi, c'était pas de la colère, ça. Comme tu dis, juste une bagarre.

— Mais le mec est mort.

— Et après ? Ça peut arriver. Un coup heureux.

— Tu veux dire malheureux.

— Ça dépend où tu te places, répliqua Pope en haussant les épaules.

— Tu veux dire que tu t'es battu avec lui, que tu l'as tué, et que t'étais même pas en colère contre lui ?

— Tu comprends pas très bien, toi. Sûr qu'on s'est battus, lui et moi. On avait un coup dans le nez. On a eu des mots, et il aurait pas dû m'insulter. Mais des histoires comme ça, il y en a tous les soirs dans les bars. J'ai jamais été en colère après un type quand j'étais à jeun.

La réponse de Pope parut satisfaire tout le monde, et un léger silence se fit dans la salle.

— Moi, je sais ce que c'est d'avoir été vraiment en colère, dit Weingarten.

Il était resté silencieux pendant presque toute la séance, nota Jeffers. C'était un exhibitionniste aux cheveux gras. Une jeune femme qu'il avait tenté d'agresser l'avait identifié parmi une rangée de suspects, et il avait atterri chez les Garçons Perdus. Jeffers doutait que le programme ait un effet positif sur cet homme dont la déviance venait à peine de s'affirmer. Il y avait de fortes chances qu'il récidive. Les Garçons Perdus ne souffraient pas de maux ordinaires. Il y a nécessité en médecine de lutter contre une maladie dès le premier symptôme et de juguler le mal avant qu'il ne s'étende. Pas ici, pensa-t-il. Ici on s'occupait du mal une fois qu'il s'était manifesté et répété. La tentative d'éradication qui s'ensuivait était généralement vouée à l'échec, malgré les quelques succès qui permettaient de poursuivre le programme de réhabilitation.

— J'avais envie de le tuer, dit Weingarten.

— Qu'avez-vous fait ? demanda Jeffers.

— A l'école, il y avait ce type qui m'emmerdait sérieusement. Vous savez, le genre de gus qui vient vers vous et devant tout le monde vous balance un méchant coup de poing dans le bras, juste pour vous voir faire la grimace et passer pour un con parce qu'il sait que vous ne pouvez pas lui rendre son coup. Je voulais le tuer, au début. Mon père avait un fusil de chasse, il aimait chasser le daim, ce que je trouvais dégueulasse. Le fusil était équipé d'une lunette, et un jour j'ai tenu cet enfoiré dans le viseur. Aujourd'hui, je regrette de n'avoir pas tiré. Mais je me suis dit que je pourrais l'avoir autrement. Un match de foot devait avoir lieu, et tout l'honneur de l'école dépendait de ce putain de match. Je savais que ce salaud se tapait la fille de l'entraîneur. Je les ai suivis un soir jusqu'au bord du lac où tous les mecs du coin allaient se tirer les nanas. J'ai attendu qu'ils soient bien occupés pour crever les pneus de leur bagnole. Puis j'ai téléphoné au père pour lui dire que sa fille se faisait sauter par l'arrière de l'équipe, et qu'elle serait en retard pour dîner.

— Que s'est-il passé ? demanda Jeffers.

— Le temps de faire réparer les pneus et tout, ils n'étaient pas de retour avant deux heures du mat.

— Est-ce que l'entraîneur l'a viré de l'équipe ?

Weingarten hésita.

— C'était un bon joueur. Le match comptait pour la coupe. Qu'est-ce que vous pensez qu'il arriva ?

Les douze hommes partirent à rire, et Jeffers se joignit à eux. Weingarten aussi rit.

— N'empêche, c'était une bonne idée, dit-il. J'ai eu au moins la consolation de le voir se fouler la cheville à la deuxième mi-temps. La saison de foot était terminée pour lui.

— Qu'est-ce qu'il est devenu, ce con ? demanda l'un des hommes.

Weingarten sourit.

— Mec, il était tellement con qu'il ne pouvait rien faire d'autre que de rentrer chez les flics.

Les rires retentirent de plus belle.

Son frère, pensa Jeffers, aurait pu être un remarquable athlète. Quand il jouait, il semblait que le ballon le suivait. Il était rapide et doué d'une grande force malgré la finesse de son gabarit. Il avait une énergie inépuisable. Elle avait pour source la colère. Plus ses parents l'encourageaient à faire du sport, moins Doug pratiquait. Cela faisait partie de sa rébellion. Il se souvint d'une nuit passée à écouter son frère parler de sa haine envers leurs parents. « Je ne ferai jamais rien pour eux. Rien qui puisse leur faire plaisir. Rien. »

Jeffers se rappelait la force des mots de son frère dans la chambre plongée dans le noir. Il ne pouvait voir le visage de Doug, mais il se souvenait de la faible lueur de la rue filtrant à travers les arbres. Ils habitaient une modeste maison dans un modeste quartier de banlieue où fermentaient tranquillement toutes les frustrations du monde.

— La seule personne que j'aie jamais eu envie de tuer, c'était ma vieille.

Jeffers tourna la tête vers Steele, qui venait de prendre la parole.

— Elle se plaignait toujours. Le jour, la nuit, je parie même qu'elle se plaignait pendant son sommeil.

Il y eut quelques rires, et Jeffers vit certains opiner du chef. Il se remémora brièvement le dossier de l'homme. S'absentant de son travail de plombier à l'heure du déjeuner, il abusait des femmes du voisinage qu'il savait seules chez elles.

— Je suppose, continua Steele, que si j'avais trouvé le moyen de la faire taire ou de lui donner enfin une bonne raison de se plaindre, je ne serais pas ici aujourd'hui.

Jeffers prit note tout en pensant : et pourtant tu l'as trouvé, le moyen.

Il regarda sa montre. La séance était presque terminée. Il se demanda pendant un moment pourquoi son frère avait refusé de rester à dîner avec lui ou de prolonger d'un jour ou deux sa visite.

« C'est un voyage sentimental », avait-il dit.

Qu'entendait-il par là ? Il éprouva soudain une bouffée de colère. Doug était capable d'une franchise brutale pendant un instant et d'une dissimulation extrême la minute d'après. Finalement, il connaissait peu son frère. Lui-même, se connaissait-il ? ne put-il s'empêcher de penser. Il eut une brève vision du restant de sa journée : plusieurs séances de thérapie individuelle, un dîner solitaire chez lui, un match à la télé, un chapitre du bouquin qu'il lisait en ce moment, et au lit. La journée du lendemain ne serait guère différente. La routine est une espèce de protection, pensa-t-il. Il se demanda ce que son frère avait trouvé pour se protéger. Et de quoi ? Oh, la réponse est facile, se dit-il, je n'ai qu'à regarder tous ceux qui sont dans cette salle.

Nous ne nous protégeons jamais que de nous-mêmes.

« Je cours sur les traces du mal... » Il sourit. C'était Doug craché, une phrase pareille. Il ressentit un brusque sentiment de jalousie. Il s'efforça de raisonner : nous sommes comme nous sommes, se dit-il tout en étant quelque peu déçu par la banalité de sa pensée. De nouveau il se demanda : jusqu'à quel point sommes-nous proches, Doug et moi ?

A sa droite, Simon, l'aide-infirmier, s'étira et se leva.

Il entendit les hommes s'agiter sur leurs sièges, et pendant un bref instant il eut la vision d'une classe juste avant que la sonnerie annonce la fin du cours.

— Très bien, dit Martin Jeffers, ça suffit pour aujourd'hui.

Jeffers regarda les hommes se lever et traîner des pieds vers la sortie, seuls ou deux par deux. Un rire occasionnel résonnait dans le couloir. Quand il fut seul, il rassembla ses notes et sortit à son tour. La séance avait été bonne : pas de bagarres, pas de conflits déclarés, bien qu'il lui faudrait suivre de près la rivalité entre Miller et Meriwether. Il y avait eu un petit progrès, pensa-t-il. L'histoire de Weingarten allait lui fournir le sujet de la séance suivante : la jalousie. Il referma la porte derrière lui.

Le couloir était vide, et il passa rapidement devant l'entrée d'une des salles communes. Il jeta un coup d'œil par le regard de la porte et vit le même spectacle lénifiant des malades bavardant entre eux ou tout seuls, lisant ou jouant aux dames ou aux échecs. La vie dans un établissement psychiatrique se réduisait le plus souvent à attendre la journée du lendemain. Les patients devenaient experts dans l'art de faire durer la moindre des activités. Les repas étaient interminables, le temps délibérément, passionnément perdu, étiré, vidé de toute notion d'urgence. Après tout, pensa-t-il, ce n'était pas déraisonnable de la part de gens qui ne connaîtraient jamais plus d'autre univers que ces murs blancs.

Une note tapée à la machine l'attendait sur son bureau : « Appelez le bureau du Dr Harrison. » Le Dr Harrison était l'administrateur de l'hôpital. Jeffers se demanda ce qu'il lui voulait. Il déposa sa serviette sur le bureau et regarda autour de lui les étagères chargées de livres. Il y avait un calendrier accroché au mur représentant des paysages champêtres dans le Vermont. Il se souvint d'y avoir passé du bon temps à pêcher et à camper. Doug avait rejeté à l'eau la truite qu'il avait pêchée. Leur père avait ri. « Elle mourra, avait-il dit. Quand on les touche, on enlève la pellicule gluante dont leur corps est couvert. Elles prennent froid et meurent. Non, monsieur, on ne rejette pas une truite. » Et leur père avait continué de rire en montrant du doigt son frère. Martin Jeffers se demanda pendant un moment si c'était vrai. Il n'avait jamais vérifié. Il se sentit curieusement confus à la pensée qu'il avait souvent négligé de se rendre compte par lui-même de la véracité des assertions d'autrui. Le Dr Harrison est pêcheur. Bon sang, je lui demanderai s'il est vrai qu'on tue une truite en la rejetant à l'eau.

Il décrocha le téléphone et appela le bureau du Dr Harrison. Sa secrétaire répondit.

— Martha ? Ici Jeffers. J'ai trouvé votre mot. Que se passe-t-il ?

— Oh, docteur Jeffers, dit la secrétaire. Je ne sais pas au juste, mais il y a ici un inspecteur de police, une femme, qui voudrait vous parler. Elle est venue tout exprès de Floride et... (La jeune femme parut hésiter.) Il s'agirait d'une enquête criminelle.

Jeffers se demanda si la truite savait qu'elle mourrait après que des mains d'homme l'avaient touchée. S'en allait-elle se réfugier sous une pierre, frissonnant de froid, confondue par la trahison de son environnement ?

— J'arrive, dit-il.

V. Une poursuite singulière

1

Les deux mots continuaient de faire écho dans son esprit : *traces d'alcool.*

Elle se demanda si ses joues n'avaient pas été marquées par les larmes de la même façon que son cœur lui semblait déchiré par le chagrin. Elle s'examina dans la glace, s'attendant à voir sa chair porteuse des traces indélébiles de sa misère. Elle se frotta les yeux et ressentit soudain une grande lassitude qui menaçait la barrière de résolution et de persévérance qu'elle était parvenue à ériger malgré sa détresse. Elle respira lentement, luttant contre une légère nausée.

L'inspecteur Mercedes Barren essayait d'organiser ses pensées, mais son émotion l'en empêchait. Elle agrippa le bord du lavabo et s'efforça de clarifier son esprit, comme si, en faisant le vide en elle, elle serait de nouveau capable de contrôler ses réactions. Elle ouvrit le robinet d'eau froide. Elle se sentait congestionnée, et elle laissa couler l'eau sur ses poignets, un truc d'athlète que lui avait enseigné son mari. Puis elle s'aspergea le visage et se regarda de nouveau dans le miroir.

Je suis vieille, pensa-t-elle.

Je suis vieille, maigre, fatiguée, malheureuse, et il y a sur mon front et aux coins des yeux des rides qui n'y étaient pas il n'y a pas si longtemps. Elle regarda ses mains et les trouva noueuses et parcourues de veines. Des mains de vieille femme, pensa-t-elle.

Mercedes se détourna du miroir et regagna le salon de son petit appartement. Elle jeta un regard las sur le tas de papiers et de chemises contenant toutes les analyses et tous les rapports qui représentaient la substance écrite d'une enquête criminelle. Les papiers étaient en désordre sur son petit bureau. Elle s'en approcha et entreprit de les ranger. L'héritage de Susan, pensa-t-elle, et de nouveau elle refoula ses larmes.

Elle se demanda pendant combien de temps elle avait pleuré.

Elle alla à la fenêtre et contempla le ciel bleu matinal. Un ciel sans nuage et d'un éclat presque agressif. C'était une journée sans ombre, sans surprise. Il ferait chaud, très chaud, comme d'habitude. Elle posa la main contre la vitre et sentit la chaleur. Pendant un instant, elle eut envie de donner un coup de poing dans la vitre, de l'entendre se briser. Elle eut envie d'avoir mal, et elle préféra s'écarter de la fenêtre en s'apercevant qu'elle avait serré le poing à son insu.

Elle avait le sentiment qu'une page était tournée et que quelque chose d'autre commençait, sans pouvoir dire quoi. Elle essuya une larme au coin de son œil et soupira. Il y avait une photo de sa nièce dans un petit cadre métallique sur l'une des étagères de la petite bibliothèque. Elle s'approcha du portrait, et son cœur se serra.

— Je suis désolée, dit-elle à voix basse. Je suis infiniment désolée.

Mais elle ne savait auprès de qui elle s'excusait ainsi.

La femme à la réception du bureau du shérif du comté de Dade lui demanda d'un ton rogue :

— Vous avez rendez-vous ?

— Non, et je ne pense pas que j'en aie besoin d'un, répliqua l'inspecteur Barren.

— Je regrette, mais je ne peux pas vous laisser entrer si vous n'avez pas de rendez-vous. Qui voulez-vous voir ?

Mercedes poussa un soupir exaspéré et plongea la main dans son sac pour en sortir sa plaque de police.

— Je veux voir l'inspecteur Perry. Et tout de suite, je vous prie. Décrochez votre téléphone et appelez-le.

La femme s'exécuta, non sans avoir auparavant noté dans un registre le matricule gravé sur la plaque.

— L'inspecteur Perry, s'il vous plaît.

Il y eut une pause.

— Inspecteur Perry ? Il y a là l'inspecteur Barren qui voudrait vous voir.

Il y eut un nouveau silence, puis la femme raccrocha.

— Troisième étage, dit-elle.

— Je sais, dit Mercedes.

La montée en ascenseur lui parut beaucoup plus longue que dans son souvenir. Elle regretta soudain qu'il n'y eût pas de glace dans la cabine : elle voulait vérifier son maquillage, s'assurer que les marques de son chagrin n'étaient pas visibles. Elle lissa sa jupe et se redressa. Elle s'était habillée ce matin-là avec plus de soin qu'à l'ordinaire, sachant que son apparence jouerait un rôle dans la démarche qu'elle avait décidé d'entreprendre. Elle avait abandonné ses tailleurs gris ou bleu sombre portés durant le procès en faveur d'une veste légère en coton beige et d'une jupe kaki. Elle voulait paraître détendue et à l'aise. La veste était coupée large, vaguement inspirée de la mode chicano. Elle était en tout cas parfaite pour dissimuler un gros 9 mm dans son harnais d'épaule. D'habitude, elle prenait un .38 à canon court qu'elle fourrait dans son sac et auquel elle ne pensait plus le reste du temps. Mais elle avait éprouvé un brusque sentiment d'insécurité après qu'elle se fut habillée, et elle avait sursauté au claquement d'une porte dans le couloir de son immeuble. Elle s'était retrouvée avec le gros automatique pesant dans sa gaine sans même y penser.

La porte de l'ascenseur s'ouvrit avec un chuintement.

— Hé, Merce ! Par ici !

Elle se retourna et vit l'inspecteur Perry qui lui faisait signe du bout du couloir. Elle se dirigea vers lui d'un pas rapide. Il lui tendit la main et elle la serra. D'un geste, il lui indiqua de le suivre dans son bureau.

— Par ici... Vous voulez un café ? Mais d'abord, comment allez-vous ? (Sans attendre de réponse, il poursuivit :) Vous savez, j'ai pensé à vous l'autre jour. On a eu un cas de viol avec meurtre, la gosse à Miami Sud, près du canal, vous avez dû lire ça dans les journaux, et j'ai repensé à ce boxeur que vous avez épinglé. Vous nous aviez dit à ce sujet qu'une intuition ne pesait pas lourd quand il s'agissait de demander un mandat d'arrêt à un juge. Enfin j'avais dans l'idée que celui qui avait tué n'était pas vraiment un assassin. D'accord, il s'agissait d'un viol, mais la gosse avait le crâne fracturé et, d'après le médecin légiste, elle était inconsciente quand elle est morte. Je me suis dit que le type n'avait peut-être pas réalisé qu'il l'avait frappée trop fort et qu'elle était morte juste après qu'il se soit enfui. Alors, la nuit dernière, avec deux de mes hommes et une femme inspecteur habillée comme une adolescente, nous nous sommes planqués à l'endroit même où avait eu lieu le viol. Eh bien, aussi incroyable que ça puisse paraître, qui s'amène tout droit sur la collègue ? Un type avec des traces de griffes sur la gueule ! On va s'amuser ? qu'il propose aussi sec. Chic, a répondu l'inspecteur en lui fourrant sous le nez son .38 de service. Au bout de deux heures d'interrogatoire, on avait ses aveux signés. Vous savez, Merce, je me demande à quoi on servirait si les voyous n'étaient pas aussi cons parfois. Aussi, comme vous pouvez en juger, j'ai eu une sacrée nuit, hier. Mais, bon Dieu, ça valait le coup de ne pas se coucher.

Il regarda Mercedes avant de continuer.

— Et voilà, j'étais en train de terminer mon rapport avant de rentrer chez moi retrouver ma femme et mes gosses quand la fille à la réception m'a annoncé votre visite. Mais asseyez-vous donc, Merce...

Il lui désigna un siège, et ils s'assirent tous deux de chaque côté du bureau.

— Je vous trouve bien calme, dit-il.

— Je vous félicite d'avoir arrêté ce salaud, dit-elle. C'est vrai que ça aide, qu'ils soient si bêtes.

L'inspecteur Perry était un homme sympathique, et elle fut soudain triste parce qu'elle savait qu'il lui en voudrait une fois connu le but de sa démarche.

Il la considéra avec attention.

— Merce, pourquoi êtes-vous venue me voir ?

Elle hésita pendant quelques secondes avant de répondre :

— Ce n'est pas lui qui a tué Susan.

Perry la regardait fixement tandis que le silence envahissait la petite pièce. Puis il se leva et fit quelques pas sous l'œil attentif de Mercedes.

— Merce, dit-il finalement, laissez tomber.

— Ce n'est pas lui.

— Laissez tomber, Merce.

— Ce n'est pas lui !

— D'accord, ce n'est pas lui. Mais qu'en savez-vous ? Comment pouvez-vous en être sûre ?

— Traces d'alcool.

— Quoi ?

— Il y avait des traces d'alcool dans les échantillons de salive prélevés sur l'épaule de Susan.

— Oui, je m'en souviens. Et alors ?

— Il disait qu'il était musulman chiite.
— C'est exact.
— Ardent croyant.
— C'est ce qu'il disait. Et après ?
— Il n'aurait pas touché à une seule goutte d'alcool. Pas même une bière.
Perry se rassit lourdement.
— C'est tout ? demanda-t-il.
— Pour commencer, oui.
— Vous avez autre chose ?
— Pas encore.
— Merce, pourquoi cherchez-vous à... vous punir ?
— J'essaie seulement de retrouver l'assassin de Susan.
— Mais nous l'avons retrouvé. Il est en prison pour le restant de ses jours. Quand il mourra, il ira tout droit en enfer, que ce soit celui des chrétiens ou des musulmans. Merce, abandonnez.
— Vous ne m'avez pas écoutée ! Des traces d'alcool, ce n'est rien pour vous ?
— Merce, je vous en prie... (Il y avait de l'affliction dans sa voix.) Je suis las, vraiment las. Vous savez aussi bien que moi que ce type ramassait la moitié de ses victimes dans des bars ou des foyers d'étudiants. Vous dites qu'il n'aurait jamais touché à une bière ? Allons donc, ce salaud est complètement cinglé. Il aurait fait n'importe quoi pour satisfaire son vice. Le reste, toutes ces histoires de religion, c'était juste pour se couvrir, pour se justifier, je ne sais pas, moi. Bon Dieu, vous avez bien vu que c'était un fou...
Perry se renversa contre le dossier de son fauteuil.
— Je suis fatigué, Merce. Ce n'est pas à vous que j'apprendrai qu'on relèverait des traces d'alcool dans la salive de gens qui n'auraient fait que se rincer la bouche avec une eau dentifrice. Bon sang, c'est vous l'experte en criminalité, et vous savez très bien tout ça.
— Ce n'est pas lui.
— Je suis désolé, Merce, mais c'est lui qui l'a tuée. C'est lui qui les a toutes tuées. Je vous en prie, rendez-vous à l'évidence.
Le visage de Perry exprimait une telle consternation que Mercedes se sentit fléchir. Il doit penser que j'ai perdu la tête, se dit-elle. Puis le souvenir de Susan lui revint en un éclair, et elle se reprit aussitôt.
— Vous m'aiderez ? demanda-t-elle.
— Merce...

— Vous m'aiderez, bon Dieu !

— Merce, je ne peux rien pour vous. Consultez le psy de la maison, parlez-en avec votre curé ou votre pasteur. Prenez des vacances. Lisez un bouquin. Merde, je ne sais pas, moi, mais ne me demandez pas de vous aider.

— Laissez-moi voir le dossier, alors.

— Bon sang, Merce, je vous ai déjà donné tout ce que nous avons.

— Vous n'avez rien gardé pour vous ?

Une lueur de colère s'alluma dans les yeux de Perry.

— Non ! Et vous ne devriez pas me poser une question pareille.

— J'ai besoin de savoir.

— Vous savez déjà tout !

Ils restèrent silencieux pendant un moment. Quand Perry reprit la parole, sa voix était triste et lasse.

— Je suis sincèrement désolé de vous voir comme ça. Ecoutez, Merce, c'est nous qui avons enquêté sur le meurtre de votre nièce, avec le résultat que vous connaissez. Si vous tombez sur un nouvel indice qui soit vraiment solide, nous pouvons toujours rouvrir le dossier. Mais, jusqu'à preuve du contraire, l'affaire est classée. Et c'est comme telle que vous devriez la considérer. (Il marqua une pause avant de poursuivre.) Vous seriez alors bien plus heureuse.

Elle observa un temps de silence.

— Merci, dit-elle.

Il secoua la tête et il allait lui répondre, quand elle l'interrompit.

— Non, je suis sincère, Perry. Je sais que vous croyez ce que vous dites. Et je sais aussi que vous avez joué franc jeu avec moi. (Elle le regarda dans les yeux.) Vous pensez peut-être que je suis folle de chagrin, mais ce ne sont pas deux semaines de vacances qui me feront changer d'idée : le tueur de Susan court toujours.

— Je ne pense pas que vous soyez folle de chagrin, Merce. Je pense seulement...

Il se tut, ne trouvant pas ses mots.

— Ça va, Perry, je comprends votre position. (Elle se leva.) Cela m'est égal, ajouta-t-elle, je rechercherai seule le tueur de Susan. (Elle hésita.) Je vous ferai signe quand je l'aurai.

Elle ne savait pas exactement ce qu'elle allait dire à son propre patron. Qu'elle ne croyait pas que c'était l'Arabe l'assassin de Susan ; que le tueur courait toujours ; qu'elle n'aurait de cesse de l'avoir retrouvé ? Elle avait beau tourner les phrases dans sa tête, elle les trouvait mélodramatiques et peu convaincantes. Elle pensa qu'il était pourtant banal de chercher à se venger. Il y avait dans la vengeance un besoin naturel qui naissait de circonstances qui ne l'étaient pas. Elle n'ignorait pas que la vengeance était condamnable, mais elle n'aurait su dire précisément pourquoi.

La porte du bureau était entrouverte, et elle frappa timidement avant de passer la tête par l'entrebâillement.

Le lieutenant Burns était assis à sa table, une vingtaine de photos en couleur étalées devant lui. Il leva les yeux et sourit.

— Ah, Merce, tu tombes à pic. Entre donc et viens jeter un coup d'œil là-dessus...

Elle entra dans le bureau.

— Regarde ces photos, dit le lieutenant en l'invitant à passer derrière son bureau.

Elle abaissa son regard sur l'étalage de photos. Elle vit un corps lové sur lui-même dans le coffre d'une voiture. C'était un homme jeune qu'on aurait pu croire endormi si son torse n'avait été une bouillie sanglante. Elle regarda les photos l'une après l'autre, frappée par l'expression paisible du visage de la victime. Sur tous les clichés pris selon des angles différents, elle remarqua la même expression, le même sang. Elle se demanda ce que le jeune homme avait fait pour mériter la mort, bien qu'elle connût intuitivement la réponse : neuf fois sur dix, à Miami du moins, jeunesse et mort allaient de pair avec la drogue.

— Tu sais, Peter, ce qui me frappe, c'est qu'il n'avait pas peur.

Le lieutenant la regarda attentivement.

— Nous en savons assez sur la physiologie de la mort pour spéculer un peu, continua-t-elle. Et ce type m'a l'air... disons un peu trop serein. Si toi ou moi nous avions été enlevés, jetés dans le coffre d'une voiture et emmenés... où ça ?

— Près d'une petite plage au sud du comté de Dade.

— Bien. Et puis descendus au fusil de chasse... C'est bien ça, non ? Il a la moitié de la poitrine arrachée...

— Balle à ailette, calibre douze. Un seul coup.

— Oui, eh bien, on devrait pouvoir relever des signes de peur, des yeux ouverts, un visage figé, des doigts crispés. Regarde, il n'a même pas les mains liées. Et la voiture ? On dirait une BMW toute neuve, c'est ça ?

— Achetée il y a six mois.

— Je parie qu'elle appartient à un dealer, pas un gros dealer, un qui doit vendre de dix à vingt kilos d'herbe par mois.

— C'est juste.

— Le véhicule a été déclaré volé ?

— C'est ce qu'on est en train de vérifier.

— Ma foi, ce n'est qu'une supposition, mais si tu me le demandais je dirais que ce pauvre type s'est fait descendre par quelqu'un en qui il avait confiance. Celui ou ceux qui ont laissé la voiture avec le corps en évidence près d'une plage tenaient à ce que cela se sache le plus rapidement possible. Sinon ils l'auraient balancée dans les marais. Peut-être l'œuvre d'un nouveau dealer, quelque abruti de Colombien, qui voudrait s'imposer sur la place, ou le début d'une guerre entre deux gangs. Toutes les suppositions sont permises. Mais je ne sais pas si je demanderais un mandat d'arrêt pour le propriétaire de la voiture.

— Merce, sais-tu pourquoi j'aime travailler avec toi ?

— Non, Peter, pourquoi ?

— Parce que tu penses comme moi.

Mercedes sourit.

— C'est un compliment, Peter ?

Le lieutenant rit.

— En tout cas, je suis d'accord avec tes déductions. J'ai fait analyser les chaussures du type. Pas de sable, mais des traces d'herbe, ce qui prouverait qu'il n'a pas été descendu sur la plage. (Il regarda pensivement les photos.) Je me demande parfois si le monde n'appartient pas aux dealers. Quand je pense qu'ils sont d'une certaine façon les nouveaux bâtisseurs de notre société ! Il y a moins de deux siècles, les gens débarquaient dans ce pays, s'y enracinaient et s'efforçaient d'y mener une vie meilleure. Le Rêve Américain. Aujourd'hui, le rêve américain, c'est de vendre une centaine de kilos d'herbe par mois et de posséder le dernier modèle de BMW !

Il se leva et commença à rassembler les clichés.

— Peut-être suis-je un peu trop pessimiste, dit-il encore. Enfin, je vais faire part à l'équipe de nos observations. Je ferais bien d'appeler la brigade des stups par la même occasion. (Il la regarda et s'assit de nouveau à son bureau.) Mais d'abord, qu'est-ce que je peux faire pour toi ?

Mercedes pensa aux photos et se demanda pourquoi un

homme si jeune était assez bête pour s'impliquer dans un trafic de drogue. Pas plus bête que John Barren parti à la guerre pour une question de principe et en revenant dans un cercueil plombé. Elle éprouva une soudaine compassion pour tous les hommes jeunes qui mouraient pour une raison ou une autre, compassion aussitôt suivie de colère. Des morts pour rien, pleurés par une mère, une épouse, un père ou un ami.

— Merce ?

— Peter, j'ai besoin d'un break.

— A cause de ta nièce ?

— Oui.

— A ta place, je resterais à travailler. Tu sais ce qu'on dit, que l'oisiveté est la mère de tous les vices.

Il sourit.

— Je ne resterai pas oisive.

— Ce que je n'aimerais pas, c'est que tu t'enfermes dans ton appartement pour y broyer du noir. Que comptes-tu faire de ton temps ?

Trouver le meurtrier de Susan ! eut-elle envie de hurler. Elle s'efforça de donner à sa voix le ton le plus serein possible.

— Tu sais, Peter, ils n'ont jamais pu charger Rhotzbadegh du meurtre de Susan. Je ne veux pas dire par là que la Criminelle du comté n'a pas fait son travail, mais tout de même, ça me fout en rogne de savoir qu'on n'a pas trouvé de preuve tangible concernant le cas de Susan. Je voudrais voir de mon côté si je peux trouver quelque chose. Puis j'irai peut-être passer quelque temps chez ma sœur, qui a beaucoup de mal à se remettre de la disparition de Susan.

Burns la considéra attentivement.

— Je ne sais trop qu'en penser, dit-il. L'affaire est tout de même classée. Maintenant, que tu ailles consoler ta sœur, ça, je le comprends parfaitement.

— Combien de temps puis-je avoir ? demanda-t-elle.

Quelle importance, le temps ? pensa-t-elle. Je continuerai à chercher dans vingt ans.

Burns ouvrit un tiroir de son bureau, fouilla parmi des papiers et en sortit une feuille portant le nom de l'inspecteur Barren.

— Eh bien, il te reste trois semaines de vacances à prendre, plus près de trois semaines au titre d'heures supplémentaires. Maintenant, tu peux toujours prendre un congé spécial, mais tu auras une réduction de salaire. Combien de temps te faudra-t-il ?

Elle n'en avait aucune idée.

— Difficile à dire.

— Bien sûr, je comprends. (Il la regarda d'un air curieux.) Pourquoi portes-tu un canon ?

— Quoi ?

Il désigna sa veste.

— Le fusil à éléphant. Qu'est-ce que c'est ? Un quarante-cinq ? Un neuf millimètres ?

— Un neuf.

— Tu en as l'usage ?

— Non.

— Alors pourquoi ?

Elle ne répondit pas. Le silence les enveloppa. Burns considéra la feuille de congé de Mercedes, puis il leva les yeux vers elle.

— Laisse tomber, Merce. C'est terminé. Il a toute la vie devant lui pour en baver en taule... et ce n'est que justice... (Il durcit soudain la voix.) L'affaire est classée, et je ne veux pas te voir fouiner dedans à nouveau. Tout ce que tu récolteras, c'est un peu plus de douleur. Tu veux t'absenter ? Très bien, mais que ce soit pour te rétablir, pas pour te démolir un peu plus. Compris ?

Elle ne répondit pas. Il la regarda, et sa voix se radoucit.

— D'accord. En tout cas je t'aurai mise en garde... officieusement.

Elle sourit.

— Merci, Peter.

— Merce, pour l'amour du ciel, ressaisis-toi et reviens travailler. D'accord ?

— C'est bien ce que j'essaie de faire, dit-elle.

— Bon, prends tes trois semaines au titre des heures supplémentaires, et puis tu prendras les trois autres, si tu en as besoin. Après ça, appelle-moi, et nous ferons le point. Je te ferai parvenir ton salaire à ton domicile. A une condition.

— Laquelle ?

— Je veux que tu ailles voir le psy de la maison. De toute façon, tu seras obligée de le consulter à ton retour. Tout ce qu'il te dira, c'est de prendre de l'aspirine, quelques vacances, et de repasser le voir quand tu reviendras.

Elle acquiesça d'un signe de tête.

— Très bien, dit-il en se levant et en prenant le tas de photos. Tu veux venir avec moi à la Criminelle ? Il faut toujours un certain temps pour convaincre ces idiots de mettre le nez dehors pour aller chercher indices et témoins.

— Non, merci, répondit-elle en pensant que la prochaine fois qu'elle mettrait les pieds à la brigade criminelle, ce serait pour leur amener le tueur.

Elle se mordit la lèvre. A moins que ce ne soit pour me constituer prisonnière.

La visite du psychiatre attaché à la brigade fut aussi formelle que le lieutenant Burns l'avait prédit. Elle décrivit au praticien la nervosité, l'insomnie, l'incapacité à concentrer son attention dont elle souffrait. Elle lui parla de sa culpabilité à l'égard de la mort de Susan. Elle lui dit qu'elle avait besoin de temps pour surmonter son deuil. En s'entendant, elle pensa combien il était facile de créer un mensonge mêlé d'une certaine part de vérité. Il lui demanda si elle désirait des somnifères. Elle répondit que non. Il lui dit qu'elle resterait probablement sujette à des crises de dépression tant qu'elle n'aurait pas traité le sentiment de perte par une thérapie appropriée, mais qu'il pensait comme elle qu'un éloignement temporaire lui serait bénéfique. Il lui dit qu'il lui fournirait un certificat médical qui lui garantirait la presque totalité de son salaire en cas de congé prolongé. Elle se demanda pourquoi chacun paraissait aussi concerné par l'argent. Le psychiatre lui dit enfin qu'il voulait la revoir dans un mois, et il lui fixa un rendez-vous. Elle le remercia et prit congé de lui. En sortant, elle jeta dans la première corbeille à papiers la fiche de rendez-vous qu'il lui avait remise.

Ses démarches s'avéraient plus faciles qu'elle ne l'avait pensé.

Il ne lui fallut pas longtemps pour prendre dans son bureau tous les papiers et les éléments dont elle avait besoin, malgré les nombreuses interruptions de ses collègues venus lui souhaiter un prompt rétablissement, proposer leur aide ou l'inviter à passer chez eux quand elle le voudrait. Ces attentions la touchèrent, mais elle était impatiente de rassembler ses affaires et de s'en aller.

La chaleur était intense quand elle sortit dans la rue. Le bâtiment de brique rouge de la police semblait luire comme des charbons ardents. Elle respirait avec précaution, comme si elle craignait de se brûler les poumons. Elle leva les yeux vers le ciel et eut l'impression d'être prise sous l'éclat d'un gigantesque projecteur.

Pour la première fois depuis des mois elle ressentait une

espèce d'enthousiasme. Je fais enfin quelque chose, pensa-t-elle. Un pas à la fois. Elle eut un brusque souvenir d'elle-même se levant au milieu de la nuit dans la maison de sa sœur, réveillée par les pleurs du bébé. Elle s'en souvenait comme d'un rituel : elle rejetait sa couverture, balançait ses jambes hors du lit, enfilait sa paire de mules, attrapait le peignoir qu'elle avait posé à portée de la main. « J'arrive », disait-elle à voix suffisamment forte pour que le bébé l'entende et que sa sœur sache qu'elle n'avait pas à se lever elle-même. « Chut, chut, j'arrive », répétait-elle en se hâtant sans bruit.

— J'arrive, dit-elle tout haut, mais il n'y avait personne pour l'entendre, cette fois.

Elle fredonna un air alors qu'elle descendait les marches.

2

La première chose qu'elle fit fut d'acheter trois petits panneaux d'affichage en liège et un tableau noir d'enfant. Elle rapporta le tout à son appartement et les installa près de son bureau. Elle écrivit « Susan » sur un bout de ruban adhésif et le colla en haut du premier panneau, « Rhotzbadegh » sur le deuxième et « Autres » sur le dernier. Elle disposa le tableau au centre. Elle dut dégager un élément de la bibliothèque pour gagner plus d'espace. Elle se munit de punaises et épingla au centre du premier panneau des clichés en couleur pris sur les lieux du crime. En haut des photos, elle épingla la liste des indices retrouvés près du corps de Susan ainsi que les déclarations des deux homosexuels qui avaient découvert le cadavre. Sur le panneau de Rhotzbadegh, elle disposa le rapport de la perquisition effectuée à son domicile et les comptes rendus de presse qu'elle avait relevés. La photo du Libanais vint compléter l'affichage du dossier.

Elle éprouvait un grand soulagement à s'affairer. Fais ton boulot de flic, se dit-elle. Cherche et trouve.

Mais d'abord détruis ce qu'ils ont trouvé.

L'intérieur du foyer des étudiants à l'université semblait caverneux et sombre. Cela n'avait pas été difficile de retrouver les gens avec lesquels Susan se trouvait la nuit de sa mort. C'était la période des examens et, pour échapper à la tension de l'étude, ils étaient particulièrement enclins à bavarder et à répondre à toutes les questions qu'on voulait bien leur poser. Mais leurs visages tannés par le soleil témoignaient d'une fréquentation plus assidue de la plage que des salles de classe.

— Comment en êtes-vous certaine ? demanda Mercedes à une jeune brune qui avait la manie de regarder son interlocuteur dans les yeux quand celui-ci posait sa question et de lui répondre en détournant obstinément le regard. (Cela devait taper singulièrement sur les nerfs des professeurs, pensa Mercedes.) Comment savez-vous que Susan a disparu aux environs de onze heures du soir, cette nuit-là ?

— Parce que nous étions convenues de partir à onze heures. Nous avions chacune un cours à huit heures du matin le lendemain, et nous nous étions promis de partir tôt, même si on s'amusait comme des folles. On dansait, et je l'ai perdue de vue. Mais à dix heures et demie j'ai commencé à la chercher, et comme je ne la voyais nulle part j'ai demandé aux garçons de m'aider. Teddy est même sorti voir sur le parking et partout alentour. En tout cas, elle n'était plus là, parce que je l'aurais tout de suite repérée, même au milieu d'une foule. Susan avait une telle présence qu'elle ne pouvait passer inaperçue. Elle était comme ça.

Je sais, pensa Mercedes.

— Vous ne l'avez pas vue en compagnie de quelqu'un en particulier, quelqu'un que vous ne connaissiez pas ?

— C'est-à-dire que, vous comprenez, c'était le début du semestre. Tous les gens qui étaient là venaient de débarquer à l'université, les quelques anciens qu'il pouvait y avoir étaient partis tôt. L'ambiance était très sympa, très amicale. Mais je ne l'ai pas vue en compagnie de quelqu'un à l'allure suspecte, si c'est ça que vous me demandez.

Mercedes soupira et se tourna vers un autre étudiant, un gigantesque gaillard au torse moulé dans un tee-shirt. Elle se demanda comment il n'avait pas froid, avec l'air conditionné de la salle.

— Dites-moi comment vous savez que Rhotzbadegh est resté jusqu'à minuit.

— Je l'ai déjà expliqué à vos collègues, mais je vais vous le redire. C'est très simple. J'avais ce rendez-vous avec une copine à minuit...

— Minuit ?

— Oui, ça fait un peu romantique, hein ? La vérité, c'était qu'elle avait un cours d'histoire du cinéma, et il y avait la projection d'un vieux film russe, un truc vachement long qui durait des heures. Elle ne devait pas être sortie avant onze heures. Je me suis donc installé au bar, près de l'entrée, pour ne pas la manquer quand elle arriverait. Vous comprenez, c'est une vraie beauté, et avec tous les types qui se trouvaient dans la salle à ce moment-là j'avais pas envie de la voir me chercher partout avec une meute de loups à ses trousses, si vous voyez ce que je veux dire. Bref, je me suis mis à bavarder avec le mec assis à côté de moi. Un type vachement calé mais qui parlait bizarrement des nanas. Il disait que c'étaient toutes des salopes, des sorcières qu'il fallait brûler en place publique. Je l'ai regardé, et il a rigolé en disant qu'il plaisantait. On a rigolé ensemble, mais c'était pas une conversation qu'on oublie.

Mercedes leva les yeux de son calepin.

— Que buviez-vous ?

— J'ai dû boire deux bières. Pas plus, parce que j'avais entraînement le lendemain, et j'avais pas envie de rendre tripes et boyaux...

Les autres étudiants présents protestèrent en riant.

— Tu veux dire deux caisses de bière, dit l'un.

— Je t'ai vu ce soir-là, Tony. Tu étais complètement bourré, dit l'amie de Susan.

— Faut pas exagérer...

— Deux bières, c'est ça que vous avez dit à votre entraîneur, pas vrai ? demanda Mercedes.

Le jeune homme hocha la tête.

— Et que s'est-il passé à l'entraînement, le lendemain ?

— J'ai été malade.

— Alors, combien de bières aviez-vous descendues ce soir-là ?

— Un tas, répondit-il avec un sourire penaud.

— Etes-vous sûr que cela s'est passé la nuit où Susan a disparu ?

— Oui, à cause du film. Ils ne le passaient qu'une seule fois.

— Quel était le titre ?

Il hésita, puis son visage s'éclaira.

— C'est l'histoire de ce bateau de guerre pendant la révolution...

L'inspecteur Barren eut soudain l'image d'une voiture d'enfant qui dévalait en cahotant les marches d'un grand escalier.

— *Potemkine ?*

— C'est ça !

— Mais, Tony, intervint la brune, le film dont tu parles,

c'est le lendemain soir qu'on l'a passé. La nuit où Susan a disparu, ils donnaient ce film avec les chevaliers et la glace de la rivière qui se rompt...

— Ça, je ne sais pas, dit-il.

— *Alexandre Nevski*, dit Mercedes. (Elle soupira.) Bref, vous êtes certain que le suspect n'a pas bougé de sa place ?

— Certain... disons, presque certain. Je dansais un petit peu, et puis j'allais accueillir les copains de l'équipe quand ils arrivaient...

— Vous n'êtes donc pas resté assis tout le temps à côté de lui.

— Ma foi, pas tout le temps, non.

Mercedes jeta un coup d'œil au poignet du jeune homme. Fichu témoin, pensa-t-elle, amère. Soûl, et prêt à mentir à la terre entière pour que son sacro-saint entraîneur n'en sache rien. Il n'arrive pas à se souvenir des détails, et peut-être même pas du jour exact. Elle le regarda de nouveau. Il n'a sûrement pas inventé la poudre, pensa-t-elle, mais il sait peut-être taper dans un ballon. Pas étonnant que les inspecteurs de la Criminelle aient négligé son témoignage. Un jury de cour d'assises en aurait ri.

— Jamais porté une montre ?

— J'en ai pas racheté depuis qu'on m'a piqué la mienne dans les vestiaires, il y a quelques mois.

— Alors vous ne pouvez pas être certain de l'heure qu'il était.

— Pas exactement.

— Vous pouvez me dire ce qu'a bu le suspect, ce soir-là ?

— Quand je lui ai offert à boire, il a pris une limonade. J'ai trouvé ça bizarre.

— Rien d'autre ?

— Non, juste de la limonade. Ah oui, il a demandé une tranche de citron dedans...

— Et ensuite ?

— Ensuite ? Il n'y a pas grand-chose à dire. On était au bar, et vers minuit ma petite princesse est arrivée, et je l'ai attrapée avant que la bande d'affamés lui tombe dessus, vous voyez ce que je veux dire ? Ce qu'a fait le type ensuite, j'en sais foutre rien. Ça commençait à chahuter dans la salle...

L'amie de Susan sourit.

— C'est justement pour ça que Susan et moi on voulait partir dès onze heures, dit-elle. A minuit, tous les mecs sont bourrés, et on n'en serait jamais ressorties vivantes...

Il y eut des rires à la table où ils étaient assis.
— Susan n'en est pas ressortie vivante, dit Mercedes.

Environ deux semaines après avoir pris son congé, Mercedes se rendit par un après-midi torride au parc où le corps de Susan avait été découvert. Son enquête était parvenue à un point décisif, pensait-elle. Les jours précédents passés sur le campus ou à revoir dans le détail tous les rapports d'expertise du crime l'avaient convaincue d'une chose : Sadegh Rhotzbadegh était le suspect naturel, évident. Il était présent à la soirée où Susan avait été vue pour la dernière fois, il avait découpé l'article de journal relatant le meurtre, de la même façon qu'il l'avait fait pour les autres, enfin le crime lui-même ressemblait à ceux dont il s'était rendu coupable. Toutes les autres victimes avaient été assommées et étranglées. Elle pensa que si elle avait été chargée de l'affaire elle aurait consacré tous ses efforts à découvrir un lien quelconque entre Susan et le Libanais. Si seulement quelqu'un avait pu témoigner les avoir vus parler ensemble à un moment ou à un autre de la soirée, il n'aurait pu éviter une sixième inculpation pour homicide volontaire. Mais Mercedes était tout aussi certaine que Sadegh Rhotzbadegh n'avait pas tué Susan, et ce pour la simple raison que l'enquête n'avait jamais pu prouver le moindre lien entre elle et lui.

C'est trop simple, pensa-t-elle.

Elle se souvenait du geste de dénégation qu'avait eu le Libanais. Elle fronça les sourcils et se fustigea mentalement : trouve quelque chose !

Elle engagea sa voiture sur la route conduisant au parc. Dans la brillante lumière du jour, le chemin lui parut moins sinistre que la nuit du meurtre. Elle parvint en vue du parking et contempla pendant un instant les eaux de la baie qui semblaient se fondre avec le bleu pâle du ciel. Il n'y avait pas de vent, et les vaguelettes léchaient doucement la grève et les pieds tourmentés des palétuviers. Une odeur de viande grillée montait des barbecues installés par les familles venues pique-niquer sur la plage.

Elle se gara et hésita, les yeux fixés sur les buissons et les arbres de l'autre côté du parking presque vide, là où l'on avait découvert le corps. Puis, soupirant, elle descendit de voiture et se dirigea vers cet endroit en comptant ses pas. Susan pesait cinquante-cinq kilos. Elle s'imagina balançant le corps sur ses épaules, comme le font les secouristes. Elle pensa à la mince silhouette du Libanais, mais cela ne voulait rien dire : il avait des bras musclés, et il aurait pu facilement la transporter. Elle compta vingt-deux pas avant de parvenir là où le corps avait été déposé. Elle était déjà morte, pensa-t-elle, et elle n'a rien senti quand il l'a jetée à terre.

Mais où l'avait-il tuée ? La voiture du Libanais, que les techniciens de la Criminelle avaient passée au peigne fin, s'était avérée parfaitement propre. Les examens microscopiques des tapis de sol et des sièges n'avaient rien révélé. Pas plus que le coffre. Pas la moindre trace de sang, pas un seul cheveu, rien qui indique le transport d'un cadavre.

Elle se baissa et palpa le sable poussiéreux. Allons, se dit-elle, trouve quelque chose.

Elle revit soudain avec une cruelle précision le corps de Susan gisant dans la poussière, le bas nylon lui serrant la gorge, la tache de sang derrière sa tête, la position de ses jambes, son sexe exposé.

Elle secoua la tête, comme pour chasser le terrible souvenir.

Il y a sûrement quelque chose, pensa-t-elle. Réfléchis. Elle pensa de nouveau au traumatisme crânien qu'avait révélé l'autopsie. Si seulement je pouvais retrouver l'arme, la matraque ou la barre de fer dont l'assassin s'est servi. Ou l'endroit exact où a eu lieu le meurtre. Les lieux des crimes étaient toujours riches d'enseignement sur la personnalité des tueurs. Elle se remémora toutes les analyses effectuées par l'équipe du médecin légiste. Elle songea de nouveau au bas nylon, et une idée soudaine lui vint.

Elle se releva et regagna d'un bon pas la voiture.

Elle remarqua une petite fille qui l'observait. Elle avait des cheveux blonds et un visage ouvert et malicieux. Elle portait un minuscule bikini qui fit sourire Mercedes. L'enfant mangeait un cornet de glace à la vanille qui dégoulinait sur sa main et lui faisait à la lèvre une moustache blanche. Mercedes lui adressa un petit salut de la main, et la gosse le lui rendit timidement avant de partir en courant vers la plage. Ne fais confiance à personne, petite, pensa Mercedes en regardant la fillette disparaître, grandis et ne fais confiance à personne.

Elle avait toujours détesté la morgue, non à cause des cadavres dont c'était l'avant-dernière résidence, mais à cause des vives lumières qui baignaient les pièces d'une clarté glacée. Il lui semblait que cette lumière se fondait avec l'odeur de formol et d'antiseptique qui imprégnait toutes choses à la morgue. Elle préférait songer à la mort comme à quelque chose de sombre et d'intime, ce qui était à l'opposé de l'atmosphère de ces bâtiments où défilaient vivants et morts en un constant va-et-vient. Elle observa le médecin légiste de la Criminelle autopsier un cadavre. Les commentaires qu'il faisait à voix haute et distincte étaient enregistrés par un magnétophone dont le micro était situé juste au-dessus de la table de dissection. Il parlait d'une voix monotone jusqu'au moment où il découvrit quelque chose qui l'intéressa, et sa voix prit soudain une intonation aiguë. Sa main ressortit de la masse sanglante en tenant un minuscule objet.

— Regardez, inspecteur, combien la mort peut être petite...

Mercedes ne répondit pas, et le médecin légiste laissa choir l'objet dans un plateau.

— ... Dans l'artère coronaire gauche, reprit-il d'une voix monotone, à approximativement trois centimètres du ventricule, une balle presque intacte, d'un calibre de 5,5 mm. Elle a considérablement endommagé l'artère, provoquant une soudaine et massive perte de sang, et un arrêt cardiaque instantané...

Il regarda Mercedes par-dessus son épaule.

— Autrement dit, il a pris une balle en plein dans le mille... Quand on veut tuer quelqu'un avec précision et sans pour autant déclencher ces tirs d'artillerie si chers aux feuilletons télé, on prend un petit calibre et on tire dans le cœur à courte distance. On peut varier le tir et viser la nuque, ajouta-t-il en tapotant de son index l'arrière de son crâne. Comme ça, pas de bavures, pas de gens qui se jettent à terre ni d'innocents qui écopent de tous les côtés. Et, de mon point de vue, c'est un gros avantage. Un Magnum fait toujours des dégâts. Ça tue salement. Tandis que là, je dois dire que c'est la classe. C'est propre et bien fait.

Il s'écarta enfin de la table et regarda Mercedes.

— On m'a dit que vous aviez pris un congé spécial. Qu'est-ce qui nous vaut le plaisir de votre visite ?

— J'ai besoin de parler de...

— Votre nièce ?

— Oui.

— Eh bien, que voulez-vous savoir ?

Le médecin légiste se tourna vers un infirmier qui replaçait un corps dans l'un des casiers réfrigérés.

— Hé, Jésus ! Va me chercher Susan Lewis, veux-tu ?

Mercedes regarda l'infirmier s'éloigner au petit trot.

— Il n'en aura pas pour deux minutes, dit le médecin. Alors, qu'est-ce qui vous tracasse ?

— Susan a été...

— Etranglée. Asphyxiée par strangulation au moyen d'un bas nylon serré autour du cou. Elle était inconsciente quand c'est arrivé. Mais vous savez tout ça. Vous avez reçu mon rapport.

— Elle a d'abord été assommée, c'est ça ?

— Oui, probablement.

— Vous n'en êtes pas sûr ?

— Ma foi, elle présentait un grave traumatisme derrière la tête. Il aurait même pu être la cause de la mort. Et c'est précisément ça qui m'étonne.

L'infirmier revint avec une grande enveloppe brune qu'il remit au médecin.

— Voilà, c'est ici, reprit ce dernier. (Il feuilleta le rapport et relut un passage.) Hémisphère gauche... boîte crânienne défoncée... matière cervicale endommagée... oui, ce qui m'étonne dans cette affaire, c'est qu'il n'y avait pas de traces de ce coup sur le lieu supposé du crime. Or un coup de ce genre laisse forcément des traces.

— Pourriez-vous être plus précis ? fit Mercedes. Je ne vous suis pas très bien.

— On a déduit après enquête que le Libanais l'avait abordée à la sortie du foyer des étudiants, qu'il l'avait assommée, transportée dans sa voiture jusqu'au parc, où il l'avait violée puis étranglée. Mais pour moi, ça n'a aucun sens.

— Pourquoi ?

— Parce que le coup que Susan a reçu sur la tête aurait dû la tuer, et assez vite, compte tenu de la gravité du traumatisme. Il aurait dû en rester des traces dans la voiture. Des traces qu'il n'aurait pu nettoyer, du moins suffisamment pour qu'elles échappent à un examen microscopique, ce qui fut le cas. Et si elle était morte pendant le trajet, alors l'acte sexuel et la strangulation auraient été effectués post-mortem. Dans ce cas, les marques n'auraient pas eu le même aspect, du moins de mon point de vue de médecin légiste.

— Oui, je commence à comprendre...

— Autre chose encore : sous la trace circulaire laissée par le collant en nylon, j'ai relevé quelques meurtrissures.

— C'est ça que je voulais vous demander, dit Mercedes. Vous en avez parlé dans l'un de vos rapports. C'est quoi, ces marques ? Des traces laissées par la pression de doigts ?

— La réponse est oui. Mais si vous me conduisez à la barre des témoins et que vous me demandez de vous le confirmer sous serment, je ne pourrais le faire car je n'en ai pas la certitude, médicalement parlant. Ces marques pourraient témoigner d'une strangulation manuelle, mais elles ne sont pas assez visibles pour être concluantes. (Il hésita avant de poursuivre.) Et ça ne me satisfait pas, voyez-vous. J'aime que mes observations coïncident avec celles des inspecteurs. Si on tient compte de cet étranglement manuel, où le place-t-on dans le tableau ? Où, et quand ?

— Avez-vous pu mesurer la distance entre les marques ?

Le médecin sourit.

— Bonne question. Vous posez toujours les bonnes questions, inspecteur. Oui, je l'ai mesurée, mais il n'y a qu'une seule combinaison possible...

Il ôta ses gants et s'approcha de Mercedes.

— Le problème, voyez-vous, est de trouver la bonne position de la main et du pouce.

Il plaça ses mains autour de la gorge de Mercedes. Le médecin était un homme petit et mince, avec des traits aigus et une paire de lunettes perchée sur le bout de son nez, mais Mercedes ne put s'empêcher de tressaillir au contact de ces doigts qui se refermaient théâtralement autour de sa gorge.

— Ça, c'est la position classique, face à face, celle qu'on a vue cent fois au cinéma. Mais, voyez-vous, si j'étais un peu plus grand... (il se haussa sur la pointe des pieds) ... l'angle changerait. Si vous vous débattez, il changera également. (Le médecin déplaça ses mains autour du cou de Mercedes, qui le regardait avec l'air de quelqu'un s'apprêtant à se faire raser par un barbier en qui il n'aurait pas eu entièrement confiance.) Et si on se place par-derrière, là aussi ça change complètement.

Il laissa retomber ses mains.

— Seize centimètres et demi, dit-il.

— D'où à où ?

— Ce n'est qu'une supposition, n'est-ce pas, mais la main du tueur ferait seize centimètres et demi de l'extrémité du pouce à celle de l'index.

— Pensez-vous que Rhotzbadegh...

— Naturellement que je le pense, dit-il. Qui voyez-vous d'autre ? Le type avait déjà tué. Il se trouvait là, dans le campus. Le crime ressemblait à ceux qu'il avait commis. Il n'y a pas de doute, c'est lui.

— Mais ?

— Mais il n'a pas tué exactement comme les enquêteurs le pensent.

— Vous en avez parlé avec eux ?

— Bien sûr ! Mais le problème, voyez-vous, inspecteur, c'est qu'il n'y a pas à véritablement parler de certitude que les choses se soient passées de façon différente. Et puis, qu'est-ce que ça peut faire, hein ? C'est lui le tueur, aussi sûr que je suis en vie et que ce jeune type qui est sur la table, là, devant moi, est tout ce qu'il y a de plus refroidi. (Il tapota le cadavre de son index comme pour s'en assurer.) Vous savez, de toute façon, reprit-il, si vous montrez à deux médecins légistes la même série de faits, ils auront toutes les chances de parvenir à des conclusions différentes. Vous pouvez parier là-dessus. Les gens pensent que nous ne sommes pas sujets à des discussions de diagnostics parce que nous travaillons sur des morts. Ils se trompent, nous sommes au contraire de grands chicaneurs en la matière.

Il prit une profonde inspiration.

— Ça m'attriste beaucoup, en vérité.

Le médecin légiste considérait d'un regard absent le poitrail ouvert du cadavre devant lui. Mercedes attendit un moment avant de parler.

— Seize centimètres et demi ?

— Oui. Enfin, pour ce que vaut l'information.

Elle se détourna, s'apprêtant à partir.

— Mais cela ne prouvera rien du tout, lui dit-il.

Parvenue à la porte de la salle d'autopsie, elle se retourna. Le médecin légiste était déjà retourné à l'examen de son cadavre.

Dans son appartement, cette nuit-là, Mercedes se versa un verre de vin rouge en se rappelant les paroles de l'épicier qui lui avait affirmé que son cabernet de Californie était supérieur à des vins coûtant deux fois plus cher. Elle ne lui avait pas dit qu'elle serait bien incapable de faire la différence et qu'elle aimait mettre un glaçon dans son verre. Elle s'était déshabillée en rentrant de la morgue, et elle avait pris une longue douche, se frottant vigoureusement, maniaquement, pour effacer toute trace de l'odeur de la mort.

Elle resta nue dans sa chambre, sirotant son vin, sentant la chaleur de l'alcool glisser dans son corps. Pendant un instant, elle eut envie de rester nue et d'éteindre les lumières. Elle gloussa à cette idée, pensant que cela faisait longtemps qu'elle n'avait rien fait de spontané ou d'inhabituel, quoi que ce soit qui puisse lui rappeler que le monde n'était pas seulement fait de meurtre et de mort. Puis elle secoua la tête, et elle enfila un short et un vieux tee-shirt qui datait de l'époque où elle pratiquait le bowling.

Elle gagna le salon avec son verre et la bouteille. Elle prit un album de photos relié de cuir sur une étagère de la bibliothèque et alla s'installer dans un fauteuil. Il y avait une photo qu'elle voulait revoir.

Elle feuilleta plusieurs pages remplies de photos d'elle-même, de Susan et de ses parents, s'attardant un instant sur un cliché ou un autre, envahie par la chaleur douce des souvenirs. Elle trouva finalement ce qu'elle cherchait.

C'était une photo d'elle-même à l'âge de vingt et un ans, en compagnie de son mari John et de son père. C'était en été, pensa-t-elle, juste avant notre mariage, l'été où papa est mort. Derrière les trois personnages, on voyait les vagues se briser sur une plage du New Jersey. Ils étaient tous les trois en maillot de bain, et elle se rappela comment les deux hommes se moquaient de son incapacité à nager, alors qu'elle était irrésistiblement attirée par l'eau et la plage. Elle se rappela qu'elle passait des heures allongée sur la plage, à lire, détendue, apaisée. Quand la chaleur devenait trop forte, elle prenait un petit seau en plastique rouge et allait s'asseoir sur le sable humide, attendant qu'une vague plus grosse que les autres monte jusqu'à elle, la mouillant jusqu'à la taille. Si elle en ressentait le besoin, elle remplissait le seau et se le déversait sur la tête. John riait de la voir faire, et il essayait de nouveau de la convaincre d'apprendre à nager, mais sans insister, car il savait qu'elle n'en ferait jamais rien, malgré le ridicule apparent de sa phobie.

Cette phobie avait pourtant une explication des plus simples. Elle avait cinq ans. Elle était assise sur le sable en compagnie de sa mère, tandis que son père surfait sur les vagues avec une exubérance d'adolescent. Sa mère l'avait regardée et lui avait dit : « Merce chérie, veux-tu aller dire à ton père que c'est l'heure de déjeuner ? »

Mercedes ferma les yeux et revit la scène avec une netteté hallucinante. Elle avait bondi sur ses petites jambes et avait couru jusqu'au bord de l'eau, les yeux fixés sur son père qui venait de prendre une belle déferlante et qui se dirigeait tout droit vers la plage. Elle avait de l'eau jusqu'aux genoux et elle allait appeler son père quand elle vit avec une terreur indicible une vague se former devant elle. L'instant d'après, la déferlante s'abattait sur elle, lui coupant le souffle et la submergeant sous un monde d'écume. Elle s'était débattue pour reprendre pied et respirer de nouveau. Soudain quelque chose de lourd et de grand s'était abattu sur elle, la plaquant contre le sable dont il lui semblait encore sentir, des dizaines d'années plus tard, la dureté granuleuse contre son dos. Elle avait eu l'impression que ses poumons éclataient, puis, aussi soudainement qu'elle venait de disparaître sous l'eau, elle en fut arrachée et soulevée en l'air.

C'était son père.

Porté par la vague, c'était lui qui avait atterri sur elle avec sa planche, lui qui l'avait enfoncée et sauvée la seconde d'après.

Par miracle, elle n'avait pas eu une seule égratignure, et elle avait passé le restant de la journée à jouer sur la plage en prenant garde de ne pas s'approcher de l'eau. Mais le soir venu, une fois dans son lit, elle avait pleuré longtemps et s'était juré de ne plus jamais faire confiance à la mer, et de ne plus jamais se baigner.

Têtue, pensa-t-elle. Une petite fille têtue qui avait tenu sa promesse.

Elle rit. La fillette n'avait pas changé en trente et quelques années, et elle ne changerait probablement jamais.

Elle regarda de nouveau la photo. Elle sourit. John avait un corps élancé et musclé qui ruisselait d'eau. Elle se rappela comment son père se moquait de son absence de poils sur la poitrine, gonflant la sienne qu'il avait velue et prenant une pose de culturiste.

Ce furent des moments heureux, pensa-t-elle.

Elle regarda le visage de son père. Le soleil lui faisait cligner les yeux, donnant à ses traits une expression malicieuse.

— Que penserais-tu de cette affaire ? demanda-t-elle à voix haute au portrait.

Les mathématiques, aurait répondu son père en prenant son ton professoral, exigent une série de données vérifiables pour parvenir à une conclusion quelconque. Mais ce n'était pas toujours le cas : on pouvait parfois prouver un théorème par la seule absence de conclusions contradictoires.

Elle éprouva un brusque sentiment de désespoir.

Elle n'avait aucun moyen de prouver que Sadegh Rhotzbadegh n'était pas coupable du meurtre de Susan.

Prouver l'inexistence d'une chose, voilà qui était autrement compliqué, aurait dit son père avec un sourire rusé. Il fallait pour cela appliquer un raisonnement purement mathématique.

Elle ressentit soudain une envie de hurler.

Pour se calmer, elle but une gorgée de vin et pensa au concept de preuve. Une preuve légale, une qui tiendrait face à un jury. Une preuve qui ne serait pas seulement une apparence de logique. La logique pouvait mener à l'erreur, comme dans le cas de Rhotzbadegh qu'en apparence « tout » accusait. Reconnu coupable des meurtres des autres filles, il était apparu « évident » qu'il avait également tué Susan. C'était trop simple pour être vrai.

Commence à la source du dilemme, lui aurait conseillé son père.

Ça, c'était relativement facile, pensa-t-elle. Et elle savait où elle se rendrait le lendemain. Elle vida son verre et regarda une dernière fois la photo.

Deux semaines après que sa mère eut pris ce cliché, leurs vacances d'été prenaient fin. Sa mère avait rangé couvertures, serviettes et parasol dans leur vieux break, et ils avaient pris la route. Il y avait eu énormément de circulation ce jour-là, et ils avaient roulé pendant des kilomètres à quarante à l'heure, pare-chocs contre pare-chocs. Elle se souvint de la mauvaise humeur de son père à chaque fois qu'une voiture slalomait entre les deux files pour gagner quelques places. Une invitation au crime, disait-il chaque année quand ils se retrouvaient pris dans les embouteillages de retours de vacances. Pas étonnant que tant de gens meurent sur les routes, se lamentait-il. La plage les rend idiots. Enfin, ils avaient fini par arriver chez eux sains et saufs. Son père avait pris sa plus belle voix pour s'exclamer : « Home ! Sweet home ! » Elle revit la scène. Ils déchargeaient la voiture quand sa mère avait dit : « Oh, chéri, il n'y a rien à manger pour le dîner. Tu ne voudrais pas aller chercher quelques hamburgers ? » Son père avait aussitôt sauté dans la voiture en disant qu'il serait de retour dans dix minutes.

Il ne revint jamais, pensa Mercedes.

Elle et John rentraient les dernières affaires dans la maison quand ils avaient entendu au loin les sirènes d'une ambulance et de voitures de police. Ils n'y avaient pas prêté beaucoup d'attention et avaient continué de ranger les valises.

Deux jeunes ivrognes avaient brûlé un stop et percuté de plein fouet la voiture de son père. Sous le choc, il avait été éjecté et écrasé par son propre véhicule qui s'était retourné sur lui.

Elle sourit. Il aurait certainement apprécié l'ironie qu'il y avait pour un statisticien comme lui à compter dans les statistiques des accidents de la route. Il me manque encore, pensa Mercedes. Ils me manquent tous. Elle regarda de nouveau la photo. Elle se tenait debout entre les deux hommes de sa vie. Elle se souvint qu'ils avaient feint de se disputer pour savoir lequel passerait un bras autour de ses épaules. Son père et John s'étaient beaucoup estimés, et elle les avait aimés tous les deux. Elle se rappela la chaleur de leurs corps qui se serraient contre elle.

Home, sweet home, pensa-t-elle.

Elle referma l'album et alla se coucher.

3

Tout en conduisant, elle se protégeait les yeux de l'éclat du soleil, et elle faillit rater le petit panneau vert sur le côté de la route. Il était disposé à quelques mètres en retrait de tous les autres panneaux publicitaires qui bordaient la route, ce qui n'étonna pas Mercedes. Personne ne voulait d'une prison pour voisinage. « Centre d'évaluation et de classification du lac Butler », annonçait-il, ce qui était un doux euphémisme pour une maison d'arrêt. Une petite route goudronnée tournait à droite, cent mètres après le panneau, et Mercedes ralentit pour y engager la voiture. La route passait en bordure d'un pâturage où paissaient des vaches, indifférentes à la chaleur. Plus loin s'élevaient plusieurs bâtiments grisâtres entourés d'une enceinte grillagée de six mètres de haut, flanquée à chaque coin d'un mirador au toit plat.

Mercedes gara sa voiture sur le parking réservé aux visiteurs et se dirigea vers une grande porte en verre. Un autre panneau l'informa que ces bâtiments abritaient une prison d'Etat, bien que le mot « prison » n'apparût nulle part. Encore un euphémisme, pensa-t-elle. D'ailleurs on ne disait plus gardiens, mais « éducateurs » de l'administration pénitentiaire. Il n'y avait plus de prisonniers mais des « détenus ». Les gens pensaient-ils qu'en changeant les mots ils atténuaient la dureté de la réalité ? Elle pénétra dans le hall d'entrée. Il y faisait sombre et frais, et elle dut cligner des yeux pendant un instant pour accoutumer sa vision. Elle se dirigea vers le bureau d'accueil.

Quelques minutes plus tard, elle avait remis son gros automatique à un garde en uniforme qui l'avait regardée d'un air méfiant quand elle avait sorti l'arme de sa gaine, et elle attendait maintenant dans le petit bureau de l'officier de classification, un certain Arthur Gonzales, ainsi que l'annonçait la plaque sur la porte. C'était une petite pièce encombrée d'armoires à classeurs, d'une table de travail chargée de paperasses et de deux chaises. Une fenêtre donnait sur le terrain de jeux de la prison. Quelques hommes y jouaient au basket, leurs torses nus luisant de sueur. La fenêtre était fermée à cause de l'air conditionné, et Mercedes ne percevait que quelques cris étouffés. Il lui semblait toutefois entendre le tapement des semelles sur le revêtement en ciment et les rebonds sonores du ballon.

Son mari avait aimé ce jeu, se souvint-elle.

« Il y a des moments, Merce, lui avait-il dit un jour, où on est soudain possédé par une sorte de grâce. Je ne connais ça dans aucun autre sport. On a l'impression qu'on peut réussir n'importe quel lancer. C'est difficile à décrire, mais tu sens que tu cours plus vite, que tu sautes plus haut, que le panier est plus proche, plus large, et que le ballon y passera comme une lettre à la poste. Cela arrive comme ça, au cours de la partie. Ça ne dure qu'un moment, malheureusement. Après, tes jambes se font plus lourdes. Les lancers deviennent plus difficiles, hasardeux. La grâce qui t'habitait quelques minutes plus tôt a peut-être touché quelqu'un d'autre. Il ne te reste plus qu'à attendre avec l'espoir qu'elle te reviendra et que de nouveau tu auras le sentiment d'être le maître du terrain... »

Elle sourit.

Il l'emmenait jouer en plein air l'été. Au début, il s'imposait de jouer avec sa seule main gauche. Elle le battit un beau matin.

Elle sourit à la pensée que les hommes se comportaient comme des enfants ou comme des fous avec leurs jeux. Ce qu'elle avait aimé ce matin où elle l'avait battu, c'est que John avait été le premier à annoncer l'événement à la famille. Sans même parler du handicap qu'il s'était imposé. Naturellement, le lendemain, il avait soudain fait passer le ballon de sa main gauche à la droite et réussi un lancer à dix mètres. Une manière à lui d'annoncer que les règles du jeu avaient changé.

— Tricheur ! avait-elle crié.

— Non, non, avait-il répliqué, nous revenons seulement à un juste équilibre entre les sexes.

Cette nuit-là, il s'était montré particulièrement tendre et timide quand il l'avait touchée.

Mercedes secoua la tête et ne put s'empêcher de sourire.

Elle se retourna en entendant la porte s'ouvrir derrière elle.

Un homme boudiné dans un pantalon kaki et une chemise blanche entra. Il tendit la main à Mercedes.

— Bonjour, inspecteur. Que puis-je faire pour vous ? dit-il avec un air de profond ennui.

Il se plongea aussitôt dans l'examen des papiers qui traînaient sur sa table, comme pour lui signifier qu'il avait autre chose à faire que de l'écouter. Tous les inspecteurs de police détestaient faire appel au personnel des prisons. Parce qu'ils se comportaient toujours de la même façon. Ils ne s'intéressaient qu'à leurs problèmes internes : où serait transféré Untel, quel lit il occuperait. Qu'il soit coupable ou innocent leur importait peu. Elle s'assit en face de lui.

— Sadegh Rhotzbadegh.

— Oui, c'est un de mes clients...

Un nouvel euphémisme, se dit Mercedes.

— J'aimerais m'entretenir avec lui, s'il vous plaît.

— C'est une démarche officielle ?

— Pas vraiment. Officieuse, disons.

— Même dans ce cas, je lui conseillerais de demander une assistance légale avant de s'entretenir avec vous...

Non, mais de quel côté tu es, toi ? pensa Mercedes avec colère.

— Monsieur Gonzales, il s'agit d'une enquête personnelle. J'ai toutes les raisons de penser que M. Rhotzbadegh a été accusé à tort de l'un des crimes pour lesquels il a été condamné, et il doit être à même de m'apporter les éclaircissements dont j'ai besoin. Il peut, bien entendu, exiger la présence d'un avocat. Je lui lirai ses droits, si c'est nécessaire. (Elle fixa Gonzales d'un regard dur.) Mais vous n'avez certainement pas le droit de lui donner le moindre conseil. Maintenant, si vous préférez que j'aille consulter votre supérieur hiérarchique...

— Non, ce n'est pas nécessaire.

Il tripota nerveusement quelques papiers.

— Eh bien ? demanda-t-elle.

— Eh bien, M. Rhotzbadegh est occupé pour l'instant. Il aura ensuite une heure de repos, juste avant le dîner. Vous pourrez lui parler à ce moment-là, s'il veut bien vous voir. Vous savez qu'il a le droit de refuser.

— Je veux le voir maintenant.

— Mais je ne peux pas...

— Si, vous pouvez. Je n'ai pas fait trois heures et demie de route pour m'entendre dire par un tueur patenté : « Non, merci, pas aujourd'hui. » Vous allez me l'amener dans une pièce où je pourrai m'entretenir avec lui. S'il se contente de rester assis sans desserrer les dents, ça le regarde.

— Je peux toujours vous trouver une pièce de libre, mais...
— Mais quoi ?
— Je dois vous dire que Sadegh Rhotzbadegh sera transféré à la fin de cette semaine...
— Et où ça ?
— Dans un établissement psychiatrique, à Gainesville. Nous pensons en effet qu'il n'est pas en sécurité parmi la population pénale habituelle.
— Vous pensez quoi ? Qu'il faut le protéger ?
— C'est l'opinion du personnel.
— Alors vous allez l'envoyer dans une maison de repos ?
— C'est un établissement de haute sécurité.
— Bien sûr, avec de gentilles infirmières pour s'occuper de lui.
— Que voulez-vous, si nous l'envoyons dans une prison d'Etat, il se fera tuer tôt ou tard. Les hommes n'encaissent ni son mépris, ni son fanatisme religieux, ni le fait qu'il soit un violeur et un tueur de femmes. Il ne tiendrait pas une semaine dans une centrale. Que puis-je vous dire de plus ?

L'inspecteur Barren enregistra lentement la nouvelle. Elle avait la bouche sèche et une curieuse sensation de vide à l'estomac. Elle secoua la tête.

— Je vous en prie, allez le chercher, et trouvez-moi un endroit où je puisse lui parler.

Sadegh Rhotzbadegh balaya d'un regard perçant le petit bureau, comme s'il essayait d'en imprimer les dimensions dans sa mémoire. Puis il posa les yeux sur l'inspecteur Barren, qui attendait patiemment, assise à une petite table au centre de la pièce. Rhotzbadegh la dévisagea, fit brusquement un pas en avant et s'arrêta, indécis, une lueur de colère puis de peur dans le regard. Mercedes l'invita d'un geste à prendre place sur la chaise en face d'elle. Il a pris du poids, se fit-elle la remarque, et perdu de cette sécheresse musculaire qu'il possédait précédemment. L'oisiveté et les féculents, pensa-t-elle. Rhotzbadegh s'assit, s'agita un instant sur son siège pour finir par s'installer tout au bord, le buste penché en avant, les yeux fixés sur l'inspecteur.

Mercedes soutint son regard jusqu'à ce qu'il détourne le sien, puis l'informa :

— Sachez que vous avez le droit de garder le silence et d'exiger la présence d'un...

— Ne vous fatiguez pas, l'interrompit-il, j'ai entendu ça mille fois. Dites-moi plutôt pourquoi vous êtes venue voir Sadegh Rhotzbadegh. Pourquoi vous l'avez dérangé dans son repos.

— Vous savez bien pourquoi.

Il rit.

— Non, mais vous allez me le dire.

— Il s'agit de ma nièce, Susan Lewis.

— Ce nom me dit quelque chose, mais je ne vois pas qui c'est. Si vous pouviez me mettre sur la voie...

— Septembre dernier. Le campus de Miami.

— Cela reste un mystère pour moi.

Il rit de nouveau puis reprit :

— Pourquoi devrais-je me souvenir de cette personne ? demanda-t-il avec un gloussement puéril. Est-ce quelqu'un de célèbre, de remarquable ? Une importante personnalité ? Je ne le pense pas, et Sadegh Rhotzbadegh n'a aucune raison de se rappeler ce nom.

Rhotzbadegh se renversa contre le dossier de la chaise en croisant les bras sur sa poitrine d'un air satisfait.

L'inspecteur Barren le regarda calmement pendant un instant, puis elle dit d'une voix basse et voilée :

— Vous préférez que je vous rafraîchisse la mémoire à coups de poing dans la gueule ?

Rhotzbadegh se redressa sur sa chaise en ouvrant de grands yeux.

— Vous ne pouvez pas faire ça !

— Ne m'y forcez pas.

Il se pencha en avant, plia un bras pour en faire saillir le biceps.

— Vous croyez que vous en avez la force...

Elle l'interrompit en se penchant à son tour en avant.

— C'est une menace ?

Elle l'observa qui essayait de sonder ses intentions. Elle plissa les yeux jusqu'à ce qu'ils ne soient plus que deux minces fentes sur un visage de marbre. Soudain Rhotzbadegh porta les mains à son visage en étouffant un sanglot.

— J'ai des cauchemars, dit-il d'une voix plaintive.

— Vous pouvez, répliqua Mercedes.

— Je vois des visages, des gens, mais je n'arrive pas à me souvenir de leurs noms.

— Je peux vous les donner, si vous voulez.

Il essuya du revers de sa main les larmes qui s'étaient formées aux coins de ses yeux.

— Dieu n'est plus avec moi. Je suis abandonné.

— Ce que vous avez fait ne lui a peut-être pas plu.

— Non ! C'est lui qui m'a dit de le faire.

— Vous avez dû mal vous comprendre.

Rhotzbadegh sortit un mouchoir froissé de sa poche et se moucha trois fois avec énergie.

— C'est possible, en effet, approuva-t-il d'une voix chargée de désespoir.

Il s'essuya le nez vigoureusement.

— N'empêche, poursuivit-il, je continuerai de suivre son enseignement et de chercher le chemin de la vérité. Alors, un jour, il m'accueillera dans son jardin où je reposerai pour l'éternité.

— J'en suis contente pour vous.

Il ne saisit pas le sarcasme.

— Merci, dit-il.

Mercedes se pencha pour prendre dans son sac, qu'elle avait posé au pied de sa chaise, une règle d'écolier.

— Vous voulez bien poser votre main sur la table en écartant les doigts ? demanda-t-elle.

Rhotzbadegh la considéra d'un air perplexe avant de se plier à sa demande. Elle mesura la distance entre son pouce et l'index : seize centimètres. Bon Dieu, pensa-t-elle, ça colle !

— Ma main se tend vers Dieu, dit-il.

— Faites-moi savoir si vous arrivez à le toucher, dit-elle.

Rhotzbadegh regarda de nouveau autour de lui. Puis il repoussa sa chaise et se leva. Il gagna en longues enjambées l'extrémité de la pièce puis, comptant ses pas à voix haute, il parcourut la distance entre les deux murs avant de revenir s'asseoir, l'air pénétré de ce qu'il venait de vérifier.

— Vingt et un pas ! s'exclama-t-il en secouant la tête d'étonnement.

Puis il se releva brusquement et se livra au même calcul entre les deux autres murs.

— Dix-neuf, dans la largeur ! dit-il en regagnant son siège. Ma cellule ne mesure que neuf sur huit. J'ai l'impression parfois que mon cœur est en cage.

Il se couvrit le visage de ses mains et se remit à sangloter.

— Ils refusent de me laisser descendre à la promenade avec les autres hommes, gémit-il. Ils disent que c'est pour ma sécurité. Je n'arrive pas à dormir la nuit. Je ne peux même plus manger. Je trouve un goût de poison à la nourriture qu'ils me donnent. C'est facile pour eux de mettre de la drogue dans les aliments et de venir ensuite me tuer pendant que je sommeillerai. Je dois lutter à chaque minute.

— Et les filles ?

— Ce sont les pires. Elles sont dans mes rêves et elles aident ces hommes à me tuer.

— Qui sont-elles ?

— Je ne sais pas...

— Vous le savez très bien ! Arrêtez de jouer les amnésiques !

Rhotzbadegh releva la tête d'un air méprisant.

— Je vous parle de mes rêves, et mes rêves m'appartiennent. Je n'ai pas à les partager avec vous !

Mercedes lui jeta un regard dur, mais intérieurement elle soupira. C'est inutile, pensa-t-elle. Il ne me dira rien. Elle prit une photo de sa nièce dans son portefeuille.

— Est-ce qu'elle est dans vos rêves ?

Rhotzbadegh regarda la photo avec attention.

— Celle-là ? Non, pas vraiment.

— Que voulez-vous dire ?

— Elle est parfois dans mes rêves, mais elle se contente d'observer les autres. Elle pleure toute seule dans son coin. Jamais elle ne me tourmente. Elle n'est pas comme les autres. (Il se pencha soudain vers la table d'un air de conspirateur.) Des fois, elles rient, dit-il à voix basse. Mais c'est moi qui suis en vie, et c'est moi qui ris le dernier.

Mercedes ramassa la photo sur la table et la colla devant le nez de Rhotzbadegh. Elle demanda d'une voix sèche, pénétrée d'une gravité qui n'échappa pas au Libanais :

— Avez-vous tué cette jeune femme ?

Il y eut un silence.

— L'avez-vous assommée à la sortie du foyer des étudiants sur le campus de Miami pour l'emmener ensuite non loin d'un parking où vous l'avez violée et étranglée ?

Il ne répondit pas.

Mercedes abaissa la photo et considéra Rhotzbadegh. Elle pouvait sentir la peur qu'avaient fait naître en lui ses questions. En vérité elle n'éprouvait rien envers cet homme, ni colère ni pitié. Elle voulait seulement qu'il réponde à ses questions.

— Dites-le-moi ! chuchota-t-elle.

— Mais je ne sais vraiment pas ! répondit-il d'une voix geignarde. Je ne sais vraiment pas ! Je ne me souviens que du foyer, et des danses, et de l'alcool, et des rires. Un endroit impur que Dieu purifiera un jour par le feu...

— Je vous parle de cette fille !

Il secoua la tête.

— Elle est dans mes rêves, mais je ne la connais pas. Elle n'est pas comme les autres.

— Pourquoi avoir découpé les articles de presse rendant compte de son assassinat ?

— Il fallait que j'en garde une trace ! Comment Dieu aurait-il su que j'accomplissais ses volontés ? C'était une preuve !

— Pourquoi vous fallait-il une preuve pour ce meurtre-là ?

— Justement, c'est ce que je ne comprends pas, dit-il avec une évidente sincérité. Pour les autres filles, j'avais toujours gardé quelque chose leur appartenant — un bijou, un vêtement...

— Quand elle apparaît dans vos rêves, qu'est-ce qu'elle dit ?

— Elle ne dit rien. Elle reste à l'écart et observe. Je n'ai pas envers elle la même haine que pour les autres. (Il marqua une pause.) J'ai besoin de dormir. Pouvez-vous m'aider, inspecteur, m'aider à dormir ? Je suis tellement fatigué. Mais il ne faut pas que je dorme, sinon ils viennent tous et me tourmentent. Si je m'endormais, je risquerais de ne pas me réveiller.

— Et ça vous fait peur ?

Il eut un sursaut soudain et se leva pour se dresser devant elle, la tête haute, le torse gonflé. Il ne pleurnichait plus, à présent. Sa voix était forte, son ton plein de défi.

— Peur ? Rien n'effraie Sadegh Rhotzbadegh ! Je n'ai peur de rien ! (Il martela sa poitrine de son poing.) Vous m'entendez ? De rien ! Dieu est avec moi. Il me protège, et rien ne peut me faire peur !

Il la regarda fixement, et elle attendit que le silence envahît la pièce pour déclarer d'une voix calme :

— Vous devriez avoir peur.

Il était tard quand Mercedes arriva enfin chez elle. Elle était rentrée du centre de détention en respectant scrupuleusement la vitesse limite. Elle éprouvait une curieuse sensation de vide, comme si toutes ses pensées avaient soudain émigré quelque part ailleurs à la recherche d'un fol espoir de sérénité.

Elle jeta son calepin et son sac sur la commode, enleva ses chaussures et se rendit dans la cuisine. Elle se prépara une assiette avec de la laitue, du fromage et un fruit. Je ne risque pas de grossir à ce régime-là, pensa-t-elle en posant l'assiette sur la table. Elle alla dans sa chambre, dégrafa sa jupe qui tomba à ses pieds et passa dans la salle de bains. Elle se rafraîchit le visage, se lava les mains et, à moitié nue, regagna la cuisine. Elle se mit à manger en s'efforçant de ne pas penser à Sadegh Rhotzbadegh, en s'efforçant de contenir le désespoir qui menaçait de l'envahir. La nourriture n'avait aucun goût.

Il aurait pu être un peu plus clair, pensa-t-elle avec colère.

Bon Dieu ! Des rêves ! Elle apparaît dans ses rêves, mais elle ne le tourmente pas comme le font les autres. Qu'est-ce que cela signifie ? Qu'il ne l'a pas tuée ? C'est possible.

Elle eut un sourire triste en imaginant l'entretien qu'elle pourrait avoir avec l'inspecteur Perry. J'ai appris quelque chose d'important, annoncerait-elle. Le salaud rêve !

Elle secoua la tête. Quel merdier ! pensa-t-elle.

Elle termina la salade et repoussa son assiette. Ça suffit ! Arrête de perdre ton temps avec cet Arabe ! se sermonna-t-elle. Fais le vide dans ta tête et repars à zéro.

Elle emporta son assiette et son couvert et les lava soigneusement sous une eau trop chaude qui la fit grimacer de douleur. Quand elle eut rangé sa vaisselle, elle gagna le salon. Elle jeta un coup d'œil à sa table de travail chargée de papiers qu'elle avait lus et relus cent fois. C'est pourtant quelque part là-dedans, pensa-t-elle.

— Demain matin, dit-elle à voix haute, va voir à la Criminelle ce qu'il y a comme autres viols et meurtres sexuels. Retourne également au campus, vois si Susan n'avait pas d'ennemis. Rends même une petite visite au FBI, et regarde s'il y a eu des crimes semblables commis après l'arrestation du Libanais...

Elle se tut soudain, regarda par la fenêtre. Elle sourit.

Tu savais que ce serait difficile. Tu n'espérais pas vraiment trouver la preuve que l'Arabe n'a pas tué Susan et faire rouvrir l'enquête. Tu joues cette partie toute seule, et cela n'a rien de surprenant.

Son regard rencontra la photo encadrée de Susan sur l'étagère de la bibliothèque. Ne t'inquiète pas, dit-elle silencieusement à l'image, ne t'inquiète pas, je vais y arriver, je vais...

Mais ses yeux se remplirent de larmes.

Elle se détourna et regarda de nouveau par la fenêtre. Le ciel scintillait d'un million d'étoiles, et Mercedes en vit soudain une qui traçait une course de feu dans la nuit, laissant un fantôme de luminosité derrière elle. Ses joues ruisselaient de larmes, mais elle ne bougea pas.

Elle resta ainsi pendant quelques instants puis alluma le récepteur de télévision. Sur l'écran apparurent deux commentateurs sportifs parlant avec animation devant la caméra, et elle distingua en arrière-plan le décor familier du stade de Miami.

— On peut dire que les Dauphins inaugurent bien la saison, disait l'un des deux hommes. Nous approchons de la fin de la partie, et les Dauphins mènent contre les Saints par vingt-quatre à vingt. Mais rien n'est joué encore, car les Saints n'ont pas dit leur dernier mot...

Elle avait complètement oublié que la saison de football commençait. Elle prit son verre de vin et s'installa devant le poste.

— Allez, les Dauphins ! dit-elle.

Le jeu lui fit oublier ses peines, et elle entra dans la partie, fascinée par les images qui défilaient devant ses yeux. La saison débutait. Pour elle aussi.

A moins d'un quart d'heure de la fin du temps réglementaire, les Saints marquèrent trois points. Une minute plus tard, une faute des Dauphins donna trois points de plus à leurs adversaires. Les Saints menaient maintenant par vingt-six à vingt-quatre, et le stade de Miami grondait sous les encouragements des supporters des Dauphins. Il restait cinq minutes de jeu ! Les Dauphins s'accrochèrent, grignotant la ligne adverse mètre après mètre. Une faute des Saints leur valut un coup de pied au but et deux points. Le jeu était à égalité ! A deux minutes de la fin. On allait devoir jouer les prolongations, mais soudain le trois-quarts aile des Dauphins s'empara de la balle. « Vas-y, fonce ! » hurla Mercedes en se levant avec enthousiasme. Le joueur fonça dans la mêlée et lança le ballon à un demi de mêlée isolé. La foule dans les gradins se leva comme elle, retenant son souffle, car le trois-quarts avait feint adroitement de se défaire du ballon et maintenant courait avec vers la ligne de but des Saints. Un arrière bâti comme une armoire le vit et s'élança vers lui pour lui couper la route. Les deux hommes arrivèrent en même temps sur la ligne. « Plonge ! » hurla Mercedes. Il plongea, ou plutôt ils plongèrent, car l'arrière s'était jeté sur lui de tout le poids de ses cent kilos de muscles. Ils roulèrent dans un enchevêtrement furieux parmi la rangée de photographes et de cameramen qu'ils fauchèrent comme des quilles dans les hurlements de joie des cinquante mille supporters des Dauphins. Mercedes se laissa choir dans son fauteuil, savourant la victoire de son équipe favorite.

Les deux journalistes de la chaîne étaient aussi enthousiastes que la foule.

— J'espère que nos confrères qui se trouvaient près de la ligne de but n'ont pas été blessés, dit l'un.

— Je préfère tout de même être à ma place qu'à la leur, dit l'autre. Cet arrière des Saints ferait peur à un taureau.

Les deux hommes rirent, puis l'un d'eux demanda à la régie s'ils pouvaient passer le ralenti de la dernière phase de jeu.

— Ce trois-quarts aile, dit l'un, est un fameux joueur. Sa feinte était extraordinaire. Mais demandons à notre ami Chuck qui se trouvait sur la ligne de touche s'il n'y a pas eu de casse parmi nos confrères de la presse... Chuck, vous m'entendez ?

— Très bien, Ted. Je me trouve justement en compagnie de Pete Cross et de Tim Chapman du *Miami Herald* et de Kathy Willens de l'Associated Press. Alors, qu'avez-vous vu ?

— Ma foi, dit l'un des photographes, on braquait tous nos appareils sur le trois-quarts qui descendait droit sur nous quand l'autre est arrivé sur lui comme une locomotive... et sur nous !

— J'ai dû empoigner Kathy, dit l'autre, un type aux cheveux frisés et à la carrure de sportif. Elle était juste sur leur trajectoire, et je crois que s'ils l'avaient renversée nous aurions perdu une grande amie de la gent masculine.

La jeune femme gloussa, et le dénommé Chuck lui demanda :

— C'est quand même dangereux de stationner près de la ligne de but, non ?

— Pas plus que de couvrir une guerre ou une révolution en Amérique latine, répondit-elle.

La caméra cadra alors les trois journalistes. Mercedes écoutait distraitement ce qui se disait, se demandant si elle avait rencontré l'un de ces photographes à l'occasion de l'une des enquêtes criminelles qu'elle avait menées.

Et soudain elle se redressa dans son fauteuil.

— Bon sang ! jura-t-elle tout haut.

Elle tomba à genoux devant le récepteur.

— Voilà, vous avez eu les impressions de nos confrères, disait Chuck. A vous, Ted...

— Non ! cria Mercedes. Gardez l'image !

Mais les caméras filmaient maintenant le tour triomphal que faisaient les Dauphins tout autour du stade, et elle retourna dans son fauteuil en pensant à ce qu'elle venait de voir.

Les trois photographes alignés devant la caméra.

Il y avait eu un léger coup de vent. Juste assez pour vous ébouriffer les cheveux ou agiter votre carte de presse accrochée à votre revers.

Une carte plastifiée de couleur jaune sur laquelle était imprimé en noir le mot « Presse ».

Mercedes se releva d'un bond et courut jusqu'à sa table de

travail. Elle fouilla nerveusement parmi les papiers jusqu'à ce qu'elle trouve la liste des objets ramassés près du corps de Susan. Trente-trois articles qui avaient été identifiés, isolés et examinés par les services techniques. Mais seul le dernier d'entre eux l'intéressait.

« Fragment d'étiquette plastifiée de couleur jaune, origine inconnue, trouvé sous le corps de la victime. »

— Oui, c'est ça, dit-elle à voix haute. C'est ça !

Elle se laissa glisser jusqu'au sol et s'assit en tailleur, la liste entre les mains, se balançant d'avant en arrière comme si elle berçait un enfant, revoyant ce bout de carton plastifié qu'elle avait elle-même examiné quelques mois plus tôt.

— Oui, pas de doute, c'est bien ça, répéta-t-elle.

Le lendemain matin, elle se rendit au bureau des archives de la police. L'employé rechignait visiblement à chercher parmi les piles de cartons qui s'amoncelaient derrière lui dans la vaste pièce mal éclairée. Un homme désagréable et grossier qui commença par exiger de Mercedes un ordre du tribunal, puis une lettre de son supérieur, et finit par accepter une décharge écrite et signée de sa main. L'homme était baraqué, son cou épais disparaissant entre les muscles hypertrophiés de ses épaules. Il devait passer tout son temps libre à suer dans une salle de musculation. Les manches retroussées de sa chemise révélaient une paire de biceps impressionnants tatoués chacun d'un dragon. Quand il prit le crayon coincé derrière son oreille pour noter les références que lui donnait Mercedes, elle pensa qu'il allait le pulvériser entre ses gros doigts. Elle le suivit parmi les rangées de cartons en s'efforçant au calme mais ne pouvant empêcher son cœur de battre plus vite.

Il ne leur fallut pas loin d'une heure pour trouver le dossier.

— Ici y a que des putains d'affaires classées, m'dame, geignit l'employé. Et qui dit affaires classées dit cartons scellés. C'est pas mon boulot de faire ça, vous savez.

— Je sais, je sais, mais c'est une requête tout à fait particulière. Je ne saurais vous dire combien j'apprécie votre coopération.

— Je tiens quand même à vous dire que c'est pas mon boulot, insista-t-il.

— Je comprends, répondit-elle.

Tous les cartons étaient numérotés. Les premiers chiffres indiquaient l'année où le crime avait été commis, suivis par le numéro de dossier attribué par les différents services de police auxquels le crime en question ressortait. Cambriolages, vols à main armée, viols, homicides et autres crimes étaient rangés avec un manque de soin et de méthode qui n'avait d'autre excuse que le fait que l'affaire était classée, enterrée. Mercedes parcourut des yeux la pile de cartons numérotés en pensant que si elle en ouvrait un au hasard il s'en répandrait quelque drame sanglant.

— Bon Dieu de merde, je l'savais. L'est tout en haut, ce putain de dossier. Faut que j'prenne l'échelle, grogna l'homme.

Elle attendit qu'il descende le carton.

— Maintenant, faut que vous signez ce papier, dit-il en lui présentant un imprimé qu'elle signa sans le lire. Normalement faut que je reste là, même si c'est une putain d'affaire classée. Mais si vous voulez quelque chose là-dedans, allez-y, ne vous gênez pas. Moi, j'm'en branle complètement.

Sur ces paroles, l'employé aux bras tatoués s'en fut d'un pas lourd, sans se départir de son agressivité.

Mercedes utilisa son canif pour couper la bande adhésive qui maintenait la boîte fermée. Elle souleva le couvercle en réprimant son impatience. Ce n'est qu'un premier pas, se dit-elle.

Elle examina l'intérieur et repéra ce qu'elle cherchait. Le bout de carton plastifié était rangé dans un petit sac en plastique. Elle remarqua avant de le glisser entre les pages de son calepin qu'il était couvert d'une fine couche de poudre. Le travail des services anthropométriques, pensa-t-elle avec un haussement d'épaules : il était quasiment impossible de relever une empreinte sur ce genre de surface. Elle regarda de nouveau dans la boîte pour voir s'il y avait autre chose qu'elle pourrait emporter, puis elle secoua la tête et referma le couvercle.

Quand elle repassa dans le bureau, elle dit à l'employé :

— Merci pour votre aide. Si jamais j'ai besoin d'autre chose, je repasserai.

— Ouais, grommela l'homme d'une voix qui voulait dire le contraire.

Un beau soleil l'attendait à la sortie. Elle se refusait à penser, à imaginer, à spéculer sur les résultats de cette première démarche. Un pas à la fois, se dit-elle. Elle regarda l'intense circulation sur la voie express qui scintillait du vif éclat des pare-brise et, levant le nez, aperçut un oiseau qui volait avec flegme dans l'air matinal. Elle le suivit des yeux pendant un instant puis se dirigea d'un pas rapide vers sa voiture et reprit le chemin du centre de la ville.

Dans les bureaux de l'équipe des Dauphins de Miami, Byscaine Boulevard, une secrétaire la fit attendre.

— Vous avez vraiment de la chance que M. Stark puisse vous recevoir, dit la jeune femme qui possédait tous les atouts de la parfaite réceptionniste : un sourire étincelant, une voix douce, et un petit air que les mâles devaient trouver coquin.

— Pourquoi ?

— Vous n'avez pas lu les journaux ? demanda la secrétaire.

— Non, pas ce matin.

— Oh, vous ne savez rien du nouveau contrat ?

Alors que Mercedes secouait la tête, elle entendit un formidable éclat de rire provenant de l'une des pièces voisines.

— C'est la conférence de presse, dit la jeune femme.

— On peut y assister ?

La secrétaire hésita. Elle jeta un regard autour d'elle. Il n'y avait personne en vue.

— Vous êtes une ardente supporter ?

Mercedes sourit.

— Jamais manqué un seul match.

La réceptionniste sourit.

— Venez, alors. Nous nous glisserons dans le fond.

Mercedes suivit la jupe chaloupante de la fille qui ouvrit doucement une porte, et elles se faufilèrent à l'intérieur. Mercedes reconnut aussitôt le décor pour l'avoir vu des dizaines de fois à la télévision les nuits d'insomnie. Une demi-douzaine de caméras montées sur des trépieds occupaient le centre de la salle de conférences, dirigées vers une grande table juchée sur une estrade. Les journalistes de la presse écrite et de la télévision se pressaient autour de la table. Certains avaient pu trouver une chaise, d'autres étaient en rang contre le mur. Des techniciens du son et des photographes rampaient en dessous du champ des caméras. A la table étaient assis le célèbre entraîneur des Dauphins, le sponsor et le grand et frisé trois-quarts aile, auteur du fameux point gagnant. Ils souriaient tous. De temps à autre, ils se serraient la main, ce qui entraînait un crépitement de flashes. Mercedes était fascinée comme une enfant rencontrant le père Noël.

— Il est plus grand que je pensais, dit-elle tout bas d'une voix vibrante d'excitation. Et beaucoup plus beau.

— Ouais, approuva la jeune femme, et plus riche aussi. Il va empocher un million de dollars par an. (Elle marqua une pause.) Et il va épouser demain l'étudiante de son cœur.

Il y avait une telle jalousie dans le ton de voix de la secrétaire que Mercedes manqua éclater de rire. Elle regarda les trois hommes à la table. Quelqu'un avait dit une plaisanterie, et ils riaient à gorge déployée. De nouveau les flashes se mirent en action. Et dire qu'il est peut-être parmi ces photographes, pensa avec effroi Mercedes. Dans un moment de panique, elle pensa à sortir son gros automatique et ne reprit son sang-froid qu'en sentant sous ses doigts la crosse froide de l'arme.

Elle scruta le groupe d'hommes bardés d'appareils.

Il y en avait un grand et musclé. Elle regarda ses mains puissantes tandis qu'il changeait d'objectif, et elle imagina ces mains autour du cou de Susan. Elle détourna le regard pour s'intéresser à un autre, gros et chauve, qui lançait des blagues entre deux clichés. Il y avait une dureté dans sa bouche qui lui fit froid dans le dos. Un troisième, mince, blond et jeune, aurait pu passer inaperçu parmi la foule des étudiants du campus. Elle imagina ses yeux légèrement saillants se fixer sur la nuque de Susan.

Elle ferma les yeux, s'efforçant de chasser ces visions. Le bruit autour d'elle semblait gagner en volume. Les rires et le brouhaha des voix résonnaient dans sa tête. Elle éprouva un vertige et se demanda avec inquiétude si elle n'allait pas être malade.

Puis une voix murmura à côté d'elle :

— Inspecteur Barren ?

Elle rouvrit les yeux. Un homme de petite taille en veste de sport la regardait en souriant.

— Mike Stark, dit-il. C'est moi qui dirige ce zoo...

Il rit, et elle parvint à l'imiter au prix d'un gros effort. Il tourna la tête vers les silhouettes noyées sous les spots des caméras.

— Alors, qu'est-ce que vous en pensez ?

— Je pense qu'un million de dollars par an, c'est beaucoup d'argent, répondit-elle en s'arrachant un sourire.

— C'est un formidable joueur.

— Ah ça, oui.

Stark hésita. Puis il tapa dans ses mains comme s'il cherchait à retenir l'attention générale.

— Vous avez raison, dit-il. C'est beaucoup d'argent pour un type qui a des genoux cagneux. J'espère que le Dieu qui veille sur les joueurs de foot ne l'abandonnera pas. (Il la regarda.) Hé, vous m'écoutez ?

Le sourire de Mercedes était sincère.

— Ce n'est pas avec ses genoux qu'il fait des passes, dit-elle.

— Il devrait, pourtant, avec ce qu'on lui paie, répliqua Stark. Leur rire se mêla au brouhaha général.

Le petit homme regarda autour de lui.

— Enfin, Dieu merci, nous lui avons fait signer ce contrat avant que la saison commence vraiment. Parce que, avec deux ou trois parties comme celle qu'il vient de jouer, j'ai mal au ventre quand j'imagine ce qu'il vaudrait alors. J'ai encore une ou deux petites choses à régler ici. Pourquoi n'allez-vous pas m'attendre dans mon bureau ?

Elle acquiesça d'un signe de tête et quitta la salle de conférences.

Elle contemplait par la large fenêtre la baie sillonnée par cent canots automobiles quand Stark entra. Il s'assit derrière son bureau en l'invitant à prendre place dans le fauteuil en face de lui.

— Alors, que puis-je pour vous ?

Elle sortit le bout de carton plastifié de son calepin et, sans un mot, le posa devant lui. Il le ramassa en fronçant les sourcils d'un air perplexe et le retourna dans sa main.

— Je suis désolé, mais... commença-t-il de dire.

Il s'interrompit pour examiner de nouveau l'objet. Il le reposa et, ouvrant un tiroir, en sortit une grande enveloppe dont il vida le contenu sur la table. Mercedes vit une pile de laissez-passer pour la presse. Ils étaient de la même couleur jaune que le morceau de plastique sur lequel reposaient tous ses espoirs.

— C'est le modèle de l'an passé, dit Stark. Cette année, nous les avons fait imprimer en bleu et orange, les couleurs de l'équipe. (Il ramassa l'un des badges et le compara au bout de carton plastifié.) C'est possible, dit-il lentement.

Mercedes se pencha en avant et vit que les deux cartes avaient la même largeur.

— Même couleur, dit Stark. Même épaisseur, du moins à première vue. Il se pourrait en effet que ce soit un morceau de laissez-passer de l'an dernier. (Il leva les yeux sur Mercedes.) Pourquoi ? demanda-t-il d'une voix hésitante.

— Meurtre, répondit-elle, jugeant qu'il était inutile de dissimuler la vérité.

Il poussa un long soupir puis regarda de nouveau le bout de carte qu'il tenait à la main.

— Oh, il n'y a rien d'étonnant à ça, dit-il.

— Je vous demande pardon ?

— Eh quoi, nous vivons à Miami, non ? Capitale du crime

aux Etats-Unis, si l'on en croit les statistiques. Alors, un meurtre, ça n'a rien d'étonnant.

— Oui, peut-être.

— En tout cas, reprit-il, votre truc pourrait bien être comme je vous le disais un morceau de nos laissez-passer pour la presse.

— Qui les imprime pour vous ?

— L'imprimerie Biscayne dans la Soixante-Huitième Rue. Eux vous diront avec certitude si ce machin sort de chez eux.

— Et auriez-vous la liste des gens à qui ont été délivrés ces laissez-passer ?

— Oui. Vous connaissez la date du match en question ?

— Le 8 septembre dernier.

— Je dois l'avoir ici, dit-il en pivotant sur son fauteuil pour ouvrir une armoire métallique et en tirer une chemise.

Elle refréna l'envie de la lui arracher des mains.

— En réalité, le match a eu lieu le 9, corrigea Stark. Le 8, c'était un samedi.

Une idée lui vint soudain. Elle avait la gorge très sèche, et elle dut tousser avant de demander de nouveau :

— Est-ce que quelqu'un aurait demandé deux laissez-passer ? Je veux dire, quelqu'un qui en aurait demandé un autre parce qu'il aurait perdu le sien ?

Stark parut d'abord surpris par la question, mais il comprit et hocha la tête. Il examina les papiers devant lui.

— La Fédération exige que nous tenions une liste exacte de tous les photographes et cameramen qui couvrent les matches. Pour des raisons de sécurité, prétendent-ils, mais c'est surtout pour contrôler les photographes, contrôler la pub. J'ai l'impression parfois de travailler pour la CIA. (Il ramassa une feuille dactylographiée.) Il y a eu beaucoup de laissez-passer délivrés pour ce match-là, dit-il. Tout le monde voulait photographier le jeune étalon avec qui nous avons passé contrat aujourd'hui. (Il consulta de nouveau la feuille.) Trois. Il y en a eu trois qui ont perdu leurs laissez-passer. Deux types et une nana. Une femme de l'Associated Press, un photographe du *News* de Miami et un autre qui travaille à l'agence Scoop mais qui, ce jour-là, photographiait pour *Sports Magazine*. D'habitude *Sports Magazine* envoie ses propres journalistes, mais je suppose qu'ils devaient manquer de personnel cette fois-là. Il y avait les championnats universitaires, le base-ball, les pros... ça fait beaucoup. (Il fit glisser la feuille vers elle.) Un double vous suffira ? demanda-t-il. J'ai besoin de garder l'original.

Elle hocha la tête. Elle éprouvait une sorte de vertige, mais elle avait une autre question :

— Ont-ils donné une raison pour demander un autre laissez-passer ?

— Oui, dit Stark. La Fédération ne badine pas avec ces choses. (Il chercha parmi les autres papiers.) Ah, voilà, dit-il. La fille de l'AP l'avait dans son sac, et le sac lui a été dérobé à l'aéroport. Le type de *News* s'est fait bouffer la sienne par son bambin de dix mois. Quant au troisième, qui n'est pas de Miami, il a perdu la sienne dans une bagarre...

Stark se renversa contre le dossier de son fauteuil.

— Je me rappelle le troisième bonhomme, dit-il en plissant les yeux. Il est venu chercher son laissez-passer le matin, et il avait l'arcade sourcilière bien gonflée. Tout le monde le plaisantait à ce sujet, mais il prenait la chose du bon côté.

Mercedes sentit son estomac se nouer. Je le savais, pensa-t-elle. Je savais qu'elle lutterait. Susan n'aurait jamais laissé personne lui ôter la vie sans résister.

Elle ramassa la liste sur la table et jeta un coup d'œil aux noms mentionnés.

Elle tâchait de rester calme, se disant qu'elle n'aurait de certitude qu'après avoir vu l'imprimeur. Puis il lui faudrait demander une deuxième confirmation aux services techniques de la police. Cela prendra quelque temps, pensa-t-elle. Procède avec minutie et prudence. Assure-toi de la solidité du terrain avant d'y poser le pied. Mais, en elle-même, elle doutait de sa capacité à suivre ses propres conseils.

Elle parcourut les noms inscrits sur la feuille. Il est parmi eux, pensa-t-elle. *Il est parmi eux.*

Le vieux monsieur cubain qui l'accueillit à l'imprimerie Biscayne se montra gracieux et obligeant.

Elle lui montra sa plaque de police, qui provoqua chez lui quelque étonnement, certainement dû au fait qu'elle était une femme. Il examina avec attention le bout de carton plastifié et en évalua la texture en le frottant entre ses doigts.

— Ça ressemble aux laissez-passer que nous imprimons pour les Dauphins, dit-il avec un léger accent. Mais cette année, bien sûr, la couleur a changé.

— Est-ce que cela pourrait... commença-t-elle, mais il l'interrompit d'un geste de la main.

— Celui-ci serait de l'année dernière, continua-t-il. Je peux vous en montrer quelques échantillons. Pour comparer.

Mercedes savait que le service technique serait à même de procéder à la comparaison.

Elle secoua la tête.

— Non, merci, je voulais seulement...

Il leva une main.

— Comme vous voudrez, ma belle, dit-il avec un sourire galant.

Elle reprit le morceau de laissez-passer en se demandant à quelle heure décollait le prochain avion pour New York.

Le sifflement des réacteurs ne parvint pas à la distraire de l'unique pensée qui la possédait : ce nom qu'elle se répétait sans cesse, un nom terrifiant et banal à la fois. Comme un automate, elle monta dans un taxi, donna l'adresse au chauffeur et, une fois arrivée à destination, pénétra dans l'immeuble sans même lever la tête vers la façade. Tassée dans le fond de l'ascenseur en compagnie d'une douzaine d'employés de bureau, elle s'éleva dans les airs jusqu'au dix-septième étage. Moins d'une minute plus tard, elle poussait la porte de l'agence Scoop.

Elle attendit pendant un moment dans le hall d'entrée tandis que la réceptionniste se mettait en quête d'un chef de service. De nombreuses photos encadrées étaient accrochées aux murs, photographies de guerre ou de désastres pour la plupart, et elle les regarda d'abord avec curiosité puis avec un intérêt bouleversé. Certaines photos étaient signées de ce nom qui l'avait tirée de l'engourdissement dans lequel elle vivait depuis des mois. Il est là, se dit-elle. Il est là. Douglas Jeffers était, entre autres, l'auteur de cette image d'un pompier au visage noirci, levant un regard d'impuissance vers un immeuble ravagé par les flammes. La scène se passait à Philadelphie.

Elle se détourna des photos alors qu'un homme s'approchait d'elle et lui demandait ce qu'elle désirait. Sa première pensée fut de mentir. Mentir intelligemment, tactiquement. Ne rien dire d'alarmant. Créer une diversion, pensa-t-elle. Elle ne tenait pas à ce que l'agence contacte Jeffers pour l'informer qu'une femme inspecteur de police le recherchait. Elle n'hésita qu'un bref instant avant de faire son premier mensonge. Elle chassa le vague sentiment de culpabilité qui lui vint, sachant que le combat qu'elle menait n'en restait pas moins juste.

L'homme se montra amical mais peu bavard.

— Non, Jeffers n'est pas là, répondit-il à sa question. Je ne peux pas vous en dire plus. Je regrette, mais...

Mercedes hocha la tête d'un air de profonde déception.

— C'est notre petite bande qui va regretter, dit-elle. Tout le monde avait tellement envie de revoir ce vieux Doug.

— Pourquoi ? demanda l'homme.

Il avait une quarantaine d'années, une cravate négligemment nouée autour du cou. Un séducteur, ou un obsédé, à en juger par le regard lubrique qu'il laissait traîner sur elle. Mercedes se dit qu'elle pourrait utiliser cet apparent penchant, et elle lui sourit.

— Oh, pour rien, répondit-elle. On est juste une petite bande de photographes qui se sont rencontrés à Philadelphie quand la police a fait sauter l'immeuble où s'étaient retranchés ces cinglés. On était convenus de se réunir un de ces quatre à New York. Vous savez, on s'est connus alors qu'on était tous planqués à l'angle d'un immeuble, pendant que les pompiers et les artificiers s'apprêtaient à livrer combat. Ce vieux Doug ne tenait pas en place. Il voulait son scoop, vous savez, même s'il devait pour ça travailler sous les balles.

— Ouais, ça lui ressemble bien, approuva l'homme.

— C'est dommage qu'il ne soit pas là, on se serait bien amusés. Chacun d'entre nous a tellement d'histoires à raconter...

— Oui, c'est dommage, approuva l'homme derechef. C'est sympa de vous réunir comme ça.

— Oui. L'année dernière, ça a un peu dégénéré, si vous voyez ce que je veux dire, dit-elle en gloussant. (Elle espérait qu'il ne lui poserait pas de questions sur l'événement survenu à Philadelphie.) Enfin, tant pis, continua-t-elle. Vous connaissez Doug. C'est un solitaire, et ça aurait été une occasion pour lui de sortir un peu de son isolement.

— Oui, c'est dommage, dit l'homme sans trop de conviction, mais tout ce que je peux vous dire, c'est qu'il est en vacances et qu'il ne nous a pas laissé d'adresse où le joindre. Il devrait rentrer dans trois semaines. Vous pouvez lui laisser un message, si vous voulez...

Elle pensa à l'attente. Impossible.

— Mais j'y pense, reprit l'homme, vous pourriez demander à son frère.

— Doug ne nous a jamais parlé d'un frère.

— Il est médecin dans un hôpital, à Trenton, dans le New Jersey. C'est lui que Doug désigne comme son parent le plus proche quand il part en reportage en zone de guerre. Essayez auprès de lui. Il saura peut-être où le joindre.

— C'est une idée, dit Mercedes. Je vais voir du côté de son frère. Si ça ne marchait pas, je laisserai un message ici, d'accord ?

— Bien sûr.

— Eh bien, vous m'avez drôlement aidée, dit-elle avec un grand sourire. D'ailleurs, vous pourriez peut-être vous joindre à nous ?

— Avec plaisir.

— Je vous appellerai, dit-elle. On peut vous trouver facilement ?

— Oui, et à n'importe quelle heure, répondit-il avec un sourire plein d'espoir.

Mais l'inspecteur Barren était déjà ailleurs. Elle pensait à la prochaine étape de sa quête : l'hôpital de Trenton dans le New Jersey.

VI. Une victime très facile

Douglas Jeffers contemplait le ruban noir de l'autoroute défilant sous les rues de sa voiture. Derrière lui, le jour se levait lentement, éclairant l'horizon d'une lueur pâle. Jeffers jeta un regard à la silhouette endormie à côté de lui. Anne Hampton avait la bouche légèrement entrouverte, et sa respiration était calme et régulière. Ses traits commençaient à se dessiner sous la lumière matinale. Il étudia les arcs sombres des sourcils, le nez long et aquilin, les pommettes hautes, la bouche pleine, tout en gardant un œil sur la route. Ses cheveux blonds prenaient des reflets de moire sous la lumière. Il devait s'avouer qu'elle était belle. Belle d'une beauté simple, lumineuse.

Il eut envie de lui toucher la joue, là où le jour faisait une tache pâle, de la réveiller d'une caresse. Il remarqua le bleuissement laissé par un coup sous la pommette, et il en éprouva de la tristesse. Il avait eu beaucoup de chance de ne pas être obligé de la tuer.

Jeffers se détourna d'elle et regarda une dernière fois la lune dans le ciel avant qu'elle se fonde dans le bleu qui commençait d'apparaître avec le jour. Il aimait les matins bien que la lumière fût difficile et trompeuse pour la photo. Mais quand on réussissait à l'apprivoiser, elle donnait à l'image une indéniable magie. Il se souvint d'un matin au Vietnam quand il avait eu la folle idée de partir avec un bataillon de soldats sud-vietnamiens. Il était jeune alors, et les soldats aussi. Les autres photographes qu'il avait rencontrés — une équipe de cameramen de ABC News, un free-lance comme lui de chez Magnum, et un autre de l'*Australian* — avaient décliné l'offre de voir de près les combats, et ils avaient essayé de le dissuader de partir. Mais il avait été séduit par les rires et la bonne camaraderie des soldats. Ils étaient pleins de fierté et d'assurance alors qu'ils embarquaient dans les camions qui les conduiraient jusqu'au front. Il avait sauté dans les véhicules avec eux, prenant des photos, souriant, notant des noms, et savourant la stupéfiante insouciance de ces jeunes Sud-Vietnamiens.

Ils avaient ensuite marché sans incident à travers la campagne et les rizières sous un ciel clément et familier. Ils avaient bivouaqué peu avant la tombée de la nuit sur une petite éminence entourée par des arbres et des buissons. Jeffers se rappelait que les hommes riaient encore quand la nuit était tombée, mais que lui avait regardé avec inquiétude l'obscurité envelopper le campement. Il s'était glissé dans son abri individuel, une carabine M-16 et une demi-douzaine de chargeurs à portée de main. D'un côté, il avait disposé un petit tas de grenades, de l'autre son Nikon. Puis il avait remonté la fermeture Eclair de sa veste et s'était allongé sur son sac de couchage, indifférent à la dureté du sol sous son dos. Peu avant qu'il s'endorme, il avait ressenti de la colère, surtout contre lui-même, en se demandant s'il ressortirait vivant de ce trou. L'officier commandant la compagnie n'avait envoyé qu'une seule section en sentinelle à la périphérie du bivouac, et pas un seul guetteur sur les hauteurs voisines. Ce fut sans peur mais avec un sentiment de rage face à l'insouciance humaine qu'il se demanda s'ils allaient tous mourir. Ou bien seulement quelques-uns.

Il avait fini par s'assoupir. Le campement avait été attaqué un peu avant deux heures, et les combats avaient duré jusqu'à l'aube. Chassé par le jour, l'ennemi avait alors fait retraite en bon ordre, se fondant de nouveau dans la jungle. Jeffers avait rampé hors de son trou, lentement, péniblement, maculé de boue et de sang. Il avait brûlé toutes ses munitions dans la frénésie du combat, mais il lui restait son appareil photo, et il avait attendu que la lumière du jour éclaire les corps figés dans la mort. Il avait alors commencé de photographier, se déplaçant sans bruit parmi les cadavres et les trous creusés par les hommes ou les obus de mortiers, témoignant en vain, comme tant d'autres avant lui, de l'horreur de la guerre.

Newsweek avait publié l'une de ces photos pour illustrer un article sur l'action des forces sud-vietnamiennes : l'image d'un jeune soldat, qui ne devait pas avoir plus de quatorze ans, le corps projeté en travers d'une caisse de munitions, les yeux ouverts sur un ciel dont il ne verrait plus la couleur. Six mois plus tard, Saigon tombait. C'était il y a plus de dix ans, pensa-t-il.

J'étais si jeune alors.

Il sourit à cette pensée. Les photographes étaient comme les coureurs : ils avaient besoin de jambes, de jambes capables de courir vite et longtemps. Il se souvint d'un reportage au Nicaragua, quelques mois plus tôt. Il marchait avec un détachement de l'armée dans les collines broussailleuses quand les rebelles les avaient pris sous des tirs de mortiers. Il était resté à écouter les sifflements aigus des obus tandis que les explosions se rapprochaient de l'endroit où les hommes et lui avaient momentanément trouvé abri.

La situation était vite devenue intenable et, cédant à la panique, les hommes s'étaient mis à fuir. Il ne se souvenait pas d'avoir eu peur, mais il s'était retrouvé en train de courir avec eux. C'étaient de jeunes hommes, ses cadets de douze ans ou plus, mais il les avait facilement distancés, au point de pouvoir se retourner et de prendre une photo qui était l'une de ses préférées. Dans le fond s'élevait une spirale de fumée tandis qu'un obus soulevait la terre en une gerbe brune. Devant, trois hommes qui avaient abandonné armes et munitions accouraient droit vers l'objectif. Un quatrième, fauché par un shrapnel, tournoyait en poussant un cri muet. *Life* lui avait acheté la photo. Quinze cents dollars pour un millième de seconde arraché à des semaines de souffrances et de peur.

Il regarda de nouveau Anne Hampton.

Elle bougea et ouvrit les yeux.

— Ah, Boswell se réveille, dit-il.

Elle se redressa vivement et se passa une main sur le visage.

— Je m'excuse, dit-elle. Je ne voulais pas m'endormir.

— Ce n'est rien, répondit-il. Vous aviez besoin de repos. Pour être belle.

Elle regarda par la vitre.

— Où sommes-nous ? demanda-t-elle, pour se tourner aussitôt vers lui avec crainte. Vous savez, je ne désire pas vraiment le savoir. Simple curiosité. Vous n'êtes pas obligé de me répondre. Je m'excuse. Je m'excuse.

— Ce n'est pas un secret, dit-il. La première étape est la côte de Louisiane.

Elle hocha la tête et ouvrit la boîte à gants pour en sortir l'un des blocs-notes.

— Oui, dit-il, soyez ma Boswell.

Elle acquiesça d'un signe de tête et prit note.

Puis elle le regarda de nouveau, le crayon levé. Il l'observait attentivement tout en jetant des coups d'œil à la route devant eux.

— Vous me rappelez quelqu'un, dit-il. Une femme que j'ai vue au Guatemala il y a deux ans.

Elle ne dit rien mais nota : « Souvenir du Guatemala, il y a deux ans... »

— L'histoire se passait sur la frontière, continua Jeffers, où les militaires essayaient de réduire quelques bandes appartenant à la guérilla. L'un de ces conflits où les Américains prennent une part active bien qu'ils prétendent le contraire. Il y avait là des conseillers militaires, de l'armement sophistiqué made in USA, des types de la CIA en treillis et lunettes de soleil, sans oublier les croiseurs de la Navy patrouillant au large des côtes. (Il eut un petit rire et reprit.) Rappelez-moi de vous parler des tromperies. Nous, les Américains, nous sommes très forts dans ce domaine...

Elle souligna trois fois le mot « tromperies ».

— Ce qu'il y avait de certain au Guatemala, continua-t-il, c'est que la population indienne faisait particulièrement et cruellement les frais de cette guerre. De tous temps, les marxistes ou les conservateurs, ou encore les prétendus démocrates, avaient à un moment ou à un autre massacré des Indiens. A vrai dire, ceux-ci n'avaient jamais été considérés comme des êtres humains. Quand, par exemple, un village indien se trouvait pris entre deux belligérants, il était simplement ignoré.

— Que voulez-vous dire par « ignoré » ? demanda-t-elle d'une voix hésitante.

— Bien, très bien, Boswell, dit-il en souriant. Les questions aidant à clarifier le débat sont toujours les bienvenues. (Il marqua une pause, réfléchissant.) Quand deux bandes rivales étaient prêtes à s'affronter, mais que l'endroit où elles se trouvaient faisait partie d'une grande propriété... elles allaient d'un commun accord un peu plus loin. C'était tout autre chose quand il s'agissait d'un village indien. Ils n'en avaient rien à foutre que le village soit rasé et sa population tuée. (Il hésita.) Le sang des enfants, ça c'est une chose que les Américains ne veulent pas voir. Le patron de l'agence regardera d'un air grave les photos d'enfants massacrés que vous avez prises, il vous dira qu'elles sont très fortes, bon Dieu, quel terrible réquisitoire contre la guerre, mais non, ils ne pourront pas les vendre, cela heurterait l'opinion et la sensibilité de nos braves concitoyens. (Il la regarda.) Il y avait cette femme indienne tenant dans ses bras son enfant ensanglanté. Elle a levé la tête juste au moment où je la prenais en photo. Elle avait les mêmes yeux que vous. (De nouveau il s'arrêta.) Je me trouvais à côté d'un type de la CIA qui s'appelait Jones ou Smith, je ne sais plus quel nom bidon il nous avait donné. Il a vu la femme et l'enfant et il m'a dit : « Il a sans doute été touché par les mortiers rebelles. Vous avez remarqué comme leurs tirs étaient trop courts. Ces putains de Russes leur fournissent toujours du matériel pourri. C'est con, non ? »

Jeffers demeura pensif pendant un instant avant de reprendre :

— Oui, je me rappelle ce qu'il m'a dit mot pour mot, ce conseiller en massacre qui n'était pas censé se trouver là...

Jeffers se tut et sembla ne plus s'intéresser qu'à la route.

— Vous avez compris ce qu'il disait ? demanda-t-il soudain.

— Pas tout à fait, répondit-elle.

Sans hésiter, Jeffers ôta sa main droite du volant et la gifla durement.

— Réveillez-vous, bon Dieu ! Faites marcher votre matière grise !

Elle se rencogna, apeurée, au bout de son siège, s'efforçant désespérément de refouler les larmes qui lui venaient aux yeux. Ce n'était pas la douleur — bénigne par rapport à ce qu'elle avait déjà enduré — mais la soudaineté du coup qui la bouleversait. Elle respira à fond, lutta pour retrouver la maîtrise de sa voix.

— Il voulait dire que ce n'était pas notre faute...

— Oui, et puis ?

— Il rejetait la faute sur les Russes.

— Exact ! (Jeffers sourit.) Vous voyez, c'est tout de même plus facile quand on réfléchit un peu.

Elle acquiesça d'un hochement de tête.

— Cruauté gratuite. Tromperie. Si nous n'avions pas été là, cette femme n'aurait pas perdu son enfant, en tout cas pas si tôt, pas si vite. Mais nous étions là, n'est-ce pas, et bien entendu on n'était coupables de rien... (Il eut un rire sinistre.) Tromperie, tromperie et compagnie.

Elle prit note.

Anne Hampton avait beaucoup de questions à lui poser, mais elle préféra s'abstenir.

Au bout d'un moment, il reprit :

— Les gens pensent qu'il est difficile de tuer, mais c'est pourtant la chose la plus facile au monde. Ouvrez votre journal.

Qu'est-ce qu'on y lit ? Des maris tuent leurs femmes. Des femmes tuent leurs maris. Des parents tuent leurs enfants. Des enfants se tuent les uns les autres. Des Noirs tuent des Blancs, des Blancs tuent des Noirs. Nous tuons en secret, en douce, en public, nous tuons avec préméditation, par accident, avec des fusils, des bombes, des couteaux, des voitures. Mais on tue aussi quand on coupe l'aide alimentaire à des pays atteints de famine. On tue aussi sûrement que si on faisait sauter la tête d'un enfant au ventre gonflé par la faim. Quand on y réfléchit, toute notre approche du monde, de la vie elle-même, est basée sur la question de savoir qui nous pouvons tuer ou pas à tel ou tel moment. Et quelles armes nous pourrons ou pas employer. Notre politique étrangère ? Une politique de mort. (Il regarda la route et éclata de rire.) Je vous fais peur en parlant comme ça ? demanda-t-il.

Elle sentit son cœur battre plus vite tandis qu'elle cherchait une réponse susceptible de le satisfaire. Elle ferma les yeux et choisit la vérité.

— Oui, dit-elle.

— C'est une réponse sensée, remarqua-t-il.

Il resta silencieux pendant un moment avant de reprendre :

— De toute façon je ne tenais pas spécialement à parler de politique avec vous. Quand vous me connaîtrez mieux, nous pourrons avoir des conversations un peu plus... sophistiquées, disons.

— Puis-je vous poser une question ? demanda-t-elle timidement.

— Ecoutez, dit-il avec une certaine irritation dans la voix, vous pouvez toujours demander. Je vous l'ai déjà dit. Ne me faites pas répéter les choses. Que vous obteniez une réponse ou bien ceci... (Il lui montra son poing.) Tout dépendra de mon humeur. (Il tendit la main vers sa cuisse et la pinça cruellement juste au-dessus du genou.) Il n'y a pas de règles établies. Le jeu progresse seulement par étapes successives jusqu'à la fin.

Il relâcha sa jambe. Elle avait mal, mais elle n'osa pas se masser la cuisse afin d'atténuer la douleur.

— Posez votre question ! ordonna-t-il.

— Est-ce que nous allons dans un endroit où je pourrais apprendre à mieux vous connaître ?

— Très bien, Boswell, dit-il avec un sourire. Excellente question.

Il la regarda en souriant toujours.

— C'est évident, dit-il enfin. Ce voyage est entrepris dans ce seul but : que je n'aie plus aucun secret pour vous, Boswell.

Il reporta de nouveau son attention sur la route, et ils continuèrent de rouler en silence.

Anne Hampton rêvait tout éveillée quand ils dépassèrent la ville de Mobile. Il était encore tôt, et elle pensa à l'agréable sensation que l'on a, l'été, en se levant avec le jour. Elle se rappela qu'étant enfant elle aimait vagabonder dans la maison quand tout le monde dormait encore. Parfois, elle entrouvrait sans bruit la porte de la chambre de ses parents et les regardait dormir. Puis elle allait contempler son frère dans la chambre voisine. Il gisait étalé en travers de son lit, plongé dans un sommeil profond. Il dormait toujours jusque tard dans la matinée, comme s'il emmagasinait cette énergie qu'il allait dépenser avec tant d'ardeur au cours de la journée. Elle sourit. Quand Tommy était mort, pensa-t-elle, la terre entière avait probablement enregistré un ralentissement — un ralentissement si infime que seuls avaient pu le mesurer les plus grands des savants munis des instruments les plus perfectionnés. Quand je mourrai, se dit-elle, j'aurai de la chance s'il se forme une ridule à la surface d'une mare ou que s'entende le plus ténu des bruissements dans les frondaisons.

Elle cligna des yeux plusieurs fois avec l'espoir de clarifier ses pensées. Je me préoccupe trop de la mort, pensa-t-elle. Mais pourquoi en serait-il autrement ? Elle jeta un regard à Jeffers qui sifflotait un air qu'elle ne put reconnaître.

— Me parlerez-vous uniquement de la mort ? demanda-t-elle.

Il tourna la tête vers elle avant de regarder de nouveau la route. Il sourit.

— C'est bien, Boswell, dit-il. Vous avez posé une question de journaliste. (Il marqua une pause.) Non, j'essaierai de parler d'autre chose. Vous avez soulevé un point intéressant. Le problème, c'est que la mort a un attrait certain pour moi. J'aime plus ce qui s'achève que ce qui commence.

Il se tut de nouveau, l'air pensif. Anne Hampton tenta de noter la totalité de ses paroles, et elle considéra avec désespoir son écriture. Elle était à peine lisible, et elle se demanda soudain avec panique s'il allait s'en alarmer.

Jeffers se mit à sourire et eut un bref éclat de rire.

— Tenez, j'ai une histoire pour vous. La meilleure histoire sur la vie que je connaisse. Je vous en trouverai d'autres du même genre de temps à autre, mais celle-ci s'est passée quand je travaillais pour le *Times Herald*, à Dallas, dans les années soixante-dix.

» Je me trouvais au journal quand on a reçu l'appel de ce type qui disait qu'il venait de se passer la chose la plus dingue qu'il ait jamais vue. Ah ouais, et c'est quoi ? demanda avec ennui le collègue qui avait pris la communication. Et le type se met à raconter qu'un couple avait eu une querelle de ménage. Ils étaient en instance de divorce, et ils se disputaient la garde de l'enfant. Ils voulaient chacun s'emparer de l'enfant. Et l'homme, dans sa rage, avait arraché le bébé si violemment des mains de sa femme que hop ! le bébé était tombé dans le vide du quatrième étage !

» Mon collègue se réveille, parce que c'est tout de même quelque chose, cette histoire de gosse jeté par la fenêtre, et il commence à me crier de courir là-bas avec un journaliste quand il s'aperçoit que l'autre à l'autre bout du fil essaie de l'interrompre. Ouais, ouais, dit-il, donnez-moi l'adresse. Vous ne comprenez pas, répond l'autre. Qu'est-ce que je ne comprends pas ? réplique le collègue. Le plus beau dans l'histoire, dit l'autre, c'est que quelqu'un a rattrapé le bébé au vol. Quoi ! s'exclame mon collègue. Oui, dit le type, quelqu'un passait juste en dessous, il a levé la tête et il a vu le bébé tomber... et il l'a attrapé au vol.

Jeffers regarda Anne Hampton. Elle sourit.

— Vraiment ? Il a attrapé le bébé ? Je n'arrive pas à croire...

— Si, si, je vous promets. (Jeffers éclata de rire.) Du quatrième étage. Exactement comme un joueur de football faisant un arrêt de volée.

— Qu'est-ce qu'un arrêt de volée ?

— C'est quand un joueur rattrape le ballon sans bouger de la place où il est, sans essayer d'avancer. Les autres joueurs, dans ce cas, n'ont pas le droit de le tacler.

— Mais comment a-t-il fait...

— J'aimerais bien le savoir, répondit Jeffers en riant encore. Ce type a dû avoir une formidable présence d'esprit... Je pense que la plupart des gens voyant une forme tomber dans le vide se seraient écartés du chemin aussi vite que possible. Lui, non.

— Lui avez-vous parlé ? Qu'a-t-il dit ?

— Il a simplement dit qu'il avait levé les yeux et qu'il avait su comme ça, tout de suite, que c'était un bébé, et il s'était placé dans l'axe de la chute. Il avait fait du base-ball, avait-il ajouté, et tout le monde avait opiné du bonnet en pensant : Ah oui, ça explique tout, ce qui était stupide parce que ça n'expliquait rien du tout. Les joueurs de base-ball ne s'entraînent pas avec des bébés.

Jeffers regarda Anne Hampton. Elle ne put s'empêcher de sourire. L'instant d'après, ils riaient tous les deux.

— C'est incroyable. Et merveilleux en même temps.

— Les photographes vont souvent d'un événement incroyable à un autre. (Jeffers hésita.) Notez ce que je viens de dire. (Il se tut pendant qu'elle écrivait.) Ce que je peux vous dire, reprit-il quand elle eut relevé la tête, c'est que cette histoire a été le sujet du mois. J'ai photographié le type. Il avait le plus beau et le plus timide des sourires. On riait tous comme des fous, les journalistes, les photographes, les équipes de télé, les passants, les voisins, même les flics. Et même le père du bébé, à qui on avait passé les menottes parce qu'il est interdit de jeter les enfants par les fenêtres. Il n'avait pas l'air très ému qu'on l'arrête, d'ailleurs. J'ai pris aussi la mère en photo. Cette femme était passée de la terreur la plus totale au bonheur le plus fou en l'espace de deux secondes. Et il y avait ce bouleversant mélange de sentiments dans son regard. Une photo facile. Je l'ai fait poser le bébé dans les bras, le sauveur à côté d'elle. Clic-clac ! Miracle et joie en noir et blanc.

— Incroyable, dit-elle.

— Oui, c'est le mot, approuva-t-il.

— Ce n'est pas une blague que vous m'avez racontée pour... pour me mettre à l'aise ?

— Non, certainement pas. Ce n'est pas dans mon caractère.

— De quoi ?

— De mettre les gens à l'aise.

— Je ne voulais pas dire...

— Je sais ce que vous vouliez dire, l'interrompit-il. (Il lui jeta un regard et lui sourit.) Mais ça devrait quand même vous mettre plus à l'aise.

Elle éprouva une étrange chaleur.

— C'est une belle histoire, dit-elle.

— Notez-la, dit-il.

Elle se mit à écrire rapidement : « ... Et le bébé vécut. » Elle considéra sa dernière phrase pendant un moment. Vivre.

Elle eut envie de pleurer, mais elle parvint à se retenir.

Ils continuèrent de rouler dans le premier silence serein depuis leur départ.

Ils dépassèrent Gulport alors que la matinée avançait. De temps à autre la route s'orientait en direction du golfe du Mexique, et Anne Hampton contemplait la vaste étendue marine. Cette vision la rassurait, et il lui arrivait de s'évader pendant quelques instants en suivant des yeux le vol des mouettes au-dessus des vagues.

Il était environ midi quand Jeffers dit :

— Il faut faire le plein.

Il quitta l'autoroute pour prendre l'étroite voie qui menait à la première station-service qu'il repéra. Il y avait trois voitures rangées devant l'atelier de réparation qui jouxtait le bureau et les toilettes de la station. Deux conduites intérieures poussiéreuses et cabossées et un coupé sport customisé tout chrome et rouge étincelant, chaussé d'énormes boudins jantés de rayons passionnément astiqués. Le bijou de quelque jeune frimeur de province, pensa Anne en regardant la voiture tandis que Jeffers s'arrêtait devant les pompes.

— Vous pouvez aller aux toilettes, dit-il d'une voix rude qui la fit sursauter. Vous connaissez les règles ?

Elle fit signe que oui.

— Je n'ai pas à vous les répéter, n'est-ce pas ?

Elle fit signe que non. Elle remarqua qu'il glissait son revolver à canon court dans sa ceinture sous la chemise. Elle détourna la tête.

— Bien, dit-il. Cela facilite les choses. Maintenant, ne bougez pas jusqu'à ce que je vienne vous ouvrir la portière.

Elle attendit.

— Dépêchez-vous, lui dit-il en ouvrant la portière.

Elle leva les yeux et vit un jeune type aux longs cheveux noirs, coiffé d'une vieille casquette de base-ball, se diriger vers eux en traînant les pieds.

— Le plein ? demanda-t-il en leur jetant un bref coup d'œil.

— Oui, le plein, répondit Jeffers. Où sont les toilettes pour dames ?

— Vous préféreriez pas celles des hommes ? répliqua le garçon en souriant.

Anne Hampton se demanda avec effroi si Jeffers n'allait pas sur-le-champ descendre l'impertinent. Mais au contraire, cela le fit rire.

— Non, dit-il, c'est pas pour moi mais pour la dame.

Le jeune homme pencha la tête et sourit à Anne, qui s'efforça avec peine de lui retourner son sourire.

Le garçon désigna le côté du bâtiment.

— La clé est derrière la porte. Mais il y a mon vieux dans le bureau. Il vous montrera.

Anne Hampton regarda Jeffers, et il acquiesça d'un imperceptible signe de tête.

Elle eut soudain très chaud en traversant l'espace découvert qui la séparait du bureau de la station. Elle eut l'impression que le vent était brusquement tombé. Elle leva les yeux et vit les fanions suspendus au toit de l'atelier s'agiter sous la brise. Elle éprouva une sensation de vertige et de nausée. Elle respira profondément et entra dans le bureau. Un vieil homme, avec une barbe de trois jours et une chemise maculée de cambouis, était assis derrière la caisse, une boîte de soda à la main.

— La clé des toilettes ? demanda-t-elle.

— Juste à droite, à côté de vous, répondit-il. Ça va, mademoiselle ? Vous êtes toute pâle. Vous voulez un soda ?

— Euh, non... oui, merci, monsieur...

— George, dit-il. Un Coca ?

— Oui, très bien.

Il lui tendit la boîte perlée de gouttelettes après l'avoir décapsulée lui-même, et elle se la passa sur le front.

Il sourit.

— J'aime bien faire ça, moi aussi, quand la chaleur me monte à la tête. Mais je préfère avec une bouteille de bière plutôt qu'avec une boîte de soda.

Elle lui rendit son sourire.

— Combien je vous dois ? demanda-t-elle avant de réaliser soudain qu'elle n'avait pas d'argent sur elle.

Elle se tourna vers la fenêtre, cherchant des yeux Jeffers.

— Rien du tout, c'est pour moi, répondit le vieil homme. J'ai plus beaucoup l'occasion d'offrir à boire à de jolies femmes. Et puis ça rend le gosse jaloux.

Il rit, et elle en fit autant, avec une vive sensation de soulagement.

— Je vous remercie.

Elle but une gorgée de soda.

— De rien. Où allez-vous ?

Elle manqua s'étouffer. Où ? se demanda-t-elle. Que faut-il que je dise ?

— Louisiane, répondit-elle. Juste un long week-end.

— C'est la bonne époque, dit le vieil homme. Peut-être un peu chaud. Beaucoup de gens passent par ici, mais ils ne s'arrêtent pas. Ils ont tort, parce qu'il y a une jolie plage pas loin d'ici, et c'est bon aussi pour la pêche. Bien sûr, c'est pas un coin aussi célèbre que certains. Mais c'est à cause de la publicité, ça. De nos jours, il n'y a qu'une seule façon de se faire connaître.

— Oui, faire passer le message, dit-elle.

— Oui, approuva-t-il, mais le bon message.

— Exact.

— Tenez, par exemple mon gosse est un bon mécanicien, meilleur que moi, je dois l'avouer, bien qu'une voiture ait pas beaucoup de secrets pour moi, mais les gens ne le savent pas qu'il est très bon. Alors ils emmènent leurs bagnoles dans ces grands garages qu'on trouve à côté des centres commerciaux, alors que nous, ici, on leur ferait un meilleur travail pour moitié prix.

— Ça, c'est sûr.

Il rit.

— Ça va mieux ?

— Oui, dit-elle.

— Oui, mademoiselle, c'est la publicité qui fait marcher le pays aujourd'hui. Que vous répariez des voitures ou vendiez des hamburgers, il faut vous faire connaître, lancer le message.

Il lui tendit la clé des toilettes.

Elle le remercia d'un signe de tête et se dirigea vers la porte qu'il lui indiquait.

Il faisait frais à l'intérieur des lavabos, mais l'air y était confiné. Elle utilisa rapidement la cuvette puis alla se rafraîchir le visage au robinet du lavabo. Elle se regarda dans la glace. Elle était pâle, les traits tirés. J'ai déjà vu cette scène cent fois, pensa-t-elle en s'emparant du morceau de savon. Elle revit l'image de James Cagney dans *l'Ennemi public*, écrivant sur le miroir : « Je suis au sommet du monde, m'man ! » Elle écrivit « Au secours » sur son reflet. Puis elle ajouta : « J'ai été... » Quoi ? Elle effaça ces derniers mots. Elle avait chaud, et sa main tremblait. Moi aussi je veux lancer un message, se dit-elle. « Appelez la police », écrivit-elle, puis elle l'effaça aussi en constatant qu'elle avait écrit trop vite et que c'était illisible. Et puis lui dire quoi, à la police ? Elle eut brusquement la nausée et dut s'appuyer des deux mains au lavabo.

Elle releva la tête et effaça tout ce qu'elle avait écrit. Le savon maculait maintenant la surface du verre de longues traînées blanchâtres. Elle éprouva un terrible sentiment d'impuissance.

Il y eut un léger grattement sur la porte.

C'est le vent, se dit-elle tout en s'efforçant d'effacer avec une serviette en papier toute trace de savon sur la glace.

Mais qu'est-ce que je voulais faire ? se demanda-t-elle avec effroi. Veux-tu te faire tuer ? N'entreprends rien. Continue de lui obéir. Il ne te tuera pas. Elle se dit cela tout en étant persuadée du contraire. Elle savait qu'il l'utiliserait, et puis, quand elle aurait perdu toute espèce d'utilité pour lui, il la tuerait.

La porte fut de nouveau secouée.

Elle se regarda de nouveau dans la glace, à la recherche d'une expression qui pourrait la trahir. Elle se trouva l'air hagard. Elle arrangea un peu ses cheveux et ressortit des toilettes. Elle rendit la clé au vieil homme, et elle se dirigeait vers les pompes quand elle se figea de peur.

Jeffers parlait avec un policier de la route. Les deux hommes portaient des lunettes de soleil, et elle ne pouvait voir leurs yeux. Elle s'arrêta, incapable d'avancer.

Elle vit Jeffers tourner la tête vers elle et lui sourire en lui faisant discrètement signe d'approcher.

Elle ne put bouger.

Jeffers lui fit de nouveau signe.

Marche ! pensa-t-elle avec désespoir. S'arrachant à une véritable paralysie, elle parvint à faire un pas, puis un deuxième. La distance qui la séparait de la voiture et des deux hommes lui semblait interminable. On va tous mourir, pensa-t-elle. Elle vit Jeffers plonger la main sous sa chemise, entendit la détonation, vit le policier s'effondrer en déchargeant son arme dans un dernier réflexe, et les balles frappant les pompes, et le soudain brasier...

— Allez, monte, Annie.

La voix de Jeffers la tira de sa transe.

— Si j'ai bien compris, dit-il en se tournant de nouveau vers le policier, quand j'arrive à La Nouvelle-Orléans la route bifurque. La voie numéro 16 me conduit au centre de la ville et la 14 aux parcs côtiers ?

— Exactement, répondit le policier.

Il sourit à Anne Hampton et porta deux doigts à sa casquette. Ce petit geste de politesse lui étreignit le cœur.

— Eh bien, merci beaucoup de votre aide, dit Jeffers.

— De rien, répondit le policier. Bonne route.

Il se dirigea vers sa propre voiture tandis que Jeffers se glissait derrière le volant. Il démarra lentement et prit la bretelle de sortie pour regagner l'autoroute. Soudain, il demanda d'une voix âpre :

— De quoi parliez-vous avec le vieil homme ?
— Je... je sens que je vais être malade, dit Anne Hampton.
— Si vous êtes malade, répondit Jeffers en étrécissant les yeux, tout le monde meurt.
Elle serra les dents et ferma les yeux.
— On parlait de la publicité, dit-elle. Il disait qu'aujourd'hui on n'arrivait à rien dans le commerce sans publicité.
— La pub fait marcher le monde tout autant que le pétrole des Arabes, dit Jeffers.
Il lui jeta un coup d'œil interrogateur.
— Je vais bien, répondit-elle.
Elle lui rendit son regard et vit qu'il s'était détendu de nouveau. Il souriait vaguement.
— Très bien, Boswell, dit-il. Quand vous vous sentirez mieux, racontez-nous par écrit ce petit intermède. Insistez sur l'entrée en scène du flic. Dites l'odeur du danger.
Il se mit à siffloter en débouchant sur l'autoroute et accéléra joyeusement.

Douglas Jeffers conduisait, l'air rêveur. Anne Hampton à côté de lui se taisait, contemplant d'un regard absent le paysage qui défilait. Il la sentait encore sensible aux forces qui étaient en elle. Qu'elle ne fût pas pleinement consciente de celles-ci ne l'étonnait pas. Elle avait encore la capacité de briser l'espèce de charme sous lequel il la tenait, de tenter de recouvrer sa liberté, mais cette capacité diminuait insensiblement. Dans un jour ou deux, pensa-t-il, elle n'en aurait même plus la velléité. Bien sûr, il devrait quand même se méfier : même les bêtes les plus domestiquées étaient capables de se rebiffer. Il devrait guetter le moindre signe de révolte. D'autre part, il lui suffirait de lui faire observer que la prise de conscience de son esclavage ne ferait que l'affaiblir, aggravant son désespoir, chassant de son esprit jusqu'à l'idée même de liberté. Il lui jeta un regard à la dérobée. Elle continuait de fixer l'horizon.
Je peux faire d'elle ce qui me plaît, pensa-t-il.
Il étouffa un rire comme un mauvais élève au fond d'une classe qui vient de passer à son voisin une photo porno dans le dos du professeur.
Elle est comme l'argile, maintenant. Je peux la façonner à ma guise. Il se demanda si elle avait conscience que sa vie avait radicalement changé, qu'elle ne pourrait plus jamais redevenir ce qu'elle avait été.

Personne ne le pourra, pensa-t-il.

Il revit son expression terrifiée quand elle avait aperçu le policier. Demain elle sera tellement compromise qu'elle aura aussi peur que moi de la police. Et encore, je ne peux pas dire que j'en ai peur.

Il sourit. Elle est à moi. Du moins pendant quelque temps.

Quelle éducation elle va recevoir ! se dit-il.

Pas plus dure que la mienne.

Un triste souvenir lui revint : celui de cette nuit noire où la cousine et son mari les avaient emmenés chez eux, lui et son frère. Il avait six ans. Il se souvint de sa surprise à la vue de la maison. Elle lui avait paru si grande et imposante. Il avait eu peur, mais il se rappela ses efforts pour ne pas le montrer, surtout devant Marty. Cette maison ne ressemblait en rien aux chambres d'hôtel et aux parkings pour caravanes où sa mère avait eu coutume de les entraîner. Sa première mère. Pendant un instant, il crut retrouver l'odeur d'alcool et de parfum qui était pour lui à jamais associée au souvenir de cette femme. Il abaissa sa vitre, laissant un peu d'air entrer dans la voiture.

Il se rappela que Marty lui agrippait la main. Il faisait sombre dans l'escalier alors que la cousine et son mari les conduisaient à leur chambre. C'était une pièce minuscule aux murs blancs. Deux petits lits de camp étaient dressés côte à côte. Il n'y avait qu'une seule lampe sans abat-jour, et le froid entrait par la fenêtre restée ouverte.

Cette pièce avait été son premier champ de bataille. Marty, épuisé, s'était endormi aussitôt, mais lui avait contemplé les murs nus. Il se rappelait parfaitement la discussion qui avait eu lieu le lendemain matin.

Est-ce qu'on peut accrocher quelque chose sur les murs ?

Non.

Pourquoi ?

Ça les salirait.

Nous ferons attention.

C'est non.

S'il vous plaît.

Cesse de gémir ! J'ai dit non !

Ce n'est pas une chambre, c'est une prison !

Je vais t'apprendre à ne pas me parler sur ce ton !

Il avait reçu sa première correction. Il trouvait curieux de ne pas être ému au souvenir des coups que son nouveau père lui infligeait. En revanche, il éprouvait une haine terrible envers elle, qui restait assise à regarder sans jamais intervenir. Maudits soient ses yeux ! pensa-t-il.

Il se souvint encore de ce jour où, en classe de dessin, il s'était emparé d'une grande feuille de papier pour y peindre un arc-en-ciel. Puis sur une autre feuille il avait peint un paquebot sur une mer démontée. Enfin sur une troisième il avait représenté un pirate, barbe noire et bandeau rouge, l'épée à la main. Il avait laissé sécher ses peintures et il était revenu dans l'après-midi demander au professeur de dessin s'il pouvait les emporter chez lui. Le professeur avait accepté, et il était allé s'enfermer dans les toilettes. Là, il avait baissé son pantalon et avait soigneusement enroulé ses peintures autour de ses jambes.

Il se rappela son arrivée à la maison. Il boitait légèrement à cause des feuilles. Qu'est-ce que tu as ? avait demandé la marâtre. Je suis tombé à l'école. Mais ce n'est rien. Je n'ai même plus mal. Il était monté dans leur chambre où il avait trouvé Marty en train d'essayer de jouer avec une boîte à chaussures vide. Il se rappela la joie de Marty à la vue des peintures. Un bateau ! s'était écrié son jeune frère. Pour nous ramener chez maman !

Ce voyage durait encore, pensa-t-il.

Il doubla un camion dont le moteur faisait un bruit assourdissant. Il vit Anne Hampton grimacer sous l'assaut du bruit. Il se rabattit à droite alors que le camion diminuait dans le rétroviseur, et il s'efforça de ne plus penser à rien, d'avoir l'esprit aussi blanc et nu que ces affreux murs qui avaient enfermé son enfance.

Ils dépassèrent les faubourgs de La Nouvelle-Orléans alors que le ciel commençait à s'obscurcir de gros nuages gris. Anne Hampton remarqua que Jeffers accélérait à mesure que le temps se gâtait, et quand les premières gouttes de pluie s'écrasèrent sur le pare-brise il mit en marche les essuie-glaces en poussant un juron.

Elle se garda bien de tout commentaire, sachant qu'il ne parlerait que lorsqu'il le voudrait bien. Au bout d'un moment, il brisa le silence, prouvant que sa prudence était justifiée.

— Cette putain de pluie va compliquer les choses, dit-il.

— Pourquoi ?

— Il sera plus difficile de reconnaître le terrain. Cela fait longtemps que je ne suis pas venu ici.

— Pouvez-vous me dire où nous allons ?

— Oui.

Il resta silencieux.

— Vous n'êtes pas obligé de...

— Non, l'interrompit-il, je vais vous le dire. Nous allons dans un endroit appelé Terrebonne, sur la côte. Ce n'est pas loin d'une petite ville, Ashland. Je n'y suis pas revenu depuis le 8 août 1974. C'est pourquoi la pluie, ou une nouvelle route, et Dieu sait s'il s'en construit, des nouvelles routes, risquent de m'empêcher de retrouver ce coin.

Anne Hampton regarda par la vitre le terrain marécageux parsemé de-ci de-là par de petits bosquets de pins ou de saules. Il y avait dans ce paysage quelque chose de primitif qui la fit frissonner.

— C'est très sauvage, dit-elle.

— Oui, c'est un endroit fantastique. On se croirait sur une autre planète. C'est perdu, isolé, oublié. J'ai vraiment aimé quand j'étais ici.

Pendant un moment elle crut que son cœur allait s'arrêter de battre. Sa gorge se serra. Elle déglutit avec peine en pensant que c'était là qu'il avait l'intention de la tuer. Elle ouvrit la bouche, mais aucun son n'en sortit.

Elle savait qu'elle devait rompre le lourd silence qui venait de tomber, et elle chercha avec frénésie quelque chose à dire, alors que sa seule envie était de hurler. Finalement, quand elle put articuler quelques mots, elle regretta aussitôt sa question :

— Est-ce que nous sommes obligés d'aller là-bas ?

— Pourquoi pas ? répliqua-t-il.

— Je ne sais pas, bafouilla-t-elle, c'est... euh... tellement isolé...

— C'est justement ce qui fait son intérêt.

Il lui jeta un coup d'œil.

— Vous ne notez pas ? demanda-t-il d'un ton irrité.

Elle s'empara du bloc-notes et du crayon, mais sa main tremblait et son écriture était illisible.

Au même instant il la frappa du plat de la main. Elle poussa un gémissement, lâcha son crayon, mais au prix d'un énorme effort se pencha pour le ramasser et se radossa à son siège.

— Je suis prête, dit-elle.

— Vous allez arrêter de vous conduire comme une idiote, dit-il.

— J'essaie.

— Essayez plus fort.

— Je vous promets que ça ne se reproduira plus.

— Bien. Il y a encore de l'espoir pour vous.

— Merci. Je... je...

Elle ne put poursuivre et s'abandonna à la sensation de calme qui l'envahit soudain. Elle écouta le couinement des essuie-glaces sur le pare-brise tout en se demandant sans émotion ce qui allait se passer.

— Sacrée Boswell, dit Jeffers un moment plus tard.

Il pensa vaguement à la rassurer, à lui faire savoir qu'il projetait de l'employer plus longtemps qu'elle ne pensait. Mais il se dit qu'il valait mieux l'entendre pleurer et se désespérer plutôt que lui redonner confiance.

— Vous devriez penser un peu moins à la longévité et davantage à la qualité, finit-il par dire.

Elle hocha la tête.

— Notez cela, dit-il. Le monde selon Douglas Jeffers. Le journal du pauvre Douglas. C'est votre travail.

— Oui, bien sûr, dit-elle.

— Savez-vous où nous allons, Boswell ? demanda-t-il abruptement. (Il répondit à sa propre question.) Nous allons rendre visite à une vieille amie. Ne pensez-vous pas que les souvenirs sont comme de vieux amis ? Vous pouvez les faire revivre aussi aisément que vous prendriez le téléphone pour appeler une connaissance. Ils accourent à votre appel pour vous réconforter.

— Et si ce sont de mauvais souvenirs ? demanda Anne Hampton.

— Bonne question, répondit-il. Mais je pense que d'une certaine façon les mauvais souvenirs sont aussi utiles que les bons. De toute façon, les souvenirs ne sont jamais que des moments du passé, et que nous importe qu'ils soient bons ou mauvais. Nous sommes loin d'eux, nous sommes ailleurs...

» Et puis je ne sélectionne pas les souvenirs. Ils composent un unique tableau. Comme dans ces documentaires sur la nature où l'on voit une fleur éclore.

Elle prit note.

Jeffers eut un rire glacé.

— Nous allons là où le nouveau Douglas Jeffers a éclos... (Il se pencha en avant pour regarder le ciel.) L'un des lieux les plus sombres de la terre. (Il jeta un regard à Anne Hampton.) Savez-vous qui a écrit cela ?

Elle secoua la tête négativement.

— Allons ! Vous êtes étudiante en lettres, non ? Alors réfléchissez un peu !

— Shakespeare ?

Il rit.

— Non. Trop facile. C'est un auteur moderne.

— Melville ?

— Ah, vous vous rapprochez.

— Faulkner ? Non... euh, Hemingway ?

— Pensez à la mer.

— Conrad !

Jeffers rit, et elle se joignit à lui.

Une minute après, elle demanda :

— Pourquoi allons-nous dans l'un des lieux les plus sombres de la terre ?

— Parce que c'est là que j'ai découvert mon âme, répondit Jeffers d'un ton sans passion.

Ils roulèrent pendant quelque temps en silence. Anne Hampton vit le regard de Jeffers s'éclairer soudain à la vue d'un panneau annonçant une route secondaire.

— Bon Dieu, c'est là ! s'exclama-t-il.

Il prit la bretelle de sortie et, l'instant d'après, ils se retrouvèrent sur une route étroite bordée de grands arbres qui formaient comme un tunnel s'enfonçant à travers la grisaille et la pluie.

— L'amour est douleur, dit Jeffers.

Il attendit un moment avant de poursuivre :

— Quand j'étais petit, je dormais dans la même chambre que ma mère. Nous n'avions pas le choix : il n'y avait qu'une seule pièce. Quand ma mère rentrait la nuit, accompagnée d'un homme, je les entendais se faufiler vers le lit en essayant de faire le moins de bruit possible pour ne pas me réveiller, car j'étais censé être endormi. Mais je ne dormais pas. Il y avait une petite veilleuse de couleur rouge allumée dans la chambre, et je n'avais qu'à entrouvrir les yeux pour ne rien perdre du spectacle. Je me souviens des gémissements de ma mère puis de ses cris de plaisir et de douleur à la fois. Je n'ai jamais oublié...

» C'est curieux, non ? Plus on aime, plus ça fait mal. Ne dit-on pas : qui aime bien châtie bien ?

Il regarda Anne Hampton.

— On tue toujours ce que l'on aime, ajouta-t-il froidement.

Puis il reporta toute son attention sur la route.

— Nous approchons, dit-il.

Mais elle l'entendit à peine, car la peur s'était emparée d'elle, paralysant tous ses sens.

Ils continuèrent de rouler à travers la campagne, qu'elle voyait se couvrir de nuages plus sombres encore. Ils devaient approcher de la côte. Jeffers demeurait silencieux, son attention concentrée sur la route. Des éclairs zébraient le ciel, suivis par des grondements de tonnerre qui noyaient le bruit du moteur et de la pluie qui tambourinait maintenant sur le toit. Elle pria pour qu'ils n'aient pas à sortir de la voiture, mais elle savait qu'ils le feraient. Et puis elle se dit que cela importerait peu qu'elle se mouille ou pas. Tout de même elle trouvait injuste de devoir frissonner sous la pluie et d'être trempée comme une soupe quand il la tuerait.

Jeffers engagea la voiture sur une autre route, plus étroite encore.

Elle garda le silence, essaya de penser à ses parents, ses amis, au soleil et à la mer qui semblaient avoir disparu sous la pluie et le vent.

Jeffers prit soudain une route en terre, et ils avancèrent secoués par les ornières.

— Nous allons nous embourber si nous continuons sur cette route. Bon Dieu, nous ne sommes plus qu'à cinq cents mètres...

Il arrêta la voiture sur un bout de terrain herbeux.

Elle détesta la brusque disparition du bruit du moteur. Le silence semblait l'envelopper.

— Douglas Jeffers pense à tout, dit-il.

Il se tourna pour prendre un sac sur la banquette arrière. Il tira la fermeture Eclair et en sortit un poncho d'un jaune criard et un ciré vert. Il lui tendit le poncho.

— Dans mon métier, expliqua-t-il, il faut toujours prévoir ce genre d'accessoire si on aime son confort.

Il l'aida à enfiler le poncho. Puis il se glissa dans son ciré.

— Très bien, allons-y.

Le tonnerre gronda au-dessus d'eux, et une rafale de vent secoua la voiture. Jeffers eut un sourire de carnassier et sortit de la voiture. La seconde suivante, il ouvrait la portière du côté passager, et Anne Hampton jugea préférable de sortir sans marquer d'hésitation.

La force de la pluie lui coupa le souffle, et pendant un instant elle resta debout immobile, désorientée, assommée par la force du vent. Elle sentit la main de Jeffers se fermer sur son bras, et elle se laissa entraîner. La route était sableuse, et elle peinait. Dans le fatalisme qui l'accablait, elle se demanda toutefois pourquoi il lui avait donné le poncho. N'y avait-il pas là comme un signe d'espoir ? Elle prit conscience en même temps avec une crainte accrue que toute tentative de raisonnement était vouée à l'échec en ce qui concernait le comportement de Douglas Jeffers. Elle ferma les yeux et se laissa tirer en marmonnant d'indistinctes prières.

— Allez ! cria Jeffers. Avancez, que diable !

Elle continua d'avancer en gardant les yeux fermés. Bêtement, elle se demanda soudain s'il lui consentirait la cigarette du condamné. Ses larmes se mêlèrent à la pluie ruisselant sur son visage.

Soudain son pied droit s'enfonça profondément dans le sable, et elle tomba en avant en poussant un cri étouffé. Jeffers lui tournait le dos et scrutait l'horizon, la main en visière au-dessus des yeux pour s'abriter de la pluie et du vent.

— Bon Dieu de merde ! jura-t-il.

Il donna un coup de pied rageur dans le sable.

— Merde et merde et merde !

Elle n'osa rien dire.

Il tourna en cercle pendant une minute, puis il se tourna vers elle et la vit, à quatre pattes, le visage levé vers lui. Il éclata alors d'un long rire qui se mêla au rugissement du vent et au crépitement sourd de la pluie.

— Ce n'est pas ici, dit-il enfin. On s'est trompés. Je vous l'avais dit que ce serait difficile de retrouver l'endroit après tout ce temps. Il devrait y avoir un grand saule, là, à droite. J'ai dû prendre le mauvais chemin.

Il l'aida à se relever.

— On retourne à la voiture, dit-il.

— C'est tout ? demanda-t-elle.

Mais Jeffers parut ne pas l'entendre. Il passa un bras autour de ses épaules et l'aida à marcher.

Il faisait bon à l'intérieur de la voiture. Jeffers lui donna une serviette pour s'essuyer les cheveux. Il était d'humeur gaie. Il démarra le moteur, et ils reprirent la direction de l'autoroute.

— Ça doit vous étonner que quelqu'un comme moi puisse se tromper, non ? demanda-t-il.

— Oui, répondit-elle.

Il sourit.

— Le plus drôle, dit-il, c'est que cet endroit a beaucoup d'importance pour moi. En tout cas le souvenir qu'il évoque.

Il sourit et accéléra avec précaution.

— Je ne sais toujours pas ce que nous cherchions, dit-elle.

Il hésita puis haussa les épaules.

— Mon premier rendez-vous, répondit-il. Mon premier amour.

— Une fille ?

— Bien sûr. (Il regarda les arbres et les marais qui bordaient la route.) Tous ces chemins de terre se ressemblent.

Elle acquiesça d'un signe de tête.

— C'est par là que je l'ai enterrée, dit-il.

Il avait dit cela si tranquillement qu'elle eut l'impression de recevoir un coup. Elle éprouva une violente nausée et adressa un signe désespéré à Jeffers. Il arrêta la voiture, comprenant aussitôt, ouvrit sa portière et, la tirant avec brutalité, il la fit passer sur lui et lui maintint la tête et les épaules en dehors, sous la pluie, tandis qu'elle vomissait dans des hoquets de douleur.

La nuit se referma sur eux alors qu'ils se dirigeaient vers La Nouvelle-Orléans. Jeffers, enfermé dans le silence, communiait avec ses souvenirs. Il essayait de se rappeler le nom de la fille. C'était un nom sudiste, comme Billie Jo ou Bobbi Jo. Il se souvenait de sa robe trop courte et trop serrée, et qui laissait peu de doute quant à sa profession. Il l'avait ramassée, sachant ce qu'il allait faire, jouant les nonchalants et exhibant une poignée de dollars. Elle avait commencé par se plaindre en voyant qu'il sortait de la ville, et il se souvint de lui avoir glissé vingt dollars de plus dans l'échancrure de son corsage en lui disant que c'était pour le déplacement. Elle s'était mise à babiller, et l'insipidité de son bavardage avait fini par l'irriter. Au premier coin désert, il s'était arrêté, s'était tourné vers elle et, tandis qu'elle se renversait sur le dossier incliné du siège et fermait les yeux, il l'avait assommée. Puis il s'était dirigé vers l'endroit qu'il avait repéré sur la carte, un lieu au nom français : Terrebonne. Il avait aimé cette route à travers les marais, seul avec ses pensées. Cela lui importait peu qu'elle soit inconsciente. Il était follement curieux du plaisir morbide à venir.

— C'était une pute, dit-il.

Anne Hampton hocha tristement la tête.

— Quelle vie avait-elle, de toute façon ? demanda-t-il avec colère.

Elle ne répondit pas.

— Vous avez la tête farcie d'une morale imbécile, reprit-il. Et puis vous ne comprenez pas. Elle était née pour mourir.

Moi, je suis né pour tuer. L'issue de notre rencontre était donc tout à fait logique.

Elle se tourna vers lui pour lui dire quelque chose, mais elle s'abstint.

— Vous aviez peut-être envie de me dire que c'est mal de tuer, n'est-ce pas ?

Elle hocha la tête.

— Peut-être, mais quelle différence cela fait-il ?

Elle ne sut que répondre.

— Je vais vous le dire : aucune.

Il la regarda de nouveau.

— Les gouvernements tuent pour des raisons politiques. Je tue pour le plaisir. Nous ne sommes pas tellement différents.

— Ce n'est pas aussi facile que ça, dit-elle soudain.

— Pas facile de tuer ? s'exclama-t-il. Pas facile ? D'accord.

La pluie avait diminué, mais la nuit était noire. Devant eux scintillaient les lumières de La Nouvelle-Orléans, et Jeffers accéléra. Il ne dit rien tandis qu'ils pénétraient dans la ville. Anne Hampton n'en éprouva aucun réconfort. Les rues et les réverbères diffusant une lueur pâle lui paraissaient aussi sinistres que les marécages de l'après-midi. Elle regarda Jeffers et ne put s'empêcher de frissonner. Il scrutait la rue dans laquelle ils passaient et semblait chercher quelque chose. Soudain, il freina et se rangea sur le bas-côté.

— Vous pensez que ce n'est pas facile de tuer, dit-il avec colère. Vous vous trompez, c'est très facile.

Il plongea la main dans le sac où il rangeait ses armes et en sortit le revolver à canon court. Il lui mit l'arme sous le nez.

— Difficile ? Regardez. Descendez votre vitre.

Elle fit ce qu'il demandait, et aussitôt l'humidité envahit l'intérieur de la voiture. Elle frissonna. Elle ne voulait pas savoir ce qui allait se passer. Jeffers sortit de la voiture et en fit le tour pour venir lui dire par la vitre baissée :

— Regardez bien.

Elle hocha craintivement la tête.

Elle le regarda qui se dirigeait vers ce qu'elle prit tout d'abord pour un tas de chiffons posé là sous le porche d'un immeuble pour s'apercevoir ensuite que c'était un clochard endormi.

Jeffers donna un léger coup de pied au dormeur.

— Réveille-toi, l'ami, dit-il.

L'homme souleva une tête grisonnante, les yeux voilés de sommeil et d'alcool.

Jeffers se retourna et regarda Anne Hampton. Elle remarqua que l'homme était barbu et qu'il ne paraissait pas en colère d'avoir été tiré de son sommeil mais seulement surpris. Elle rencontra soudain le regard de Jeffers, et elle eut l'impression d'être prise dans un trou d'air, de plonger dans un vide sans fin. Elle vit Jeffers qui se tournait de nouveau vers l'homme.

— Bonne nuit, l'ami. Désolé quand même qu'il en soit ainsi.

Il se pencha brusquement et, avec une rapidité déconcertante, poussa le canon du revolver dans la bouche entrouverte de l'homme et fit feu.

Il y eut une détonation étouffée, et l'homme fut violemment rejeté en arrière et ne bougea plus, comme emporté par un sommeil subit.

Anne Hampton ouvrit la bouche pour hurler, mais aucun son n'en sortit.

Jeffers s'écarta du clochard, jeta un coup d'œil de droite et de gauche puis regagna la voiture. Ils démarrèrent, tournèrent au premier carrefour puis au suivant et s'enfoncèrent dans le dédale des rues.

— Remontez votre vitre, dit Jeffers.

Sa main tremblait en tournant la poignée. Elle avait le souffle court, et un faible gémissement s'échappait de ses lèvres.

— Vous avez vu comme c'est facile, dit Jeffers.

Il la regarda.

— C'est votre faute, si j'ai fait ça. Votre faute. C'est comme si vous aviez pris vous-même le revolver et appuyé sur la détente. Comme si c'était vous l'assassin. Vous voyez ? Maintenant vous êtes comme moi. Comprenez-vous ? Comprenez-vous ce que signifie le mot « tuer » ?

Anne Hampton, le visage ruisselant de larmes, hocha la tête, accablée.

— Quel effet ça vous fait d'être un assassin ?

Elle était incapable d'articuler le moindre mot, d'avoir la moindre pensée, et il n'insista pas.

Il reporta son attention sur la route et accéléra.

VII. L'incrédulité de Martin Jeffers

Martin Jeffers se hâtait à travers le pavillon C, les pans de sa blouse blanche battant derrière lui. Les patients, qui déambulaient sans but dans les salles, s'écartaient gauchement de son chemin. Il avait de brefs hochements de tête pour ceux qu'il connaissait et qui l'accueillaient avec l'habituel assortiment de regards fixes, sourires, ricanements ou insultes qui composaient le quotidien dans les pavillons de sécurité. Il savait que sa hâte ne manquerait pas de provoquer des interrogations chez ce petit monde condamné à la routine et où toute manifestation à caractère d'urgence soulevait une vive curiosité.

Lui-même était troublé par la venue de cet inspecteur de la Criminelle. Tout en marchant vite, il se remémorait les dossiers de ses Garçons Perdus, cherchant qui parmi eux avait pu séjourner à Miami durant ces dernières années ou qui encore avait pu lui cacher quelque secret méfait. Son travail au sein d'un groupe dont le premier souci était de dissimuler avait développé chez Jeffers une remarquable aptitude à déceler le secret aussi bien que le refoulé. Toutefois, il eut beau passer brièvement en revue les cas dont il s'occupait, il ne trouva point d'indice susceptible de le mettre sur une piste. Par ailleurs, ce titre d'« inspecteur de la Criminelle » était chargé de mystère et de fascination. Il essaya de se représenter cette femme qui avait pour mission d'enquêter sur un meurtre et se dit qu'elle devait être dure et peu séduisante. Il se demanda pourquoi il concevait mieux que ce type de travail soit du ressort des hommes, comme si le sang et le crime, de même que les parties de poker et les vestiaires de sportifs, appartenaient exclusivement au monde masculin.

Son esprit s'emplit d'images de mort violente. Il se surprit à se rappeler son frère en pantalon kaki et veste de chasse, prêt à partir en reportage sur quelque front ou lieu de catastrophe. Il pensa aux photos qu'avait prises Douglas au Liban, à Saigon ou en Amérique centrale. L'une d'entre elles en particulier surgit dans sa mémoire : elle représentait un autre photographe au milieu d'un tas de cadavres à Jonestown, en Guyane. La jungle formait un écrin de vert et de brun derrière l'homme dont le nez et la bouche étaient masqués d'un foulard rouge. On comprenait vite que le reporter se protégeait ainsi de la puanteur qu'exhalaient les corps gonflés par le soleil et la mort. Avec ses bottes, son blue-jean et sa chemise à carreaux, l'homme avait l'air d'un bandit de western. Toutefois, il ne tenait pas un Colt à la main mais un appareil photo, et jetait autour de lui un regard perdu et confus que Douglas avait su saisir.

Jeffers se hâtait en pensant que la plupart des photos prises par son frère avaient la mort pour sujet. Elles étaient toutes passionnantes, à leur manière. Nous essayons toujours de comprendre le comportement humain, se dit-il, et celui du meurtrier est tout de même celui qui nous fascine et nous effraie le plus.

Et pourtant, qu'y a-t-il de plus banal ?

Ne sommes-nous pas tous parfaitement capables de tuer ?

Voilà qu'il parlait comme Douglas, pensa-t-il. Il secoua la tête et écouta le crissement de ses semelles de crêpe sur le linoléum ciré du couloir. Certains, du moins, en sont plus capables que d'autres. Les visages de ses Garçons Perdus défilèrent dans sa tête.

Qu'un inspecteur de police vînt en visite n'était pas inhabituel. Il lui était arrivé d'en rencontrer plus d'un au cours de ces dernières années. Des hommes laconiques venus poser des questions concises sur l'un ou l'autre de ses patients. Des hommes auxquels il ne pouvait qu'opposer le secret professionnel. Il se souvenait de l'un d'eux particulièrement insistant qui, après un entretien frustrant avec Jeffers, l'avait considéré avec colère pendant une longue minute puis lui avait demandé : « A-t-il un compagnon de chambre ? » « Non », avait répondu Jeffers. « Y a-t-il quelqu'un avec qui il a des affinités ? » « Oui, il a un ami. » « Eh bien, avait lancé l'inspecteur, laissez-moi m'entretenir avec cette personne. »

Jeffers se rappelait parfaitement cet entretien dont il avait été témoin. Le policier avait été direct, persuasif, sans jamais se montrer agressif. Jeffers avait pensé alors que cette approche sans détours pourrait s'avérer efficace à certains moments des thérapies engagées auprès de ses propres patients. En moins d'une heure, l'inspecteur avait obtenu ce qu'il voulait d'un homme tout prêt à vendre son ami en échange d'une remise de peine. Jeffers ne pouvait lui en vouloir. Dans le monde des Garçons Perdus, le mensonge et la trahison n'étaient jamais qu'un moyen comme un autre de survivre.

Il s'interrogea de nouveau au sujet de cette femme policier. Elle compliquait les choses. Une bonne partie de son travail auprès de délinquants poursuivis pour des délits sexuels consistait à restaurer la vision qu'ils avaient généralement des femmes, à recréer une image du sexe faible qui fût dégagée de la haine qu'ils lui vouaient d'ordinaire. L'idée qu'une représentante de leurs victimes potentielles vînt maintenant appréhender l'un des leurs était à la fois dangereuse et terrifiante, comme si l'une de leurs craintes les plus profondes et les plus inexprimées surgissait de quelque cauchemar pour venir frapper à la porte de leur chambre.

Voilà qui nous donnera sujet à débat, pensa-t-il. Il fallait toujours essayer de tirer un parti thérapeutique de la confrontation de la mémoire et du fantasme avec le réel du quotidien.

Peut-être l'inviterai-je à assister à l'une de nos séances, pensa-t-il.

Cela lui ficherait à coup sûr une sacrée frousse. Elle serait tentée de tous les arrêter.

Elle ne serait pas la seule à être secouée : les Garçons aussi le seraient. Il les trouvait trop complaisants envers eux-mêmes, ces temps-ci. Trop placides. Elle ébranlerait la routine des séances, bousculerait le fatalisme derrière lequel ils se retranchaient.

Il sourit à cette perspective et frappa à la porte du pavillon C pour que le surveillant lui ouvre. La porte grinça, et Jeffers se dit que toutes choses craquaient et gémissaient dans ce vieil établissement. Il salua au passage le surveillant et, passé le couloir, pénétra dans le quartier administratif de l'hôpital. Les bureaux y étaient clairs, la peinture neuve, et le soleil jouait par des fenêtres sans barreaux.

Il poussa la porte du bureau de l'administrateur. La secrétaire du Dr Harrison leva la tête.

— Ils vous attendent, dit-elle en désignant la porte à sa gauche.

Jeffers entra sans frapper, et le Dr Harrison se leva lentement de son siège. C'était un homme âgé aux cheveux gris, trop sensible pour une tâche aussi dure que celle de directeur d'établissement psychiatrique, trop fatigué aussi pour se passionner encore pour son métier. Jeffers ne l'en aimait pas moins énormément. Harrison le salua puis de ses yeux gris lui désigna l'autre personne, qui se levait à son tour de sa chaise.

Jeffers n'eut guère le temps de la jauger. Il vit d'abord qu'elle devait avoir sensiblement le même âge que lui. Puis il remarqua fugitivement la couleur châtain des cheveux, le tailleur de soie, la silhouette mince, et il n'eut pas le loisir de se demander s'il la trouvait séduisante ou pas dès l'instant où il rencontra le regard qu'elle fixait sur lui. Un regard qui lui donna l'impression d'être examiné par un bourreau dont l'œil expert aurait évalué la force qu'il devait donner à son coup de hache pour que sa tête tombe sans résistance. Il se sentit aussitôt mal à l'aise et bredouilla :

— Je suis le Dr Jeffers. Que puis-je pour vous, inspecteur...

Il tendit la main, mais elle prit délibérément son temps pour la lui serrer. Sa poignée de main était ferme, peut-être un peu trop. Un lourd silence tomba dans la pièce, et Jeffers pensa à ces nappes de brouillard qui montent avec la marée, tandis que la femme continuait de le regarder sans ciller.

Puis elle parla d'une voix si parfaitement contrôlée qu'elle en était effrayante :

— Où se trouve votre frère ?

Elle s'en voulut aussitôt en voyant le mélange de stupeur et de confusion envahir le visage de Jeffers. Un peu plus tôt, sur la route, alors qu'elle se rendait à l'hôpital, elle avait envisagé des dizaines d'approches, tout en sachant qu'une fois en présence du frère de l'assassin de Susan il n'y aurait jamais qu'une seule question comptant pour elle et qu'elle serait impuissante à la retenir. Elle ne doutait pas d'obtenir la bonne réponse... tôt ou tard.

Et quand elle l'obtiendrait, avait-elle pensé, elle serait prête.

La part d'optimisme qui était en elle lui avait fait espérer que cette réponse viendrait facilement. Elle savait par expérience qu'une demande directe et brutale provoquait souvent une réaction spontanée, irréfléchie — « Ma foi, il se trouve à... » — avant que la prudence et la raison ne reprennent le dessus — « Qu'est-ce que ça peut vous faire ? » Elle vit Martin Jeffers ouvrir la bouche, ses lèvres commencer à articuler la réponse attendue. Imperceptiblement, elle se pencha vers lui. Puis, tout comme il avait ouvert la bouche, il la referma en même temps qu'il la considérait à son tour d'un regard froid.

Merde, ce ne sera pas facile, se dit-elle. J'ai été trop vite. Merde, merde, merde.

A cet instant elle haït cet homme autant qu'elle haïssait le frère. Sale petit obstacle de chair et de sang, pensa-t-elle.

Elle le vit qui déglutissait avec peine et coulait un bref regard vers le directeur de l'hôpital, comme s'il essayait de gagner du temps et de se reprendre. Elle pensa qu'il devait être accoutumé par son métier à l'imprévisible. Il savait comment faire face à ce genre de situation. Il reporta les yeux sur elle puis, sans la quitter du regard, il tira lentement une chaise à lui, s'assit posément, croisa les jambes et, d'un geste gracieux et dégagé, l'invita à se rasseoir, comme un professeur l'aurait fait avec un élève trop impatient.

Bon Dieu, pensa-t-elle, j'ai bien failli l'avoir.

Et maintenant, c'est à son tour de me damer le pion.

Elle prit place en face du frère de l'assassin.

Martin Jeffers affecta un intérêt teinté de nonchalance, comme il lui arrivait de le faire vis-à-vis d'un patient prêt à lui confesser quelque horrible secret. Il n'en avait pas moins la gorge serrée et la nuque et les bras parcourus par une désagréable chair de poule. Il sentit la sueur lui couler sous les bras. Il avait les mains moites, mais il n'osait pas les essuyer sur les jambes de son pantalon.

Il avait l'impression de vivre un cauchemar.

Il se refusait à s'engager dans la moindre extrapolation et se concentrait uniquement sur la demande qu'avait formulée la femme. C'est après Doug qu'elle en a ! pensa-t-il. Puis : je le savais ! Puis : mais pourquoi le sais-tu ? Il tenta de refouler les idées qui l'assaillaient : craintes infantiles, inquiétudes adultes.

Il avait envie d'empoigner quelque chose de solide pour écarter le vertige qui menaçait de le saisir. Mais il savait que l'inspecteur le remarquerait, et il lutta de toutes ses forces contre sa peur et sa curiosité. Ne lui cède pas, s'encouragea-t-il. Et découvre de quoi il retourne.

Il prit une profonde inspiration, se carra plus confortablement dans son siège.

Il porta la main à la poche de sa blouse et en sortit un stylo et un petit bloc-notes. Puis il leva les yeux et, mobilisant toute la dissimulation dont il était capable, sourit à l'inspecteur.

— Excusez-moi, dit-il, mais je n'ai pas bien saisi votre nom...

— Mercedes Barren.

Il prit note, ce qui était une façon comme une autre de reprendre pied.

— Et d'où venez...

— Police de Miami.

— Ah, très bien, continua-t-il de gribouiller. Je ne suis jamais allé à Miami. Ce n'est pas le désir qui m'en a manqué, pourtant. Les palmiers, le soleil, les plages. Tout cela doit être bien agréable.

— Votre frère y est allé.

— Vraiment ? Je l'ignorais. Il est vrai que je ne sais jamais où il se trouve. Et puis il s'en passe tellement, à Miami : règlements de comptes entre trafiquants, réfugiés cubains, etc. Mon frère est partout où ça chauffe. On appelle ça un globe-trotter.

— Il est passé là-bas l'an passé. En septembre, à l'occasion d'un match de football.

— Un match de football ? Vous savez, je ne pense pas qu'il s'intéresse beaucoup aux sports...

— Il y était pour photographier un joueur.

— Oh, vous voulez dire qu'il était là-bas pour une raison professionnelle ? Dans ce cas, c'est fort possible...

Jeffers sembla hésiter. Il promena son regard dans la pièce pendant un moment tout en pensant que son attitude ne trompait certainement pas l'inspecteur Barren. Il reporta les yeux sur elle et vit qu'elle n'avait pas bougé, pas même un muscle. Elle est tendue, observa-t-il. Très tendue. Il se demanda aussitôt pourquoi. La plupart des policiers se montraient bavards, quelle que fût la gravité de la situation.

— Mais qu'est-ce qu'un match de football vient faire dans...

— Le meurtre d'une jeune femme. Susan Lewis.

— Oh, je vois, dit Martin Jeffers, qui bien entendu ne voyait rien du tout.

Il nota le nom de la victime et le mois. Puis il reprit :

— Vous savez, inspecteur, vous me rendez perplexe. Que pouvez-vous bien vouloir à mon frère ?

Vengeance ! cria en elle-même Mercedes Barren. Elle prit une profonde inspiration, s'adossa à son siège et sortit son propre bloc-notes. Moi aussi, je peux jouer, pensa-t-elle. Et je gagnerai.

— Je comprends, docteur, que vous soyez perplexe, dit-elle d'une voix posée. (Elle parvint même à esquisser un sourire.)

Le meurtre sur lequel j'enquête a eu lieu le 8 septembre dernier. Nous avons quelques raisons de penser que votre frère a pu en être le témoin. Il se peut même qu'il ait pris des photos qui nous seraient d'une grande aide.

Elle trouva que l'emploi du pluriel était particulièrement judicieux : il donnait à ses questions un caractère plus général. Ce n'était plus un inspecteur qui parlait, mais la police tout entière derrière elle. Peut-être cela inciterait-il Martin Jeffers à faire preuve de civisme, si toutefois il en avait. Elle chercha sur le visage du médecin le moindre signe de doute ou d'approbation. Il semblait peser soigneusement chaque mot. Elle jura intérieurement. Essaie de le toucher dans ses émotions, se dit-elle. Fais-le sortir de sa réserve. Mais il la devança en lui demandant :

— Ma foi, je ne comprends toujours pas. Doug ne m'a jamais parlé de ça. Pourriez-vous vous expliquer davantage ?

Elle s'abstint.

— Etes-vous très proches, votre frère et vous ?

— Oh, tous les frères sont proches à des degrés divers, inspecteur. Vous devez le savoir si vous avez une famille.

Fausse réponse, pensa-t-elle.

— Quand l'avez-vous vu pour la dernière fois ?

— Oh, cela fait des années qu'il ne m'a pas rendu visite, si ce n'est en coup de vent...

Le Dr Harrison l'interrompit :

— Mais, Marty, n'est-il pas venu vous voir la semaine dernière ?

Jeffers regretta de ne pouvoir faire signe à son collègue de se taire. Il s'efforçait de comprendre où voulait en venir l'inspecteur, et il n'accordait aucun crédit à ce qu'elle prétendait, sachant seulement avec cette certitude issue de toute une vie de craintes que son frère était en danger.

— C'est exact, Jim, mais nous avons tout juste eu le temps de déjeuner ensemble, et il est reparti aussitôt. Cela faisait plusieurs années que je ne l'avais vu.

— Mais vous a-t-il dit où il allait ? demanda Mercedes.

Martin Jeffers se rappela ce que lui avait confié son frère de son mystérieux projet de vacances. Il hésita, ne comprenant pas ce qu'entendait Douglas par « voyage sentimental ». Il leva les yeux et rencontra le regard intense de l'inspecteur.

— Je ne m'en souviens pas, s'empressa-t-il de répondre.

Il s'en voulut aussitôt de cette réponse trop hâtive.

Mercedes Barren sourit. Elle ne croyait pas un mot de ce que disait le frère de l'assassin.

Jeffers préféra rompre le silence le premier.
— Vous êtes certainement passée à son agence, dit-il. Ils ne vous ont pas dit où il pouvait être ? Ils savent toujours où contacter leurs reporters en cas d'urgence.
— Non, ils ne savaient pas... commença Mercedes.
Elle s'interrompit abruptement. Idiote ! pensa-t-elle. Ne lâche rien ! Elle tenta de se rattraper.
— Ils ne savaient pas avec exactitude. Mais ils m'ont suggéré d'essayer auprès de vous. C'est la raison pour laquelle je suis ici.
— Vous savez, inspecteur, cette histoire me déroute. Vous êtes venue me demander où se trouve un frère que je ne vois pratiquement jamais afin de l'interroger au sujet d'un crime dont j'ignore tout. Vous me dites qu'il est important pour vous de prendre contact avec mon frère, mais vous ne m'en donnez pas la raison. Je veux bien coopérer avec les autorités, mais j'aimerais d'abord savoir de quoi il retourne.
— Je suis désolée, docteur, mais je ne peux pas vous donner d'informations confidentielles.
Le prétexte était faible, et elle le savait. De même qu'elle connaissait sa réponse.
— Non ? Eh bien, moi aussi, je suis désolé.
Ils se regardèrent l'un et l'autre, de nouveau silencieux.
Mercedes eut soudain envie de hurler. Elle était submergée de douleur. J'étais toute proche d'y arriver, et j'ai tout raté, pensa-t-elle. Le salaud a un passeport, de l'argent et un frère qui est prêt à l'aider sans même savoir ce qu'il a fait et qui va s'empresser de l'informer qu'un flic est à ses trousses, et cette ordure va prendre le large, à jamais.
Martin Jeffers avait envie de quitter cette pièce le plus vite possible. Je ne sais pas ce qui se passe, pensait-il, mais ça pue. Il avait besoin de comprendre, et il n'avait pas le moindre élément de réflexion. Pour avoir un indice quelconque, il devait s'entretenir avec l'inspecteur, et il se demandait comment s'y prendre afin de préserver une position dominante et lui soutirer une information sans lui en fournir en retour. Il pensa à ses collègues psychanalystes. Eux sauraient, pensa-t-il. Fais-la s'allonger sur un divan et écoute. Il faillit éclater de rire.
— Quelque chose de drôle ? demanda l'inspecteur Barren.
— Non, non, je pensais à quelque chose... répondit gauchement Jeffers.
— Si c'est une blague, dites-la-moi. J'aime bien les histoires drôles.
— Excusez-moi, je ne voulais pas...

— Bien sûr que non, l'interrompit-elle.

Jeffers la regarda, et il s'étonna de la force que dégageait cette femme. Une étrange passion l'animait. Il n'aurait su dire de quelle nature ni pourquoi il décelait en elle une volonté hors du commun. Peut-être était-ce la position de son corps, l'intensité de son regard, la légère inclinaison de sa tête.

Voici une femme dangereuse, pensa-t-il.

Mercedes était maintenant persuadée que l'homme savait quelque chose. Quelque chose de plus important que l'endroit où se trouvait son frère. Quelque chose enfin qu'il ne dévoilerait pas. Elle le vit qui regardait sa montre puis son confrère, le Dr Harrison, et elle sut ce qui allait suivre :

— Jim, j'ai plusieurs rendez-vous cet après-midi.

Elle ne laissa pas au directeur le temps de répondre.

— A quelle heure aurez-vous fini ? demanda-t-elle.

— Vers cinq heures, répondit-il.

— Préférez-vous que je vous voie à votre cabinet, ou bien chez vous, ou encore quelque part en ville ?

Elle ne le laisserait pas s'échapper.

— Pensez-vous que ce sera long ? demanda-t-il.

Elle sourit.

— Cela dépendra de vous.

Ce fut à lui de sourire.

— Je ne vois toujours pas comment je pourrais vous aider, mais vous pouvez passer à mon bureau peu après cinq heures. J'espère que nous pourrons régler rapidement cette question.

— J'y serai.

Ils se levèrent et échangèrent une poignée de main.

— Soyez à l'heure, dit-il.

— Je le suis toujours.

Martin Jeffers referma la lourde porte capitonnée de son cabinet et promena son regard dans la pièce, comme s'il en attendait les réponses aux mille questions qu'il se posait. Son frère, il le savait, était capable de violence. Il se souvint de ce garçon du voisinage qui ne cessait de provoquer Doug. Lorsqu'un jour ce dernier en eut assez de ses insultes et de ses défis, tous les gosses présents s'attendirent à une belle bagarre. Il n'y en eut pas, du moins pas comme ils l'avaient imaginée. Doug se jeta avec une telle violence sur son adversaire qu'il le renversa, puis il sauta sur lui et, lui clouant les bras au sol sous ses genoux, lui martela sauvagement le visage de ses poings jusqu'à épuisement. Jeffers n'avait jamais vu rage plus dévastatrice. Une colère de tueur, pensa-t-il. Allons, ne sois pas ridicule, se dit-il la seconde d'après. Tu n'as jamais revu Doug faire preuve de violence.

Peut-être l'inspecteur Barren disait-elle la vérité : Doug n'était qu'un témoin visuel d'un meurtre. Mais il écarta aussitôt cette hypothèse au souvenir de la lueur intense qui animait le regard de la femme.

Il se laissa choir lourdement dans son fauteuil et fit pivoter celui-ci en direction de la fenêtre. Les rayons du soleil traversaient les frondaisons des grands arbres, formant des taches de lumière sur la pelouse bien tenue de l'hôpital. Pendant un instant il suivit des yeux un jardinier sur un microtracteur. Il eut le souvenir de l'odeur de l'herbe fraîchement coupée. Les hôpitaux psychiatriques avaient toujours une belle apparence, pensa Jeffers. Ce n'était qu'à l'intérieur qu'on remarquait la peinture écaillée et le linoléum usé comme sous l'effet de toutes les misères contenues entre les murs.

Il se détourna de la fenêtre. Pourquoi es-tu aussi enclin à t'attendre au pire au sujet de ton frère ? se demanda-t-il. La réponse qui lui vint tout de suite à l'esprit n'avait rien de scientifique : parce qu'il me fait peur. Il m'a toujours fait peur. Il a toujours été merveilleux et terrifiant à la fois.

Qu'a-t-il fait ?

Il secoua la tête, comme pour chasser une pensée importune.

— Très bien, dit-il à voix haute. Très bien, voyons ce qu'on peut apprendre.

Il décrocha le téléphone et appela le secrétariat des trois autres pavillons. A chacun d'entre eux il annula ses rendez-vous de l'après-midi, prétextant un empêchement personnel et dirigeant ses patients vers les confrères de service. Il n'ignorait pas que sa défection soulèverait bien des commentaires parmi les malades. Il haussa les épaules. Puis il enleva sa blouse et enfila son veston sport de couleur chamois.

Martin Jeffers referma à clé son cabinet et se dirigea d'un pas rapide vers un escalier de secours qui descendait jusqu'au parking du personnel.

Mercedes tourna le volume de l'air conditionné au maximum et jeta un coup d'œil à sa montre. Elle reporta son regard vers l'entrée de l'hôpital. A supposer qu'il sorte, à quoi cela te mènera-t-il de le filer ? se demanda-t-elle tout en se disant que ça valait toujours la peine d'essayer. Elle attendit, inconfortablement installée sur son siège qu'éclaboussait le soleil filtrant à travers le pare-brise. Elle regarda la rangée de voitures sur le parking réservé au personnel. Pas une seule Cadillac. Il y avait une grande différence de revenus entre les secteurs privé et public.

Elle ferma les yeux et sentit la sueur perler sur sa lèvre supérieure. Le goût salé lui rappela les jours d'été où John Barren et elle étaient passés en voiture tout près de ce même hôpital en allant à une fête ou à un match, insouciants et heureux.

Le souvenir s'évapora sous le soleil de midi.

Je suis seule, maintenant, pensa-t-elle.

Elle chassa d'un haussement d'épaules l'apitoiement qui pointait et revint à sa surveillance.

Soudain, elle se figea.

Le frère de l'assassin venait de sortir par la porte donnant sur le parking, et il se dirigeait d'un bon pas vers sa voiture.

Bon Dieu, jura-t-elle tout bas. Elle attendit qu'il s'installe au volant, démarre et sorte du parking pour démarrer le moteur à son tour. Elle dut réprimer une envie de lui coller au pare-chocs. Du calme, se dit-elle. Elle ne quitta son emplacement que lorsqu'il eut franchi l'entrée de l'hôpital, le suivant prudemment à une bonne centaine de mètres.

Martin Jeffers pensa qu'il y avait de fortes chances que l'inspecteur eût établi une surveillance de l'hôpital et qu'elle était peut-être en train de le suivre. Mais il ne se donna pas la peine de vérifier laquelle des voitures qui roulaient derrière lui pouvait être la sienne. Si elle a l'intention de perdre son temps, libre à elle. Il se faisait fort de la semer quand il le voudrait dans le labyrinthe des rues de Trenton.

Il suivit la rivière Delaware, jetant de temps à autre des coups d'œil aux eaux rapides et sombres, jusqu'à ce qu'il tourne en direction du centre de la ville. Quand il fut parvenu dans State Street, il ralentit et se gara sur le parking devant la Bibliothèque de l'Etat du New Jersey. Il sortit de la voiture et, tandis qu'il refermait la portière, il regarda dans la rue. Il ne vit pas l'inspecteur mais se dit de nouveau qu'elle devait être quelque part à l'épier. Il se hâta vers l'entrée du bâtiment, monta deux par deux les marches du grand escalier qui menait à l'étage où se trouvait la bibliothèque.

Une jeune femme se tenait à la réception. Il lui montra sa carte d'identité, et elle lui demanda d'une voix caressante :

— Que puis-je pour vous, docteur ?

— J'aimerais consulter les quotidiens de septembre dernier que vous pourriez avoir en archives, répondit-il, affable.

Elle avait une épaisse chevelure brune qui tombait sur ses épaules. Elle acquiesça d'un signe de tête.

— Nous disposons du *Trenton Times*, du *New York Times* et du *Trentonian* sur microfilms.

— Est-ce que je pourrais les consulter tous les trois ?

Elle sourit, un peu plus qu'il n'était nécessaire. Jeffers ressentit un début d'attirance qu'il s'efforça aussitôt de chasser.

— Bien sûr, dit-elle, je vais vous conduire à une visionneuse.

Elle entraîna Jeffers vers une rangée de machines, le fit asseoir et s'absenta un instant. Elle revint avec trois cassettes, inséra la première dans la visionneuse tout en montrant à Jeffers comment faire fonctionner l'appareil. Leurs mains se frôlèrent. Il la remercia, lui sourit, mais il était impatient de commencer sa lecture.

Il trouva ce qu'il cherchait dans le *New York Times* du 9 septembre. Un court article à la rubrique faits divers.

LA CINQUIÈME VICTIME DU TUEUR DU CAMPUS ?

Une étudiante de dix-huit ans a été découverte assassinée sur le campus de l'université de Miami le 8 septembre. D'après les premiers éléments de l'enquête, elle serait la cinquième victime de celui que la police a surnommé le « Tueur du Campus ».

La victime, Susan Lewis, était étudiante en océanographie. Son corps, découvert plusieurs heures après que la jeune fille eut quitté l'un des foyers du campus, portait des traces de coups, de strangulation et de violence sexuelle.

Quatre étudiantes ont déjà trouvé la mort dans des circonstances analogues en Floride du Sud au cours de ces derniers mois.

C'était tout. L'espace devait coûter très cher au *New York Times*, pensa Jeffers. Il relut l'article puis inséra la cassette du *Trenton Times*. Il ne lui fallut pas longtemps pour découvrir un avis de décès au nom de la jeune fille dans la page nécrologique.

...Elle laisse un père et une mère, un jeune frère, Michael, une tante, Mercedes Barren, de Miami, et de nombreux cousins. La famille demande qu'à la place de couronnes l'on envoie des dons à la Fondation Cousteau.

Cela explique beaucoup de choses, se dit-il, après avoir relu ces quelques lignes.

Il lui vint une idée. Il retourna à la réception avec les microfilms.

— Est-ce qu'il serait possible, demanda-t-il, de savoir s'il y a eu d'autres articles concernant un événement, en partant par exemple du nom de la personne impliquée dans cet événement ?

— Non, pas ici, répondit-elle. Notre système informatique ne nous le permet pas. Il vous faudrait pour cela vous rendre aux sièges des journaux. D'ordinaire le *Times* édite un index de ses articles, mais celui-ci n'est pas encore sorti cette année. Que voulez-vous savoir au juste ?

Il haussa les épaules, soudain résolu à se rendre au siège de l'un des quotidiens régionaux pour voir s'il pouvait obtenir de plus amples informations.

— Oh, ce n'est pas important, dit-il. Il s'agit d'un fait divers survenu en Floride l'an passé. Un crime, pour tout vous dire.

— Ah oui ? Quel crime ?

— Celui d'un maniaque, apparemment. Surnommé le «Tueur du Campus».

— Oh, mais ils l'ont arrêté. Je l'ai appris au journal télévisé. (Elle fit la grimace.) Un sale type, vraiment.

— Vous dites qu'il a été arrêté ?

— Oui, l'automne dernier. Il a été condamné à perpétuité. Je m'en souviens très bien parce que ma jeune sœur, qui avait d'abord hésité à s'inscrire à l'université de Miami, justement à cause de ce tueur, a changé d'avis quand elle a appris son arrestation.

Il fallut à Martin Jeffers une autre demi-heure pour retrouver les articles relatant l'arrestation puis le procès de Sadegh Rhotzbadegh. Il les lut avec attention puis en fit des photocopies.

Il remercia ensuite avec chaleur la jeune femme, qui parut déçue qu'il ne lui demande pas son numéro de téléphone. Il s'en tira avec un doux sourire chargé d'un regret qui pouvait laisser entendre qu'il était un homme déjà engagé et fidèle, mais que sinon... puis il s'en fut de son pas alerte, l'esprit tout occupé de ce qu'il venait d'apprendre, cherchant à comprendre pourquoi un inspecteur de police de sexe féminin, tante de la victime d'un tueur arrêté et condamné depuis plusieurs mois, débarquait soudainement à l'hôpital pour lui demander où se trouvait son frère.

Il aurait pu protester : pourquoi m'importunez-vous de la sorte ? Qu'ai-je à voir avec ce crime ? Qui vous envoie ? Mais il savait que cela n'aurait aucun effet sur elle.

Il considéra les photocopies. « Le Tueur du Campus arrêté à Miami : la fin d'une longue série de meurtres. » Ils ont mis la main sur le coupable, pensa-t-il. Alors que vient faire Doug dans cette histoire ?

Il se refusa à chercher une réponse à sa propre question. Il songea qu'il aurait dû être satisfait par ce qu'il avait découvert dans les journaux. Au lieu de cela, il ressentait une inquiétude croissante. Il se hâta de regagner sa voiture. Il était temps de semer l'inspecteur. Il avait un besoin pressant d'être seul avec ses craintes. Il sentait qu'il ne pourrait supporter l'idée d'être suivi, observé. Il lui fallait être seul, totalement.

Il tourna rapidement dans Broad Street, prit la première à gauche, la suivante à droite, descendit Perry Street, passa devant le *Trenton Times*. Il accéléra une fois sur la route 1 puis, sans ralentir, plongea dans la bretelle de sortie menant à Olden Avenue. Arrivé au bas de la rampe, il fit brusquement demi-tour et reprit le chemin par lequel il était venu. Il lui sembla apercevoir l'inspecteur, coincée dans l'abondante circulation, et il accéléra encore.

Martin Jeffers s'efforça d'analyser ses sentiments. Il trouva puéril son entêtement à semer cette femme. Mais il avait réellement besoin de solitude pour comprendre le sens de ce qu'il avait appris. Il reprit la direction de l'hôpital, en ralentissant son allure pour se donner le temps de se calmer.

Il était sûr de ne plus être suivi. Le centre de la ville de Trenton était un véritable labyrinthe de rues étroites et de zones de construction qui déroutait les habitants eux-mêmes. Miami, pensa-t-il, doit être une ville sillonnée de larges avenues, quadrillée de boulevards longeant la mer et les plages, et non l'entrelacs d'une vieille cité du Nord-Est, aux vieux quartiers en démolition.

Il ne savait pas que Mercedes le suivait à cent mètres, le visage impassible, l'esprit bouillonnant de rage.

A cinq heures cinq, l'inspecteur Barren frappait à la porte du cabinet du Dr Martin Jeffers. Il lui ouvrit aussitôt et la fit asseoir dans l'unique fauteuil qui faisait face à son bureau derrière lequel il prit place. Elle s'assit, posa sa petite mallette de cuir sur ses genoux et promena un instant son regard sur les étagères chargées de livres, le bureau encombré de papiers et de dossiers, les deux posters encadrés qui témoignaient d'une vague tentative de décoration. Ne t'en laisse pas conter par l'apparent désordre : le bougre doit être aussi bien organisé que son assassin de frère.

Jeffers mâchonna le bout de son stylo à bille avant de demander :

— Alors, inspecteur, pourquoi avez-vous un tel besoin de rencontrer mon frère ?

Elle hésita brièvement avant de répondre :

— Je vous l'ai déjà dit : il a été témoin d'un meurtre.

— Pourriez-vous me dire de quelle façon, au juste ?

— Avez-vous pu prendre contact avec lui aujourd'hui ?

— Vous n'avez pas répondu à ma question.

— Répondez d'abord à la mienne. Docteur, votre attitude fuyante m'oblige à vous préciser que je suis chargée d'enquêter sur un meurtre. Je n'ai pas d'explications particulières à vous donner afin d'obtenir votre coopération. Je ne voudrais pas être obligée d'en référer à vos supérieurs.

C'était du bluff, et elle savait qu'il n'était pas dupe.

— Supposez que je vous dise : allez-y.

— Je le ferais sans hésiter.

Il hocha la tête.

— Je n'en doute pas.

— Lui avez-vous parlé aujourd'hui ?

— Non. Et je suis sincère. Je n'ai pas pu prendre contact avec lui pour la bonne raison que je ne sais pas où le joindre.

— Je ne vous crois pas.

Il haussa les épaules.

— Croyez ce que vous voulez.

Un silence tomba.

— Très bien, dit-elle au bout d'un moment. Je pense que votre frère possède des informations au sujet d'un meurtre. Je vous l'ai déjà dit deux fois. J'ignore jusqu'à quel point il pourrait nous être utile. C'est la raison pour laquelle je voudrais lui parler.

— Est-il suspect ?

— Pourquoi cette question ?

— Inspecteur Barren, si vous voulez que je réponde à vos questions, alors vous feriez bien de répondre à quelques-unes des miennes.

Elle réfléchit rapidement, essayant de trouver une parade qui aurait un air de vérité.

— Je ne peux pas vous dire s'il l'est ou pas. Nous avons découvert un fragment de preuve matérielle sur le lieu du crime. Il se peut qu'il ait une explication à ce sujet. Il se peut également qu'il n'en ait pas. C'est ce que j'ai l'intention de vérifier.

Martin Jeffers hocha la tête. Disait-elle enfin la vérité ? se demanda-t-il. Ses délinquants sexuels étaient plus faciles à manœuvrer.

— A quoi ressemble ce fragment de preuve ?

Elle secoua la tête.

— Très bien, dit-il. (Il sortit d'un tiroir de son bureau la photocopie de l'avis de décès de Susan et la posa devant elle.) Je déteste les mensonges, inspecteur, poursuivit-il d'une voix chargée de dégoût. Tout mon travail, toute ma personne sont dédiés à la recherche de certaines vérités fondamentales. Et je ressens comme une insulte que vous débarquiez ici avec vos mensonges.

Il pensait que son ton solennel et son air courroucé en remontreraient à l'inspecteur. Il se trompait.

— Je vous insulte ? fit Mercedes d'une voix sourde dont l'effet était bien plus effrayant que si elle avait crié. Et c'est vous qui avez l'audace de discourir sur la vérité ? Alors que vous n'avez cessé depuis mon arrivée de jouer à cache-cache et tout fait pour soustraire votre frère à... à un interrogatoire ? Eh bien, vous allez commencer par me dire si votre frère est incapable de faire une chose pareille.

Elle fouilla dans sa mallette et en sortit l'une des photographies prises sur le lieu du crime, qu'elle jeta sur le bureau.

Il l'écarta sans la regarder.

— N'essayez pas de m'impressionner.

— Ce n'est pas mon intention.

Il prit conscience que sa voix avait la force d'un cri bien qu'elle n'ait à aucun moment haussé le ton. Il ramassa la photo et la regarda.

— Je suis désolé pour vous, dit-il.

La photo évoquait un dessin de Goya, chaque ombre cachant quelque terreur, chaque ligne parlant d'horreur. La position du corps dénudé semblait hurler la violence de sa mort. Il se rappela la fois où il avait été confronté à son premier cadavre à la faculté de médecine. Il s'était attendu au corps de quelque vieillard desséché par l'âge et la maladie. Mais c'était celui d'une gosse de seize ans décédée d'une overdose une nuit de malchance. Il avait vu les yeux vitreux de la jeune morte, et il avait été incapable de la toucher. Ses mains s'étaient mises à trembler, sa voix à chevroter. Il avait pensé qu'il allait s'évanouir, et il lui avait fallu mobiliser tout ce qu'il lui restait d'énergie pour demander au professeur d'anatomie s'il pouvait changer de place avec un autre étudiant, un type antipathique qui, à la vue du corps de la jeune droguée, avait dit : « Jolis seins », avant de plonger son scalpel dans la chair blanche. Jeffers avait hérité du cadavre d'un vieil homme, conforme à ce qu'il avait imaginé, et il en aurait embrassé la peau ridée tant il lui était reconnaissant de le soulager d'un peu de cette terreur qui l'avait saisi devant la jeune fille.

— Je ne pourrais jamais commettre une monstruosité pareille, dit-il doucement.

Pendant un moment il ne saisit pas ce qu'il avait dit.

Elle, oui. Elle dut faire un effort pour contrôler son émotion. Puis elle attendit quelques secondes pour demander d'une voix suave :

— Mais votre frère ?

Jeffers manqua tressaillir. Il se réfugia aussitôt derrière ses défenses de praticien et répondit de son plus beau ton professionnel :

— Je ne pense pas que mon frère soit capable d'un tel acte, inspecteur. Je ne le crois pas, et ne le croirai jamais. Je suis choqué que vous me demandiez cela.

Mercedes le regarda fixement.

— L'êtes-vous vraiment ? demanda-t-elle de la même voix douce.

Il haussa les épaules, mais son geste manquait de conviction.

— Mon frère est l'un des meilleurs reporters-photographes de sa génération, inspecteur. Il parcourt le monde entier. Ses photos ont déjà fait les couvertures des plus grands magazines. Son talent est reconnu partout. C'est un artiste. Dans tous les sens du mot.

— Je ne vous ai pas demandé de me parler de ses capacités professionnelles.

— Non, c'est exact.

Il hésita avant d'ajouter :

— Mais vous devez comprendre que mon frère n'est pas un homme ordinaire...

— Pensez-vous qu'un homme ordinaire commettrait ce genre de crime ? répliqua-t-elle.

Il pinça les lèvres.

— Vous ne me comprenez pas.

— Non, pas du tout.

Elle le regarda avec attention, et il profita de ce nouveau silence pour reprendre un peu de distance. Il décida de passer à l'offensive.

— Et votre venue ici fait partie, je suppose, d'une enquête de routine ?

— Non, pas exactement, répondit-elle sans hésiter.

— Ça, je peux le comprendre. Surtout quand la victime est votre propre nièce.

— Très juste.

— Alors pourriez-vous m'expliquer pourquoi vous vous efforcez apparemment d'établir un lien entre mon frère et une affaire déjà classée ?

Il sortit de son tiroir la photocopie d'un autre article de presse et la poussa devant elle. Mercedes y jeta un rapide coup d'œil puis l'écarta.

— Le meurtre de Susan Lewis n'a pas été élucidé. Il a seulement été attribué à cet homme. J'ai en ma possession la preuve qu'il n'a pas commis ce crime-là.

— Pourriez-vous me parler de cette preuve ?

— Non.

— Je m'en doutais.

— Ce n'est pas une preuve flagrante.

— De cela aussi, je m'en doute. Parce que si c'était le cas, vous ne tourneriez pas autour du pot.

Elle acquiesça d'un signe de tête.

— Vous avez raison.

Il marqua une pause avant de continuer. Il se sentait plus fort, plus agressif.

— J'aimerais que vous m'éclairiez, inspecteur. La tante d'une victime vient me trouver dans l'intention d'associer mon frère à un meurtre déjà élucidé. Votre démarche est pour le moins curieuse, et je suis en droit de m'en étonner.

Il la regarda et comprit que cet argument-là ne tenait pas plus que les autres. Un silence s'établit avant qu'elle réplique d'une voix basse et égale :

— Si mes questions avaient provoqué chez vous une quelconque stupeur, vous m'auriez montré la porte. (Elle scruta intensément son visage.) Pourquoi n'avez-vous pas été choqué ? Sans voix ? Abasourdi que j'ose établir un lien entre un crime horrible et votre bien-aimé frère ?

Comme il ne répondait pas, elle poursuivit de la même voix calme, terrifiante :

— Je vais vous dire pourquoi : parce que cela ne vous a justement pas surpris. Pas du tout, nom de Dieu !

Elle marqua une nouvelle pause, pour lui laisser le temps de s'imprégner de ces mots, puis elle lâcha :

— Parce que cela fait longtemps que vous vous attendez à entendre une chose pareille, n'est-ce pas, docteur Jeffers ?

Jeffers eut l'impression de recevoir une volée de coups. Il s'efforça de chasser la moindre image que pouvaient lui suggérer les paroles de l'inspecteur.

Il se leva brusquement et gagna la fenêtre.

Elle resta assise.

Le soir qui commençait à tomber s'annonçait grisâtre. C'était l'heure entre chien et loup, l'heure des premiers dangers.

Il inspira profondément, souffla lentement, recommença. En lui-même, il s'exhorta : reprends le contrôle de toi ! Ne te trahis pas !

Mais il savait qu'il n'y pouvait rien.

— Inspecteur, ce que vous venez de dire est de la provocation. Je pense qu'il est préférable que nous remettions cette conversation à demain...

C'était faible, inefficace, mais il avait désespérément besoin de temps. Insiste ! se dit-il.

Elle allait protester, mais il se détourna de la fenêtre et leva une main.

— Demain ! Demain, bon Dieu !

Elle hocha la tête.

— Après ma séance de groupe, vers midi.

— D'accord.

Elle se leva et le regarda.

— Vous n'annulerez pas votre séance comme vous l'avez fait de vos rendez-vous de l'après-midi ?

Il lui jeta un regard noir.

— Très bien, dit-elle, je considère que votre réponse est non.

Elle marqua une pause avant d'ajouter :

— Vous ne l'appellerez pas ?

— Je vous l'ai dit, je ne le peux pas.

Elle remarqua qu'il faisait un gros effort pour se composer une expression calme. C'est un homme fragile, pensa-t-elle. Elle se demanda comment elle pourrait utiliser cette faiblesse.

— Et si c'était lui qui vous appelle ? Que lui diriez-vous ?
— Il n'appellera pas.
— Supposons qu'il le fasse.
— C'est mon frère. Je lui parlerais.
— Que lui diriez-vous ?
Jeffers secoua la tête avec colère.
— C'est mon frère.

VIII. Autres sombres lieux

Ils roulaient vers le nord, suivant le cours du Mississippi.

Douglas Jeffers fit à Anne Hampton un bref exposé sur Mark Twain. Il était visiblement déçu qu'elle n'ait lu que *Tom Sawyer*, et encore en classe terminale. Elle était quasiment inculte, lui dit-il d'un ton amer. Si elle ne connaissait pas *Huckleberry Finn*, elle ne connaissait rien.

— Huck est l'Amérique, déclara Jeffers. Je suis l'Amérique.

Elle ne répondit pas mais se hâta de consigner ses paroles.

Elle obéissait maintenant au moindre de ses ordres. Il n'était plus dans sa nature de lui refuser quoi que ce soit.

Plusieurs nuits avaient passé — elle n'aurait su dire précisément combien — depuis qu'il avait tué le clochard. Depuis que moi, j'ai tué le clochard, pensa-t-elle. Depuis que *nous* l'avons tué. Ils séjournaient chaque nuit dans quelque misérable motel en bordure de l'autoroute, le genre d'endroit dont l'enseigne au néon clignote dans la nuit, et où on ne peut aller aux toilettes sans tomber sur une pancarte vous priant de laisser les lieux dans l'état de propreté où vous les avez trouvés.

Chaque nuit, au lit, elle dormait par intermittence, bougeant le moins possible, écoutant le souffle régulier de Douglas sans croire qu'il s'était enfin assoupi. Il ne dort jamais, pensa-t-elle. Il est toujours éveillé, prêt à bondir. Même quand il ronflait, elle refusait de croire à son sommeil. Quand elle l'écoutait ainsi, elle restait parfaitement immobile, comme si le plus léger murmure de sa propre respiration pouvait le réveiller.

Quand ils se couchaient, il n'essayait pas de la toucher, bien qu'elle s'y attendît à chaque minute. Elle avait abandonné toute idée d'intimité, s'habillant et se déshabillant devant lui, ne fermant pas la porte quand elle se rendait aux toilettes. Elle acceptait cet inconfort comme partie de l'arrangement qui lui avait valu jusqu'ici la vie sauve. Elle n'aurait pas résisté s'il avait désiré jouir de son corps, et bien qu'il s'en soit abstenu jusqu'à ce jour elle doutait que cela puisse durer encore longtemps.

Depuis le meurtre du clochard, elle s'apercevait qu'elle avait peur de tout : des étrangers, de Jeffers, d'elle-même, de ce qu'il pourrait lui arriver, qu'elle fût éveillée ou endormie. Quand le sommeil l'emportait enfin, ses rêves étaient le plus souvent des cauchemars. Elle se réveillait alors en sursaut, mais le monde réel qu'elle réintégrait alors était tout aussi effrayant que celui du rêve. Parfois elle avait du mal à faire la distinction entre les deux. Elle revoyait la bouche ouverte du clochard, le canon du revolver qui y pénétrait, et l'expression de stupeur de l'homme. Elle revoyait tout cela, et elle hurlait.

Du moins le croyait-elle. En réalité elle ne produisait aucun son. Sa bouche s'ouvrait sur un cri, mais il ne s'en exhalait qu'un souffle imperceptible.

Cela aussi la terrifiait.

A la sortie de Vicksburg, Jeffers ralentit et se rangea bientôt sur le bas-côté. Il désigna de la main un vaste champ au milieu duquel s'élevait un tertre herbeux. Au sommet, un chêne centenaire étendait ses grosses branches avec toute la majesté que lui conférait son grand âge.

— Que voyez-vous là-bas ? demanda-t-il.

— Je vois un arbre.

— Non, ce que vous voyez, c'est le passé.

Il coupa le moteur.

— Venez, dit-il. Leçon d'histoire.

Il l'aida à enjamber une clôture de bois, et ils se dirigèrent vers le tertre. Tout en marchant, Jeffers scrutait le sol.

— L'herbe a repoussé, dit-il. Je ne pensais pas que ce serait possible, mais il est vrai que cela fait plus de huit ans. Avez-vous déjà vu ces photos prises en Ukraine par les photographes allemands durant la Seconde Guerre mondiale ? De remarquables photos. D'immenses champs de blé qu'incendiaient les Russes dans leur retraite. La terre brûlait, condamnant l'avenir pour sauver le présent. Là, dit-il soudain en désignant le sol. Vous remarquez la couleur différente de l'herbe ?

— Oui, on dirait une forme, dit-elle.

— Exact, une croix.

— Vous êtes déjà venu ici ? demanda-t-elle d'une voix légèrement tremblante.

— Oui, et je me tenais là, dit-il en indiquant le bas du tertre. J'ai fait une très bonne photo. La croix en flammes éclairait les robes et les cagoules de ces connards du Klan, mais ce n'était pas ça le plus remarquable. Non, c'était cette foule de Noirs venus d'on ne sait où, et qui observaient la scène dans un silence de mort. Ils tournaient tous leurs regards vers le tertre, et j'ai pu prendre cette mer de visages luisant à la lueur du feu. Et savez-vous pourquoi le Klan avait choisi cet endroit pour sa démonstration ? Parce que cinquante ans plus tôt l'ancien Klan avait pendu trois Noirs à la plus basse branche de ce chêne. Notre époque aime les anniversaires.

» J'étais très étonné de voir autant de Noirs. J'avais pensé qu'ils ignoreraient la manifestation. Après tout, qui a envie de s'entendre dire qu'on est moins qu'un homme, tout juste un singe ? Mais ils étaient là. Des gens simples, venus dans de vieilles camionnettes, des tracteurs, et même des charrettes tirées par des chevaux.

» Et plus les discours de ces abrutis en robes pourpres, blanches, brandissant leurs bannières, s'enflammaient, plus le silence des Noirs était imposant. Pas un geste, pas un murmure ne montait de ces rangs serrés. Et de ce silence se dégageait une force incroyable qui rendait les pantins d'en face plus ridicules et odieux que jamais.

» Les Noirs montraient à leur manière qu'eux aussi n'avaient pas oublié les pendaisons et le fouet et le feu.

» La force était de leur côté, et vous devez comprendre combien j'admire la force. Parce que pour faire ce que je fais, il faut être solidaire de son âme, il faut être convaincu au plus profond de soi, tout comme l'étaient ces Noirs.

Il partit soudain à rire, et elle vit qu'il avait un appareil photo à la main. Il le porta à hauteur de son visage, manœuvra rapidement l'objectif et la prit en photo. Il se baissa, changeant d'angle, et en reprit une autre.

— Et moi, ce que je fais, c'est prendre des photos, dit-il en riant de nouveau.

Elle se tenait devant lui, attendant ses ordres avec soumission.

— Venez, dit-il.

Elle le suivit sans un mot alors qu'il se dirigeait vers la voiture.

— Quelle est la chose la plus importante aux Etats-Unis ? demanda-t-il quand ils furent assis.

Elle hésita, pensa à la scène que venait de lui décrire Jeffers : les hommes du Klan, rangés sous la croix en flammes, et les paysans noirs, silencieux et dignes. Elle répondit :

— La liberté d'expression, le Premier Amendement ?

Il détourna son regard de la route et lui sourit :

— Exact, Boswell !

Elle le remercia d'un hochement de tête et sortit son calepin, curieusement contente d'avoir trouvé la bonne réponse à l'une de ces questions étranges et impromptues dont il avait le secret.

— Mais y a-t-il une liberté plus souvent bafouée ? C'est au nom de cette liberté que l'ignoble Klan peut se réunir. C'est encore au nom de cette même liberté d'expression que des néonazis peuvent organiser une marche dans Skokie — et qui est là pour contre-manifester ? Une petite bande d'avocats juifs. La démocratie porte en elle les germes de sa propre destruction. Nous sommes une nation d'hypocrites parce que nous adhérons aveuglément aux concepts les plus rigides. Tout le monde respecte les scouts. Ne sont-ils pas loyaux, serviables, amicaux, polis, obéissants, charitables, courageux, propres ? Mais qui oserait dénoncer le chef scout, adulte attardé qui se promène en short, raconte des histoires de fantômes autour du feu de camp et vient toucher les gosses dans leurs sacs de couchage ?

Il prit une profonde inspiration, marqua une pause et ajouta :

— Si l'on veut vraiment comprendre ce pays, il faut savoir que de temps à autre nous mettons tout notre génie à créer des monstres. Histoire de rendre la vie intéressante.

Il parlait vite. Sans colère, mais avec fougue. Elle écrivait aussi rapidement qu'elle le pouvait.

Il s'arrêta.

Il gloussa.

— Je dois être fou, dit-il en tournant la tête vers elle.

— Non, non, je vous comprends...

— Vous ne comprenez rien du tout, lança-t-il d'une voix soudain durcie. Je suis fou, complètement fou. Nous le sommes tous, à notre façon. C'est même notre passe-temps national. Mais il se trouve que je suis bien plus fou que la plupart d'entre eux. (Il la regarda de nouveau.) Bien plus.

Il reporta son regard sur la route.

— Dites-moi, demanda-t-il, que savez-vous de la mort ?

Elle pensa aussitôt à Tommy disparaissant dans l'eau glacée, puis elle se souvint de l'instant où l'on avait remis à sa mère la petite urne blanche contenant les cendres de son jeune frère. Elle entendait encore les voix des proches murmurer dans un souffle : « Sois courageuse. » Mais pourquoi ? se demanda-t-elle. Pourquoi fallait-il contrôler son chagrin au lieu de le laisser éclater ? Quand elle avait vu l'urne, elle s'était demandé sottement si l'on avait brûlé Tommy avec ses vêtements. Il aurait probablement aimé voir partir en fumée le costume bleu qu'il devait revêtir chaque dimanche pour aller à la messe. Tous les petits garçons aimaient et détestaient à la fois leurs beaux vêtements. Ils les aimaient parce qu'ils flattaient leur amour-propre et les détestaient parce qu'il leur était interdit de se traîner par terre avec.

— Je ne sais pas grand-chose au sujet de la mort, répondit-elle. Mon petit frère est mort accidentellement... en faisant du patin à glace sur un étang gelé. Il s'est noyé.

Jeffers attendit avant de dire :

— Mon frère aussi est en train de se noyer. Seulement il ne le sait pas.

Elle ne sut que répondre à cela. Il a un frère, nota-t-elle.

— Oui, il ne le sait pas encore, continua-t-il. Mais il le saura bientôt.

Il conduisit en silence pendant un bon quart d'heure avant de se remettre à parler. Elle s'était tournée vers la fenêtre, regardant les autres gens dans leurs voitures, se demandant où ils allaient, qui ils étaient. De temps à autre elle rencontrait un regard, et elle imaginait la stupeur de la personne si celle-ci avait su dans quelle situation elle se trouvait.

Le paysage défilait, succession monotone de fermes et de champs, de petites villes ancrées dans des vallons verdoyants. Douglas Jeffers regagna l'autoroute, allant toujours en direction du nord. Indifférent à la vitesse, à la circulation, il songea à son frère, puis à Anne Hampton, et de nouveau à son frère.

Marty n'avait pas de passion. Il ne passerait jamais à l'acte. Il absorbait toutes choses calmement, comme ces Noirs sur la colline.

Ils ne s'étaient jamais battus. Pourtant tous les frères se battaient, à propos de tout et de n'importe quoi, pour le seul besoin de s'affirmer. C'était justement cette rivalité qui créait, pensait-il, le lien fraternel. Après la colère et les coups, restait un respect mutuel.

A chaque fois qu'il s'était heurté à leur beau-père, Marty avait toujours observé une neutralité prudente.

— Je déteste la neutralité, dit-il tout haut. Je la méprise.

Il s'aperçut du coin de l'œil qu'Anne Hampton avait sursauté.

Ma foi, pensa Jeffers, Martin ne va pas longtemps rester neutre.

Il jeta un bref regard à Anne Hampton puis reporta les yeux sur la route. Le corps d'Anne lui rappela celui de sa marâtre. Quand elle s'habillait le matin, après que son mari fut parti à son travail, elle laissait la porte de sa chambre ouverte. Elle savait qu'il la regardait. Il savait qu'elle savait. Quand il avait voulu encourager Marty à en faire autant, son frère s'était détourné et s'était éloigné sans un mot.

— Est-ce que vous aimiez votre frère ? demanda-t-il à Anne Hampton.

— Oui, répondit-elle. Mais je le trouvais étrange, mystérieux.

— Que voulez-vous dire ?

— Je n'avais que trois ans de plus que lui. En fait, nous n'avions pas grand-chose en commun. Il avait ses jeux de petit garçon, et j'avais les miens, ceux d'une petite fille. Mais, oui, je l'aimais.

— Je comprends. Selon moi, on partage peu de choses avec ses frères et sœurs, si ce n'est certains souvenirs, parce que les passés sont les mêmes. En réalité, ils ne le sont pas. Chacun voit le monde à sa façon.

— Oui, c'est vrai, approuva-t-elle.

Il acquiesça d'un signe de tête.

— Vous voyez, dit-il, nous avons une conversation presque normale. Ce n'était pas si pénible que ça.

Elle secoua la tête négativement.

Au bout d'un moment, elle demanda :

— Que fait votre frère ?

— Il est psychiatre. Et il est aussi malheureux que les pauvres types dont il a la charge. Il vit seul, et je n'ai jamais su pourquoi. Moi aussi je vis seul, mais j'en connais la raison.

Elle hocha la tête. Il remarqua qu'elle prenait des notes.

— Bien, dit-il.

Elle ne répondit pas.

Il pensa à son frère et répondit à la question qu'elle n'avait pas osé lui poser :

— Non, je n'aime pas mon frère. Pas plus que je n'aime quiconque. Mais je ne le déteste pas.

Elle hésita puis demanda :

— Mais vous aimez votre travail ?

Il sourit.

— J'aime mon travail.

— Vous parlez des photographies avec beaucoup de respect. Celles que vous avez prises vous-même comme celles que vous avez vues.

— J'ai surtout photographié la mort, dit-il, songeur. J'en ai pris toute une série pour *Life* dans la salle des urgences d'un grand hôpital...

— Oh, l'interrompit Anne Hampton, je les ai vues. Elles sont très fortes.

— Cela m'intéressait de voir comment toute cette violence et ces corps mutilés qu'on amenait jour et nuit finissaient par marquer les visages des médecins, des infirmiers et même des chauffeurs d'ambulance. La mort leur collait à la peau. (Il marqua une pause.) C'est ce qui m'est arrivé, à moi aussi.

Elle hocha la tête, ressentant pendant un moment une étrange sympathie.

— J'en ai perdu le compte, dit-il.

— De quoi ? demanda-t-elle d'une voix faible.

Elle avait soudain du mal à respirer.

— Des morts que j'ai vus. A une époque je connaissais le nombre exact. Plus maintenant. Elles se mélangent les unes les autres. Je suis allé au Vietnam, à Beyrouth. Que vaut une vie là-bas ? Le prix d'une balle de fusil-mitrailleur, d'un éclat de grenade. Rien. Quand cet avion s'est écrasé dans la banlieue de La Nouvelle-Orléans, il s'est éventré et les gens ont été projetés de tous côtés. Les sauveteurs devaient décrocher des corps dans les arbres, comme ils auraient cueilli d'énormes fruits sanglants.

— Ce sont des choses qui arrivent, dit Anne Hampton.

— Non, répondit avec colère Douglas. S'il y a la guerre à Beyrouth, ou ailleurs, c'est parce que ça arrange bougrement les affaires d'autres pays. Si un avion s'écrase, c'est parce que quelqu'un a mal fait son travail, qu'il y a eu défaillance humaine, comme on dit si joliment.

Il la regarda.

— Quand je tue quelqu'un, c'est parce que je le veux. C'est le seul moyen que j'ai pour me rappeler que je suis en vie.

Elle prit note d'une main tremblante.

Un silence tomba, et elle ferma les yeux, s'efforçant de maîtriser les émotions qu'avait éveillées en elle leur conversation. Quand elle les rouvrit, elle vit qu'il souriait.

Elle n'osa lui demander pourquoi.

Il conduisit en silence pendant près de deux heures. Ils s'arrêtèrent pour faire le plein et repartirent tranquillement mais sans traîner, donnant au monde l'apparence d'un couple normal, d'un homme et d'une femme pas pressés par le temps mais poursuivant leur voyage vers quelque lieu où ils étaient attendus.

Il rompit finalement le silence :

— Boswell, vous devez vous en poser, des questions, n'est-ce pas ?

— Oui, répondit-elle, mais vous m'avez appris à me taire et à attendre qu'on me demande mon avis.

Il approuva d'un signe de tête.

— Je vois que vous avez bien retenu la leçon. Eh bien, j'ai quelques questions à vous poser. Est-ce que je parais vieux, Boswell ? Voyez-vous des rides sur mon visage ? Ai-je l'air fatigué, frustré, bilieux, rendu amer par l'âge ? Je me sens très vieux, Boswell.

Le ton de sa voix changea quand il demanda :

— Quand nous sommes-nous rencontrés ? Quel jour était-ce ?

La question la fit tressaillir. Elle ne pouvait s'en souvenir. Elle se sentait déchirée entre la tentation de répondre qu'elle était depuis toujours dans cette voiture avec lui et le souvenir de son petit appartement dans le campus, du vase rempli de fleurs séchées sur le rebord de la fenêtre, d'une photo de ses parents sur son bureau et d'une aquarelle représentant des bateaux à l'ancre dans un port qu'elle avait visité des années plus tôt. Le tableau lui avait coûté cher, mais il s'en dégageait une paix, un ordre qui l'avaient profondément touchée. Elle se rappela ses journées au campus, le soleil qui la réveillait le matin. Elle pensa de nouveau à ses parents, là-bas, dans le Colorado, poursuivant une vie paisible. S'ils savaient, se dit-elle, ils seraient bouleversés, paniqués.

— Je ne sais pas, répondit-elle.

— Mais vous savez que personne n'est à votre recherche, dit-il.

Elle hocha tristement la tête.

— Même si quelqu'un en avait l'idée, il ne saurait où chercher ni par où commencer. Comprenez-vous ? Nous n'avons pas laissé la moindre piste.

Elle hocha de nouveau la tête.

— Beaucoup de gens disparaissent sans qu'on sache jamais ce qu'ils sont devenus.

Elle baissa la tête avec le sentiment de s'abandonner à la fatalité.

— C'est justement ce qui vous est arrivé.

Il la regarda avec dureté.

— Je suis votre passé. Je suis votre avenir.

Elle avait envie de crier, mais elle n'osait pas. Elle pensa à ces voix le jour des obsèques de son jeune frère : « Sois courageuse. » Ce souvenir éveilla en elle de la colère.

Jeffers poursuivit :

— C'est comme ces cartons de lait portant les noms et photos d'identité d'enfants faisant l'objet d'avis de recherche. Déprimant. Ces gosses ont disparu. Volés, perdus, à jamais enfuis. Comme dans *le Joueur de Flûte*. C'est cela qui vous est arrivé. Emportée par le vent, engloutie par la mer.

Je ne suis que sa prochaine victime, pensa-t-elle, prise à nouveau d'effroi. Mais, curieusement, sa peur ne la bouleversait plus autant qu'aux premiers jours. Elle avait le sentiment d'être comme ces passagers d'un avion en perdition, chutant inexorablement vers le sol, et qu'un étrange calme envahissait après les premiers hurlements de panique qui avaient accueilli l'annonce de la catastrophe. Comme ces fusillés alignés contre un mur et à qui on offrait la dernière cigarette, le dernier verre de rhum. A qui on laissait voir une dernière fois le jour se lever avant de leur masquer les yeux d'un bandeau.

Elle regarda par la fenêtre, abritant ses yeux de l'éclat du soleil. Elle ne savait pas pourquoi, mais elle ressentait soudain un étrange bien-être.

Jeffers sifflotait un air.

— Je me demande quel air pouvait bien jouer le Joueur de Flûte. Etait-ce le même pour les rats que pour les enfants ?

Sa voix traîna comme s'il se désintéressait déjà du sujet, une particularité qu'elle avait déjà remarquée. Il avait un curieux don pour passer d'une chose à l'autre, sans que l'on sût exactement si c'était par lassitude ou dans le but de dérouter.

— Que savez-vous de l'acte de tuer ? demanda-t-il abruptement.

Elle pensa au clochard et répondit :

— Seulement ce que j'ai appris l'autre nuit.

Jeffers sourit.

— Bonne réponse, dit-il. Boswell n'est pas aussi timide qu'elle s'en donne l'air.

Il écrasa l'accélérateur, et la voiture bondit en avant. Puis, tout aussi soudainement, il leva le pied, et ils roulèrent de nouveau à une vitesse moyenne.

— Tuer est facile, comme vous avez pu le constater. Il n'y a qu'au cinéma que les gens hésitent, considèrent l'arme qu'ils tiennent à la main, en proie au conflit moral. En réalité, tout se passe très vite et très simplement. Une dispute, et bang ! Il y a toujours un conflit au départ, que ce soit une querelle ordinaire dans un bar ou dans une rue d'un ghetto. Même dans mon cas, vous savez, si je me livrais à une analyse quelconque, je découvrirais sans doute la racine. Quelque haine inassouvie, quelque colère rentrée, refoulée de longue date. C'est le genre de problème auquel s'attelle quotidiennement mon cher frère. Mais qu'est-ce qu'un conflit non résolu ? Simplement une lutte entre différentes parties de soi-même. La vie n'est qu'un antagonisme entre notre bon côté et le mauvais, entre Abel et Caïn. Il y a toujours un diable en nous, comme ceux qu'on voit dans les dessins animés et qui viennent souffler à l'oreille du héros quelque mauvaise action... jusqu'à ce qu'un ange survienne et s'efforce de ramener notre héros dans le droit chemin...

Il eut un rire qui n'avait rien d'enfantin.

— Enfin, reprit-il, savez-vous pourquoi nous avons pu commettre ce crime en toute impunité ? Parce que nous l'avons commis au hasard, gratuitement, sans aucun mobile. Comment pourrait-on soupçonner un photographe renommé ou une étudiante bien notée d'avoir tué un clochard d'une balle dans la tête ? Personne ne nous a vus, personne ne nous soupçonne.

» Combien de temps un inspecteur de police consacrera-t-il à la mort d'un clochard qui n'avait vraisemblablement pas de papiers sur lui ? Dix minutes ? Une heure ? Une journée ? Pas plus. Juste le temps de taper un rapport qu'il remettra à son supérieur avant de passer à l'affaire suivante. Et qui pourrait lui en vouloir ? C'est une mort sans importance. Oh, un bon policier vérifiera tout de même s'il n'y a pas eu un meurtre analogue au cours des mois précédents, histoire de savoir si on ne se trouve pas en présence d'un sadique quelconque, et puis il classera l'affaire.

Comme il se taisait, elle risqua une remarque :

— Mais ce ne doit pas être toujours aussi... facile...

Elle détestait ce mot. Facile ! Ce devait l'être pour lui.

Jamais je ne lui ressemblerai, se jura-t-elle soudain, jamais. Elle se surprit elle-même de tant de détermination.

— Bien sûr que non. Sinon ce ne serait pas intéressant. Il n'y aurait pas d'aventure, pas de risque, pas de chasse.

Elle hasarda d'une voix chevrotante :

— Les hommes ne sont pas des animaux.

— Vraiment ? (Il rit.) D'accord, je vous le concède, l'homme n'est pas n'importe quel animal. Mais la guerre n'est-elle pas une espèce de chasse entre hommes ? Pour moi, c'est un style de vie. Oui, c'est cela, un style de vie.

Il paraissait très content de cette formule.

— Je ne comprends pas comment vous...

— Je vais vous expliquer comment tout cela a commencé, coupa-t-il.

Elle eut le sentiment qu'on l'invitait à découvrir une chose qu'elle n'avait pas le droit de voir. Elle se rappela une nuit chez ses parents où par la porte entrebâillée de leur chambre elle les avait surpris dans une étreinte haletante. Elle se souvenait d'avoir rougi dans un mélange de peur et d'embarras. Elle laissa tomber son stylo et dut se pencher pour le ramasser. Savoir était dangereux, et plus elle en saurait et moins elle aurait de chances de s'échapper. Elle avait envie de pleurer, tout comme elle l'avait fait après cette sombre vision des deux corps accouplés, après qu'elle eut perdu une part de son innocence, étouffant ses larmes contre son oreiller.

Il attendait, plein de confiance, conscient de l'émoi qu'avait provoqué en elle l'annonce d'aveux qui achèveraient de la lier à lui. Quand il se mit à parler, ce fut dans un torrent d'enthousiasme :

— J'ai eu une chance incroyable de ne pas me faire coincer après mon premier meurtre. J'avais ramassé une pute dans la rue avec une voiture de location. Rien de plus facile que de remonter jusqu'à moi. Je l'avais frappée dans la voiture. Il y avait du sang sur les sièges. J'ai abandonné son corps dans un endroit que je connaissais mal. Quelqu'un aurait pu me voir. Un passant. Son mac. Un chauffeur de camion qui aurait stationné dans le coin. J'ai laissé toutes sortes d'empreintes et Dieu sait quoi encore. J'ai même utilisé une carte de crédit pour acheter la pelle avec laquelle je l'ai enterrée. Bref, je n'ai jamais rien fait d'aussi bête...

Il lui jeta un coup d'œil et poursuivit :

— Savez-vous ce que j'ai éprouvé après coup ? Une peur incroyablement délicieuse ! Une peur tenace pourtant, de celles qui hantent vos cauchemars nuit après nuit. J'avais l'impression de marcher dans une espèce de crépuscule, m'attendant à tout moment à sentir la main d'un policier sur mon épaule. Il ne s'est rien passé de tel, naturellement, mais j'éprouvais sans cesse la sensation d'être survolté, électrifié.

» Mes photos étaient meilleures, plus aiguës, pleines de passion. Etrange, n'est-ce pas ? L'art naît de l'angoisse. Je me souviens qu'une nuit, quelques jours après, j'étais tellement excité que je n'arrivais pas à dormir. Je suis sorti faire un tour en voiture. J'avais branché ma CB. Tous les photographes le font. On écoute au cas où quelqu'un annoncerait un événement quelconque. C'est ce qui s'est passé.

» J'ai entendu une voix qui appelait à l'aide : un flic avait été abattu à telle adresse. C'était tout près de l'endroit où je passais. Le flic avait voulu contrôler une voiture à qui il manquait un feu arrière. Manque de bol, il était tombé sur quatre types qui venaient de dévaliser une épicerie. Il s'était pris une balle en pleine poitrine. Je suis arrivé sur les lieux avant la police, avant l'ambulance. Il n'y avait que moi et mon appareil, et aussi un jeune mec qui avait été témoin de la scène alors qu'il changeait un pneu à plat de l'autre côté de la route. Il tenait la tête du flic sur ses genoux. Clic ! Clic ! « Aidez-moi ! » criait le mec, mais j'ai continué à prendre des photos. Oh, pas pendant longtemps, trente secondes au plus. Puis je l'ai aidé. J'ai pris le pouls du flic. Il était très faible. Soudain je n'ai plus rien senti. Le type était mort. Et puis la police, l'ambulance sont arrivées. Mais j'avais des photos extraordinaires !

Jeffers marqua une pause. Sa voix se fit plus basse, plus confidentielle.

— Je suis alors devenu un adepte du meurtre.

Il se tut, et ses mots parurent résonner dans la voiture.

Anne Hampton acheva d'inscrire ce qu'il avait dit, cherchant refuge dans ses notes pour contenir l'angoisse qui lui serrait la gorge.

Douglas Jeffers glissa un regard vers elle, et il la vit tendue, au bord de la panique, mais attendant visiblement la suite. Elle est mienne maintenant, pensa-t-il.

— J'avais eu de la chance, donc. Et je n'aime pas beaucoup ça, la chance, reprit-il avec un nouvel entrain. Aussi je me suis mis à étudier le crime sous toutes ses formes, lisant romans, ouvrages scientifiques, rapports médicaux, confessions de meurtriers, mémoires de détectives, d'avocats, de procureurs, de criminologues. J'ai absorbé toute une littérature traitant des armes et comment s'en servir. J'ai étudié l'anatomie. Je suis même allé suivre des cours de physiologie à l'université de Columbia. J'avais besoin de savoir, voyez-vous, comment les gens mouraient.

» Je suis devenu familier de tous les grands criminels, ceux de la littérature comme ceux qui font la une des journaux. De Raskolnikov à Billy le Kid en passant par Septembre Noir ou les Brigades Rouges. Je me suis intéressé au procès des Sorcières de Salem comme à la guerre que se livrent les trafiquants de drogue à Miami, à la mafia et à ses chefs prestigieux comme à des loups solitaires tels que Chessman ou Gilmore. Il y a une histoire qui m'a particulièrement frappé : celle de Gerald Stano. Un type intelligent. Aimable. Il travaillait comme mécanicien dans un garage. Tout le monde l'aimait, même les enquêteurs de la Criminelle. Il n'avait qu'un seul défaut...

Jeffers marqua une pause, ménageant son effet.

— ... Quand il avait rendez-vous avec une femme, il ne se contentait pas de l'embrasser sur la joue en lui disant au revoir...

Jeffers rit.

— Non, M. Stano préférait la tuer.

Il coula un regard vers Anne Hampton, appréciant l'expression affligée de son visage.

— Il l'égorgeait...

De nouveau un silence.

— Il en a égorgé une bonne quarantaine avant d'être arrêté. Il faut lui reconnaître une certaine constance, car il n'a jamais varié son procédé. Chacune de ses victimes a eu la gorge proprement tranchée au rasoir.

Anne Hampton attendit patiemment qu'il continue. Elle l'entendit qui respirait profondément.

— Voilà donc ce que je suis devenu : un docteur ès crimes. Ensuite, ajouta-t-il après avoir de nouveau pris une profonde inspiration, j'étais prêt à devenir un tueur. Mais pas quelque crétin tuant au hasard une pute ramassée dans la rue. Pas un tueur à gages tuant pour le compte d'un gros bonnet ou d'un truand parvenu. Non, j'étais préparé, formé pour être une véritable machine à tuer, consciemment, professionnellement, mais non sans passion, et je dirais même avec foi dans le crime.

Il conduisit en silence pendant des heures.

Anne Hampton lui en fut reconnaissante. Elle s'efforça de

penser à des choses simples, telle l'odeur d'une tarte aux pommes sortie du four ou la sensation d'une chemise de soie sur la peau, sans y trouver beaucoup de réconfort.

Ils traversèrent le Mississippi à Memphis à la tombée de la nuit, passèrent devant un grand panneau à la sortie du pont : « Vous quittez Memphis. A bientôt ! »

Anne Hampton douta de jamais revoir la ville et le grand fleuve qui la traversait.

Dans l'Arkansas, ils ne quittèrent pas l'autoroute. Il était minuit passé quand ils s'arrêtèrent dans un motel dont l'enseigne au néon orange et bleu clignotait dans la nuit.

Ils repartirent au matin et roulèrent pendant deux heures avant de s'arrêter pour déjeuner. Jeffers avait faim, et il la força à prendre un copieux petit déjeuner : des œufs au bacon, des toasts, plusieurs tasses de café et du jus d'orange.

— Pourquoi tout ça ? demanda-t-elle.

— C'est un grand jour, répondit-il. Et une grande nuit. Il y a un match de base-ball à St. Louis, à huit heures. Ensuite ce sera la surprise. Mangez !

Elle mangea.

Après le petit déjeuner, il ne regagna pas tout de suite l'autoroute mais gara la voiture sur le parking d'un grand centre commercial. Anne Hampton le regarda.

— Pourquoi nous arrêtons-nous ?

Il tendit la main et lui saisit le visage, lui enfonçant son pouce et son index dans les joues.

— Contentez-vous de rester près de moi et de la fermer ! siffla-t-il entre ses dents.

Elle acquiesça d'un signe de tête, et il la relâcha.

— Observez, écoutez et apprenez, dit-il avant de descendre et de lui ouvrir la portière.

Il s'en fut d'un pas rapide à travers la foule qui flânait dans le centre. Elle avait du mal à se maintenir à sa hauteur. Ils passaient devant les vitrines des boutiques, entourés du brouhaha de la foule composée surtout d'adolescents qui chahutaient et parlaient fort. Toute cette vie autour d'elle lui paraissait étrangement lointaine. Elle accéléra le pas pour demeurer aux côtés de Douglas, qui allait indifférent au bruit et à l'agitation ambiante.

Il la mena dans un magasin de sport, où il choisit deux casquettes de base-ball aux couleurs des Cardinals de St. Louis. Il paya en liquide et repartit aussitôt.

— Encore un petit arrêt, précisa-t-il.

Chez Sears, il se dirigea vers le rayon du matériel de bureau. Il acheta un petit bloc de papier machine et un paquet d'enveloppes commerciales. Puis il gagna un comptoir sur lequel étaient alignées des machines à écrire de démonstration. Il se tourna vers elle et lui dit :

— Restez tout près de moi et regardez bien.

D'un geste fluide, il sortit de sa poche une paire de gants de chirurgien et les enfila. Puis il tira une feuille de papier du bloc, donna celui-ci à Anne et inséra la feuille dans la machine. Il hésita pendant un instant, s'assura que personne ne l'observait et se mit à taper :

Salut, connards, j'me suis encore fait
Un pédé vite fait bien fait
Mille baisers
Qui vous savez.

Il ôta la feuille, la plia en trois et la glissa dans une enveloppe qu'il mit dans sa poche. Puis il enleva les gants, jeta un regard furtif autour d'eux pour s'assurer de nouveau qu'on ne les avait pas remarqués, et sans un mot pour Anne il s'éloigna d'un bon pas.

Elle se précipita derrière lui, ayant du mal à le suivre tellement il marchait vite.

Quand ils montèrent dans la voiture, il lui fit signe de boucler sa ceinture de sécurité. Elle s'exécuta sans lui poser de question.

Il conduisit en silence jusque dans la soirée, respectant la vitesse limite, indifférent aux voitures qui les doublaient. Elle se demanda pourquoi Jeffers avait toujours l'air de savoir où ils allaient. A l'approche du stade où se déroulait le match de base-ball, il lui dit :

— Nous devrions arriver à la fin du deuxième jeu.

Mais ils ne trouvèrent pas de place de parking à proximité, et le troisième jeu était déjà bien engagé quand ils parvinrent à la grille d'entrée. Ils s'étaient coiffés des casquettes achetées dans la matinée. Parvenus aux guichets, Jeffers sortit deux places de son portefeuille. Anne Hampton fut stupéfaite de découvrir qu'il avait acheté les billets à l'avance.

Ils se faufilèrent à travers la foule qui encombrait les travées entre les gradins archicombles. La bruyante rumeur qui montait du stade déroutait totalement Anne. Elle avait l'impression de flotter dans l'espace et que les ovations ou les huées qui déferlaient en vagues successives allaient l'emporter. Elle se pressa contre Jeffers.

Après qu'ils eurent trouvé des places dans les tribunes, Jeffers repéra un vendeur de cacahuètes et agita les bras pour attirer l'attention de l'homme. Il donna un sac à Anne et, alors qu'elle commençait à écraser les cosses entre ses doigts, il se pencha pour prendre son Nikon dans le sac qui ne le quittait jamais.

— Souriez, dit-il en pivotant vers elle.

Il prit une série d'instantanés.

Elle se sentit mal à l'aise.

— Mes cheveux, dit-elle. Cette casquette idiote...

Mais il lui fit signe d'observer ce qui se passait sur le terrain.

— Suivez la partie au lieu de gémir, ordonna-t-il. Vous aurez peut-être à vous rappeler certains détails plus tard.

Ces paroles lui firent peur, et elle s'efforça de concentrer son attention sur le jeu. Je comprends le base-ball, se dit-elle. J'en connais parfaitement les règles. J'ai même fait partie de l'équipe du collège.

Mais les silhouettes sur la pelouse artificielle du stade lui semblaient maintenant incongrues et étranges, et l'exercice auquel elles se livraient avec tant d'acharnement demeurait incompréhensible.

Elle osa tourner son regard vers Jeffers. Il était complètement absorbé par le jeu, mais elle savait que son attention apparente devait cacher quelque secret dessein. Elle frissonna malgré la chaleur humide que dégageaient les centaines de corps autour d'eux.

Quand les deux équipes changèrent de côté, elle demanda d'une voix qui ne semblait pas lui appartenir :

— Pourquoi sommes-nous ici ?

Jeffers se tourna vers elle. Il la regarda attentivement pendant un instant, puis il éclata de rire.

— Nous sommes ici parce que c'est ça l'Amérique, parce que c'est le sport national numéro un, et que ce sont les Cardinals contre les Mets. Mais surtout parce que je suis un fan de base-ball.

Il rit de nouveau.

— Voyez-vous, continua-t-il, pour le moment nous ne tuons rien ni personne, si ce n'est le temps.

Il hésita.

— Plus tard... dit-il, laconique.

Elle ne posa pas d'autre question.

Ils partirent au milieu du huitième jeu. Alors qu'ils remontaient l'allée entre deux gradins, une gigantesque ovation monta du stade : les Cardinals venaient de marquer le point qui leur assurerait peut-être la victoire.

— Ils devraient savoir, dit Jeffers à Anne Hampton, que rien n'est jamais gagné avant la fin de la partie. C'est un célèbre Américain qui a dit ça.

— Qui ? demanda-t-elle.

— Caryl Chessman, répondit-il.

Jeffers s'assura qu'Anne Hampton avait mis sa ceinture de sécurité, puis il alla à l'arrière de la voiture et ouvrit le coffre. Il sortit de son fourre-tout un jeu de plaques d'immatriculation du Missouri, munies d'aimants, qu'il apposa sur l'originale. Puis il ouvrit le sac où il rangeait ses armes et choisit un petit automatique de calibre 7.65. Il glissa un chargeur dans la sacoche contenant son appareil photo et prit un attaché-case avant de refermer le coffre.

A l'intérieur de la voiture, il alluma le plafonnier.

Elle l'observa qui sortait une chemise de carton jaune de l'attaché-case et l'ouvrait sur ses genoux.

La chemise contenait des coupures de journaux ainsi qu'une liste tapée à la machine. La lumière était trop faible pour qu'elle pût lire ce que mentionnait la liste, mais elle distingua le titre d'un des articles de presse : « Le tueur d'homosexuels a encore frappé à St. Louis ». Elle remarqua que la plupart des coupures provenaient du *St. Louis Post-Dispatch.* A ces divers documents s'ajoutaient un croquis dessiné à la main et un plan de la ville.

— Très bien, dit Jeffers d'une voix enthousiaste. Je suis prêt. Et vous ?

Elle ne sut que répondre.

— Prête ? aboya-t-il soudain.

Elle s'empressa de hocher la tête affirmativement.

— Eh bien, que la chasse commence ! lança-t-il, enjoué.

Il démarra et s'engagea sur une voie express qui coupait à travers une zone de grands ensembles. Il ralentit bientôt pour entrer dans un quartier aux rues mal éclairées et dont le macadam luisait sous les phares des voitures. Anne Hampton apercevait çà et là de petits groupes d'hommes bavardant sur le trottoir à l'entrée de bars. La soirée était douce. Jeffers roulait lentement, observant toutes choses sans un mot. Toutefois, comme à l'accoutumée, il avait l'air de savoir où il allait. Après avoir fait plusieurs fois le tour du quartier, il vira dans une petite rue sombre et rangea la voiture. C'était une rue flanquée d'immeubles plus anciens et aux trottoirs plantés d'arbres. Anne Hampton regarda Jeffers descendre de la voiture et en faire le tour pour lui ouvrir la portière. Il la tira du véhicule et, lui prenant le bras, l'entraîna sur le trottoir. Comme à chaque fois, elle fut étonnée par la force nerveuse de son bras et de sa main. Elle sentait les muscles tendus par l'excitation.

— Ne dites rien, dit-il d'une voix basse. Evitez les regards jusqu'à ce que je fasse mon choix. Mais souriez et ayez l'air heureuse.

Elle essaya, tout en sachant qu'elle devait paraître pathétique, et s'efforça plutôt de marcher d'un pas ferme.

Elle savait qu'elle allait au-devant d'un nouveau cauchemar, mais elle se sentait complètement impuissante à l'en empêcher.

Ils firent trois fois le tour du pâté de maisons, croisant à plusieurs reprises de jeunes hommes allant par couples ou par petits groupes. Au quatrième tour, alors qu'ils approchaient de leur voiture, elle sentit Jeffers qui se raidissait à côté d'elle. Il porta la main à la sacoche de son appareil photo.

— Peut-être, peut-être, chantonna-t-il tout bas.

Ils continuèrent d'avancer en direction d'un homme seul qui remontait le trottoir de leur côté.

— Ralentissez un peu, dit Jeffers. Je voudrais croiser cet homme à hauteur de cet arbre.

Elle vit qu'à une égale distance entre eux et le passant qui approchait se trouvait un grand arbre dont l'ombre épaississait encore celle de la rue.

— Souriez, lui recommanda Jeffers.

Elle se raccrocha à son bras, craignant soudain de trébucher.

Jeffers scrutait la rue du regard, enregistrant toutes choses avec l'acuité d'un prédateur nocturne. Il avait l'impression d'être en feu, comme s'il accourait vers un rendez-vous amoureux. Dans sa main la crosse du revolver chauffait. Il se força à mesurer son pas de façon à croiser l'homme dans l'ombre la plus épaisse.

Jeffers estima la distance : cinquante pas. Puis, soudain, vingt. Dix. Il salua la silhouette d'un petit hochement de tête et lui sourit.

L'homme était jeune, probablement pas plus de vingt-cinq ans. Qui es-tu ? se demanda pendant un instant Jeffers. As-tu aimé la vie ? C'était un blond aux cheveux coupés court, et il portait un petit anneau d'or à une oreille. Sa chemise était entrouverte sur sa poitrine, et un chandail était jeté sur ses épaules avec une nonchalance étudiée.

Jeffers adressa un nouveau signe de tête à l'homme, et celui-ci lui retourna un sourire légèrement nerveux. Jeffers serra avec force le bras d'Anne Hampton, et il remarqua qu'elle souriait aussi.

L'homme passa à leur hauteur, poursuivit son chemin.

Au moment précis où il allait sortir de son champ de vision, Jeffers sortit l'arme de la sacoche. Du calme, eut-il le temps de se dire avant de pivoter juste derrière l'homme, lâchant le bras d'Anne Hampton pour saisir à deux mains le revolver. Quand le canon fut au niveau de la tête de l'homme, Jeffers fit feu deux fois.

Les détonations se répercutèrent dans la rue.

L'homme tituba pendant un bref instant puis s'abattit de tout son long sur le trottoir.

Anne Hampton demeura figée, bouche bée, les yeux écarquillés de stupeur horrifiée.

Jeffers se pencha au-dessus du corps et tira une troisième fois dans le dos, au niveau du cœur. Puis il fit disparaître le revolver dans la sacoche et sortit son appareil photo. Elle entendit bourdonner le moteur entraînant la pellicule tandis qu'il prenait plusieurs clichés. L'instant d'après il rangeait de nouveau l'appareil et, empoignant Anne Hampton par le bras, il la tira vers la voiture.

Il ne fit pas crisser les pneus en démarrant et remonta lentement la rue. Ils passèrent devant le corps gisant dans l'ombre de l'arbre, et Anne Hampton ferma les yeux.

Quand elle les rouvrit, ils roulaient dans la nuit, suivant apparemment un itinéraire que Jeffers avait dû soigneusement établir. Une quinzaine de minutes plus tard, il s'arrêta dans une rue déserte au milieu d'un quartier d'entrepôts. Il sortit sans un mot de la voiture et enleva les plaques du Missouri. Il les essuya avec un chiffon et alla les jeter dans une poubelle en veillant à bien les enfoncer parmi les ordures.

Il regagna la voiture, et ils continuèrent de rouler jusqu'à ce qu'ils parviennent dans un quartier périphérique. Jeffers s'arrêta devant une boîte aux lettres. Il enfila de nouveau ses gants de plastique. Puis il prit dans sa poche la lettre qu'il avait tapée au centre commercial. Il ouvrit ensuite la chemise de carton jaune, en tira une petite enveloppe marron, qu'il secoua. Des mots découpés dans un journal tombèrent sur ses genoux. Avec un flacon de colle, il les assembla sur l'enveloppe, et utilisa également la colle pour fermer celle-ci.

— On n'est jamais trop prudent, dit-il. Je sais qu'ils ne peuvent relever des empreintes digitales sur du papier, mais ils sont maintenant équipés de moyens leur permettant de remonter jusqu'au groupe sanguin à partir de l'analyse de la salive. Bon Dieu, ils seraient bien capables de me retrouver par mon numéro de sécu !

Il la regarda. Il parlait avec un enthousiasme presque juvénile, comme s'il venait de jouer une bonne farce à quelqu'un.

— Ecoutez, dit-il. Ne faites pas cette tête. Nous avons terminé. Juste quelques derniers détails à régler, et nous mettons les voiles.

Il sortit de la voiture et posta la lettre.

Quand il revint dans la voiture, il dit :

— Il ne me reste plus qu'à m'occuper du revolver, mais nous verrons ça demain. En toute tranquillité.

Il démarra et reprit bientôt l'autoroute. Anne Hampton ne se retourna qu'une seule fois pour contempler brièvement les lumières de la ville disparaissant derrière eux.

Il la vit frissonner.

— Froid ?

Elle hocha la tête.

— Fatiguée ?

Elle acquiesça de nouveau.

— Faim ?

Elle se sentait incapable d'avaler quoi que ce soit.

— Moi, j'ai une faim de loup, dit-il. C'est bizarre, reprit-il après un moment de silence. Cet homophobe qui a déjà tué sept pédés à St. Louis écrit toujours ses messages en rimes, selon le *Post-Dispatch*.

Jeffers secoua la tête.

— Les journalistes ne lui ont pas donné de surnom. Pourtant c'est toujours le cas quand on a affaire à un maniaque, un tueur en série. Ils auraient pu lui trouver quelque chose comme l'Exécuteur ou le Tueur de St. Louis.

Il la regarda et remarqua sa fatigue.

— Savez-vous ce qui s'est passé ? demanda-t-il.

— Oui, répondit-elle d'une voix lasse.

Il tendit la main et la gifla, pas trop durement, en pensant : elle a l'air crevée.

Le bruit de la gifle la fit sursauter et la tira brutalement de l'espèce de prostration dans laquelle elle était plongée depuis les coups de feu dans la rue.

— Savez-vous ce qui s'est passé ? demanda-t-il de nouveau.

Elle secoua la tête.

— Nous avons commis un meurtre qui est une assez bonne imitation des sept autres perpétrés au cours des dix-huit derniers mois dans St. Louis et dont l'auteur est vraisemblablement un maniaque. Quand elle a affaire à une série de crimes identiques, la police cache toujours un détail ou deux à la presse, parce qu'il se trouve souvent un petit malin qui en profite pour y aller de son meurtre en se disant que celui-ci sera porté sur le compte de l'autre maniaque. Mais avant que les flics puissent vérifier qu'ils ont affaire à un outsider, nous serons loin. Pas de preuves, pas le moindre indice à se mettre sous la canine.

Il sourit.

— Il n'empêche, reprit-il, on n'est jamais sûr de rien. Quelqu'un nous aura peut-être vus de son appartement. J'aurai, ou vous aurez, laissé tomber quelque chose par terre sans nous en rendre compte, et cela suffira peut-être à un flic têtu pour remonter la piste. Voyez-vous, c'est ça qui est excitant : savoir qu'il n'y a jamais d'impunité totale.

» Certains policiers ont de remarquables qualités d'intuition. Mais les crimes les plus difficiles à élucider sont ceux commis au hasard, sans mobile apparent.

» J'ai pensé pendant un temps que c'était le genre de crime que je commettrais. Descendre quelqu'un, comme ça, au hasard de la route. Mais j'ai songé que la répétition de ce genre de crime finirait par attirer l'attention de la police. J'ai alors cherché, et j'ai trouvé. Une idée géniale, je dois dire. Je copie les meurtres des autres, comme un faussaire un tableau de maître. J'essaie d'en apprendre le maximum sur ces tueurs qu'on surnomme le Tueur du Campus, le Tueur de l'Autoroute, le Tueur de la Montagne Verte. Ensuite je glisse mon crime parmi les autres. Généralement, cet homicide supplémentaire échoit à l'équipe de flics qui s'occupe des précédents et qui, le plus souvent, finit par le coller sur le dos du tueur qu'elle recherche, ou bien classe l'affaire, faute d'indices. La plupart des tueurs se font prendre parce qu'ils ont signé leur crime. Je n'ai pas cette fierté. L'acte est ce qui compte pour moi. Pas la signature. Je me livre à un véritable travail d'identification au maniaque dont je vais imiter les crimes. J'utilise les détails dont j'ai pu prendre connaissance, et j'y ajoute une note personnelle. C'est finalement plus un « à la manière de » qu'une copie.

Elle perçut de la tristesse dans sa voix.

— Je dois avouer que je suis devenu tellement expert à ce jeu que j'ai fini par le trouver trop facile. C'est pourquoi vous êtes ici : pour m'aider à achever mon œuvre d'une façon parfaite.

Il reporta son attention sur la route.

— Vous pouvez dormir, maintenant, dit-il. Moi, je n'ai pas du tout sommeil. Nous allons continuer sans nous arrêter pour la nuit. Direction la maison. Bonne nuit, Boswell.

Le mot « maison » lui fit aussitôt penser à la sienne, à ses parents, mais elle fut incapable de se les représenter. Elle ne savait où il l'emmenait, mais elle ne pouvait dissocier leur destination de sa propre mort.

Elle ferma les yeux et sentit la voiture accélérer, l'emporter vers un nouveau cauchemar.

IX. Autre séance de thérapie chez les Garçons Perdus

Martin Jeffers était chez lui, seul.

Mais sa solitude était peuplée de souvenirs. Une fois, alors qu'enfants ils passaient des vacances à Cape Cod, son frère avait trouvé un jeune faucon blessé à une aile. L'été du faucon. L'été de la noyade. Il se demanda pourquoi il pensait à l'oiseau, quand des événements survenus plus tard au mois d'août avaient été autrement plus graves. Doug avait trouvé l'oiseau traînant l'aile sur une petite route. Pendant deux semaines, se rappela Jeffers, son frère avait passé ses journées dans les bois à chercher des insectes, de petits serpents et des escargots pour en nourrir le faucon. Vorace, celui-ci accueillait les allées et venues de Doug à grands piaillements. D'où le nom qu'ils avaient donné à l'oiseau. *Piaille*. Dès qu'ils en avaient le temps, ils hantaient la petite bibliothèque locale, emportant chez eux tous les ouvrages qu'ils pouvaient dénicher sur les oiseaux, la fauconnerie et les soins vétérinaires. Au bout de deux semaines, le faucon venait chercher sa nourriture sur l'épaule de Doug, et Martin Jeffers revit soudain le sourire triomphant de son frère, descendant en ville à vélo, le faucon agrippé au guidon.

Et puis leur père leur avait dit de se débarrasser de l'oiseau.

Doug ne voulait pas mettre le faucon en cage, et il y avait des fientes partout dans la remise où il l'avait installé. L'autre s'en était irrité, et il avait lancé aux garçons un ultimatum simple et terrible : encagez-le, libérez-le, ou sinon... C'était ce « sinon » le pire. Si son aile n'est pas guérie, avait protesté Doug, il mourra en liberté. Et on ne peut mettre un animal sauvage en cage ! Il se cognera contre les barreaux sans rien comprendre. Il en crèvera. Doug était résolu. Il l'était toujours. Martin Jeffers se souvint d'avoir couru sur ses petites jambes derrière son frère qui s'éloignait d'un pas vif et rageur.

L'oiseau était resté tenacement accroché à l'épaule de Doug, enfonçant ses griffes dans la chemise et la peau, tournant sa tête fière face au vent, tandis que Douglas traversait à la rame le marais qui les séparait de la côte. Il avait tiré la barque à terre et avait pris le chemin des dunes. L'océan n'était qu'à cinq cents mètres de là, et Martin se rappela la rumeur lointaine des vagues. Le ciel était clair, et le soleil chauffait. Doug avait levé son poing sur lequel était perché le faucon et, comme dans les illustrations des livres de fauconnerie, avait tenté de faire s'envoler l'oiseau. En vain. Le faucon avait battu frénétiquement des ailes, essayant de s'élever dans le ciel, et était retombé sur le bras de son frère. « Inutile d'insister, avait dit Doug. Son aile ne tiendra pas. » Puis il avait ajouté : « Je le savais. »

Il n'avait rien dit d'autre. Ils étaient revenus en silence jusqu'à la barque. Il avait ramé avec une furieuse énergie, comme s'il avait pu infléchir par la force le cours des choses.

Martin Jeffers repensa au matin qui avait suivi. Douglas était apparu au pied de son lit, les cheveux en bataille, le regard brillant de fureur. « Piaille est mort », avait-il annoncé.

Leur père avait tué l'oiseau pendant qu'ils dormaient.

C'était un homme sans cœur, et j'ai été sacrément content de ce qui lui est arrivé quelque temps plus tard, pensa-t-il, alors que lui revenait le souvenir de son chagrin d'alors. Personne n'avait dit mot ce soir-là. Ils avaient pris place à table comme si rien ne s'était passé. Il se rappela que sa mère avait dit qu'elle était désolée que l'oiseau se fût enfui. Les deux garçons avaient adopté le même regard de stupeur, et elle avait fini par détourner les yeux.

Leur père avait pris son repas, indifférent à son entourage.

Le salaud.

Martin Jeffers se renversa contre le dossier du fauteuil. Il se revit ce matin-là, tiré du sommeil par la voix de son frère, s'éveillant à la vue de l'oiseau dans les mains de Douglas.

Etrangement, sa mémoire se fixa sur ces mains, à la manière d'un gros plan au cinéma.

— Oh, mon Dieu ! Non ! s'écria-t-il soudain à haute voix.

Il eut l'impression qu'un terrible poids pesait sur ses épaules.

— Non, non, ce n'est pas possible, gémit-il.

Une grande tristesse se mêlait à l'horreur qu'il ressentait.

Il venait de découvrir qui avait tué l'oiseau.

Ces choses-là nous sont arrivées à tous les deux, mais moi je suis devenu introverti, solitaire et passif, tandis que lui est devenu... Jeffers s'arrêta avant de formuler le mot.

Il s'efforça de se rappeler les fois où il avait vu Douglas en colère. Son frère était alors capable de silences effrayants. Il pensa soudain à la femme inspecteur et aux photos du cadavre de sa nièce, et il essaya de relier les deux visions.

Il secoua la tête.

Pas Doug, pensa-t-il.

Et pourquoi pas ?

Il ne put répondre à la question.

Martin Jeffers se leva et fit quelques pas dans la pièce. Il habitait au rez-de-chaussée d'une vieille maison à Pennington, dans le New Jersey, une petite ville entre Hopewell et la banlieue de Trenton. Douglas aimait à rappeler que ce trou de Hopewell n'en était pas moins célèbre : c'était là qu'avait été kidnappé le bébé des Lindbergh.

Le crime du siècle, pensa Martin Jeffers.

Ils avaient retrouvé le bébé dans les bois. Décomposé.

Il se demanda pendant un instant si chaque Etat ne marquait pas son histoire d'un crime particulier. Il se souvint que Doug lui avait parlé du Tueur de Camden, qui était sorti par une belle journée de septembre 1949 et avait tué seize personnes à coups de Luger, un souvenir de guerre rapporté d'Allemagne. Quelques années plus tard, Doug avait paru fasciné d'apprendre que Martin voyait régulièrement cet homme que les journaux avaient décrit comme un chien enragé et qui hantait les salles de l'hôpital psychiatrique de Trenton. Un patient modèle, qui ne protestait jamais et prenait gentiment depuis vingt-cinq ans sa dose quotidienne de neuroleptiques.

Doug était toujours intéressé par ce genre d'histoire.

Martin Jeffers secoua la tête.

Oh, Doug n'était certainement pas le seul à être intrigué par les criminels. Dans son cas, c'était même naturel quand on pensait à tous les flics et tous les meurtriers qu'il avait pu photographier en reportage.

Mais jusqu'où allait sa curiosité ?

Il secoua de nouveau la tête. Ridicule, pensa-t-il.

Il pensa à ses Garçons Perdus. Il imagina son frère assis parmi eux.

— Bon Dieu ! dit-il tout haut.

Il alla à un petit bureau dans un coin de la pièce qui servait de salon, en fait un espace encombré de bouquins, de magazines, de rapports médicaux qui s'empilaient de-ci de-là dans un semblant d'ordre, d'un divan et de deux fauteuils, d'un poste de télévision et d'un téléphone. Il promena son regard sur tout cela avec le sentiment qu'il menait une vie dérisoire. Il aperçut une enveloppe sur son bureau. Elle était posée contre un bloc-notes. Il avait lui-même écrit dessus : *Clé de l'appartement de Doug.*

Il revit son frère qui lui lançait la clé. Un voyage sentimental, avait-il dit.

Il n'y a pas de hasard.

Tout fait partie d'un ensemble. Conscient ou inconscient. Il s'empara de l'enveloppe mais secoua la tête. Non, pas encore, se dit-il. Je ne suis pas convaincu. Il savait qu'il mentait.

Il replaça l'enveloppe sur le bureau et revint s'asseoir dans le fauteuil. Il jeta un coup d'œil à la pendule. Minuit passé. Dors, se dit-il tout en sachant qu'il en serait incapable. Il pensa à l'inspecteur de police.

Quelles pouvaient être les forces qui poussaient cette femme ? Peut-être était-ce son sentiment de la justice, peut-être n'était-ce que le désir de vengeance. Il revit son visage fermé, déterminé, les cheveux coiffés sévèrement en arrière. Le plus effrayant était encore cette féminité, ce tailleur de soie et les escarpins. Jeffers aurait volontiers imaginé une femme d'âge moyen, avec de fortes mains et une vision simpliste du monde.

Il pensa aux Furies de la mythologie romaine qui personnifiaient le concept de châtiment. Il regarda la nuit par la fenêtre et se surprit à désirer que le jour se lève vite et qu'il retrouve les gestes routiniers de sa vie : la douche, sa tasse de café, le trajet en voiture jusqu'à l'hôpital, les premières visites aux patients et les séances de thérapie avec son groupe.

Il se leva soudain, pour aller prendre dans un placard un plaid dont il s'enveloppa avant de regagner le fauteuil. Il éteignit la lampe à côté de lui et demeura assis dans l'obscurité, pris entre l'envie de dormir et celle de veiller, toutes deux lui faisant également peur.

Dehors, dans sa voiture, Mercedes vit la lumière s'éteindre. Elle attendit un quart d'heure, afin d'être sûre que Jeffers ne s'apprêtait pas à sortir de chez lui. Puis elle inclina au maximum le dossier de son siège et se couvrit d'une couverture qu'elle avait prise dans sa chambre d'hôtel. Elle desserra le ceinturon de son blue-jean et, jetant un dernier regard aux fenêtres de l'appartement, elle se détendit, laissant sa main posée sur le 9 mm dissimulé sous la couverture. Le contact de l'arme la rassurait. Elle ferma les yeux.

Son sommeil fut agité, peuplé de rêves où défilèrent son mari, les frères Jeffers, Sadegh Rhotzbadegh. Elle fut réveillée peu avant l'aube par les phares d'une voiture passant dans la rue. Elle entrevit dans le rétroviseur le gyrophare d'une voiture de police, et elle se demanda quel genre d'endormi était au volant pour ne pas avoir remarqué la présence d'une personne dans un véhicule garé dans un quartier résidentiel. Elle était cependant contente de ne pas avoir été repérée, même si dans le cas contraire sa plaque de police et ses manières sèches auraient été une explication suffisante.

Elle orienta le rétroviseur vers elle et se donna un coup de peigne. Puis elle se pencha vers la boîte à gants et en sortit la thermos de café et une moitié de sandwich qui lui restait. Le café était tiède, mais c'était mieux que rien. Elle le but par petites gorgées, comme s'il était brûlant, entre deux bouchées de sandwich, laissant son esprit revenir lentement à la réalité.

Elle regarda en direction de l'appartement de Jeffers et se raidit imperceptiblement en remarquant qu'il y avait de la lumière. Elle vit une silhouette se déplacer devant une fenêtre, et elle se baissa instinctivement.

Allez, docteur, se dit-elle. Commençons la journée.

Elle abaissa la glace et emplit ses poumons d'air frais, excitée à la perspective de la chasse qui allait commencer.

Martin Jeffers avait dormi, de cela il était sûr, mais il ne savait pas combien de temps. Il se sentait toutefois aussi las qu'au début de la nuit. Il gagna la salle de bains et entra dans la douche, qu'il se força à prendre froide dans l'espoir qu'elle le revigorerait. Puis il se rasa et s'habilla rapidement en jetant de temps à autre un regard à la pendule.

Il pensa à l'inspecteur Barren. Il ne lui avait pas donné d'heure exacte, mais il savait qu'elle viendrait tôt. Il secoua la tête.

Non, pensa-t-il, rien n'a été prouvé. Rien du tout.

Il est normal d'exagérer les qualités ou les défauts d'un frère. Cela remonte à l'enfance, à la permanence de l'affection, de la jalousie et de tous les sentiments plus ou moins refoulés qui font partie de la relation fraternelle. Doug a certainement tué l'oiseau, alors que tu avais toujours pensé que le coupable était notre père adoptif. Tu t'es trompé, mais cela ne prouve pas pour autant que ton frère est un tueur.

Il jeta un coup d'œil à son reflet dans le miroir et mesura soudain combien il se cachait la vérité. Il ferma les yeux puis les rouvrit, comme pour chasser le tourbillon de pensées qui l'agitait.

— Quoi qu'ait fait Doug, il restera ton frère tant que ce flic ne t'aura pas apporté une preuve tangible, lança-t-il tout haut.

Le ton de sa voix était chargé de détermination, mais il se dit qu'il avait trop longtemps pratiqué la psychanalyse pour ne pas voir dans ces mots une vaine dénégation.

Pris entre le doute et la stupeur, se méfiant de sa mémoire comme de ses sentiments, Martin Jeffers partit à l'hôpital. Il ne vit pas l'inspecteur Barren, en planque dans son véhicule de l'autre côté de la rue.

Elle attendit encore dix minutes, histoire d'être sûre.

Elle ne doutait cependant pas, pour avoir remarqué son pas vif et la fixité de son regard, qu'il irait directement à l'hôpital, tout entier tourné vers ce rendez-vous convenu la veille et qui avait dû le garder éveillé une bonne partie de la nuit.

J'y serai, pensa-t-elle, probablement plus tard que prévu, mais j'y serai. De nouveau elle se sentit troublée par ce qu'elle s'apprêtait à faire. Il lui fallait une piste, un indice, quelque chose qui pût convaincre Martin Jeffers de l'aider à retrouver son frère. Et fouiller l'appartement du médecin était un commencement comme un autre. Bien sûr, c'était illégal. Le meurtre de Susan aussi.

Elle chassa ses derniers scrupules et descendit de voiture. Elle jeta un regard autour d'elle et traversa la rue. Elle ne se dirigea pas vers l'entrée de l'immeuble, mais sur le côté, là où donnaient les fenêtres de l'appartement. Elle avait déjà repéré celle qu'il avait laissée légèrement entrouverte pour aérer.

N'hésite pas, se dit-elle. Fais-le.

Elle tira une poubelle sous la fenêtre, grimpa dessus en même temps qu'elle soulevait la persienne à guillotine. Une main en avant pour pousser le voilage, l'autre en appui sur le rebord de la fenêtre, elle sauta à l'intérieur de l'appartement.

Elle se redressa et s'empressa de refermer la persienne.

Elle avait le sentiment d'avoir accompli une assez belle violation de domicile sans effraction, et elle pensa que si tous les voleurs et cambrioleurs qu'elle avait arrêtés au cours de sa carrière l'avaient vue, ils l'auraient sans doute applaudie.

Elle regarda autour d'elle et ressentit un bref dégoût à la vue du désordre qui régnait dans la pièce. Elle attendit encore une minute ou deux avant de commencer à explorer l'appartement, tendant l'oreille aux bruits assourdis qui provenaient de la rue ou des autres logements.

Elle ne jeta qu'un coup d'œil dans la salle de bains puis fouilla rapidement la chambre. Elle procédait sans méthode particulière, sachant que, s'il se trouvait quelque part un indice lui permettant de remonter jusqu'au frère, cet indice n'était pas nécessairement caché. Sous le lit elle trouva deux classeurs en carton remplis de papiers personnels. Elle les tira à elle et s'assit par terre pour les parcourir. C'étaient pour la plupart des documents administratifs, feuilles d'impôts, assurances, etc. Elle tomba sur le dossier scolaire de Martin Jeffers, remarqua que ses études en faculté de médecine avaient été moyennes par rapport à celles du collège. Il semblait qu'il avait fait preuve d'une moindre ambition, ce qui expliquait peut-être le fait qu'il travaillât dans un hôpital d'Etat et non dans le privé. Mais cela ne faisait que poser une nouvelle série de questions, et elle rangea les papiers dans leur dossier. Elle découvrit ensuite une lettre provenant d'un organisme de charité catholique, qui datait d'un peu plus de six ans. Elle l'ouvrit et lut :

... Nous ne pouvons vous fournir aucune information concernant votre mère naturelle. Bien que l'adoption ait eu lieu entre membres de la famille, nous en avions un enregistrement. Malheureusement, quand la paroisse de St. Stephen a brûlé en 1972, la plupart des registres qui n'avaient pas été mis sur microfilms ont été irrémédiablement détruits.

Mercedes rangea la lettre en se demandant à quoi pourrait lui servir cette information. Elle continua sa fouille mais ne trouva rien qui pût susciter un intérêt particulier. Elle repoussa les cartons sous le lit et se redressa. Elle regagna le salon et remarqua le plaid jeté sur l'un des fauteuils. C'est là qu'il a dormi cette nuit, pensa-t-elle. Si toutefois il a dormi.

Elle remarqua la pile de magazines sur le sol autour du fauteuil. Il a essayé de se distraire, se dit-elle. Il y avait un numéro de *Life* à ses pieds. Il était vieux de six mois. Elle se baissa vivement pour s'en emparer. Elle savait ce qu'elle allait y trouver. Elle l'ouvrit et tomba sur la photo d'un chirurgien dont le visage lourd de fatigue se détachait sur un fond de salle d'opération. La légende au bas de la photo lui sauta aux yeux : *Photographie par Douglas Jeffers*. Le cliché avait été pris dans la salle des urgences d'un grand hôpital.

Je sais ce qu'il cherchait, pensa-t-elle. Elle pouvait imaginer le Dr Jeffers dans son fauteuil, feuilletant les pages à la recherche des photos qui lui parleraient le mieux de son frère.

Elle étala les magazines autour d'elle, cherchant à son tour. Personnages et scènes défilèrent sous ses yeux. Mais aucune image ne lui apprit rien qu'elle ne sût déjà.

C'est un pro, un bon, pensa-t-elle. Mais nous le savions déjà. Nous savions qu'il comptait parmi les meilleurs.

Pendant un moment elle éprouva la même frustration que le frère quelques heures plus tôt. Toutes ces photos montrent plus qu'elles ne révèlent, songea-t-elle avec dépit.

Trouve quelque chose !

Elle s'approcha du bureau et vit l'enveloppe sur laquelle une main avait tracé d'une écriture hâtive : *Clé de l'appartement de Doug*. Pendant un instant elle ne saisit pas ce qu'elle lisait. Puis sa main se détendit, comme mue par un réflexe, et s'empara de l'enveloppe. Elle sentit la clé sous ses doigts et parvint difficilement à retenir le cri de triomphe qui montait dans sa gorge. Elle fourra l'enveloppe dans sa poche puis leva les poings au-dessus de sa tête comme un athlète franchissant en vainqueur la ligne d'arrivée. Mais elle se reprit aussitôt avec colère. Calme-toi, idiote, marmonna-t-elle. Et soudain une idée la frappa : je n'ai pas l'adresse. Elle repéra un petit annuaire à côté du téléphone, et elle s'en saisit avec impatience. L'adresse à Manhattan du frère de Jeffers lui parut se détacher parmi toutes les autres. Elle chercha autour d'elle un morceau de papier et un crayon, n'en vit pas et arracha la page.

Puis, le visage en feu, elle gagna la porte d'entrée, l'ouvrit et, après un bref regard derrière elle, sortit de l'immeuble. Elle ne pensait à rien d'autre qu'à cette clé dans sa poche. Il faisait beau dehors. Tout semblait normal et simple. Des enfants jouaient sur une pelouse, des oiseaux chantaient dans les frondaisons. Une légère brise soufflait. Une femme promenait son chien.

Elle secoua la tête, comme pour chasser la dissonance que provoquait la clé de l'appartement du tueur dans sa poche. Je me rapproche, pensa-t-elle.

La petite ville de Pennington semblait avoir perdu toute

réalité, remplacée par la vision des gratte-ciel de Manhattan.

L'inspecteur Barren claqua la portière de sa voiture en même temps qu'elle actionnait le démarreur. Moins de quelques minutes plus tard, elle s'engageait sur l'autoroute, direction New York.

Martin Jeffers avait commencé la séance en posant aux Garçons une question simple : que pense votre famille de vos crimes ? Un silence pesant était tombé dans la salle, et Jeffers avait su qu'il avait touché là un point sensible. Il savait également que cette question n'était pas innocente, dans la mesure où elle le concernait lui aussi. Il avait aussitôt pensé à son frère et en avait chassé l'image tandis que les hommes se mettaient soudain à parler en même temps avec cette anarchie qui les caractérisait.

Il attendit qu'ils se calment pour poser à l'un ou l'autre une question plus précise ou plus personnelle, mais son attention flottait, et il avait du mal à se concentrer. Il se surprit à jeter des regards à sa montre, impatient que la séance se termine. Où est-elle ? se demanda-t-il, le visage impassible de l'inspecteur Barren lui revenant brusquement à l'esprit.

— Vous savez ce qui est drôle ?

C'était la petite voix de Meriwether.

— Quand je me suis fait épingler et qu'on m'a conduit ici, dans ce club de vacances, ma femme était encore plus furieuse que moi. (Il gloussa.) J'avais pensé qu'elle demanderait le divorce illico, ou même qu'elle me tomberait dessus à bras raccourcis. Elle est deux fois plus forte que moi, la salope...

Des rires fusèrent sur les bancs.

Que veut-elle ? se demanda Jeffers. L'arrêter ? Il se rappela la lueur de glace dans les yeux de la femme.

— Eh bien, pas du tout, poursuivit Meriwether. Au contraire, elle pleurait et criait à mon innocence ! C'était comme si la petite fille de nos voisins m'avait séduit, encouragé à la baiser ! Ouais, elle avait tout l'air d'y croire que c'était sa faute, à la gosse, et que le fait qu'elle n'avait que onze ans n'entrait pas en ligne de compte...

Meriwether se tut, et Jeffers songea que son frère l'avait toujours impliqué d'une certaine façon dans ses entreprises. Oh, pas explicitement, mais un peu comme s'il avait été un joueur remplaçant sur le banc de touche.

— Putain de bonne femme, elle me rend visite deux fois par semaine, et elle ne m'a jamais autant aimé, termina Meriwether. Vous y comprenez quelque chose, vous, les gars ?

Jeffers repensait à ce que lui avait dit son frère : « Un voyage sentimental. » Qu'est-ce qu'il avait voulu dire par là ? Où était-il allé ? Qu'y avait-il de sentimental dans sa vie ? Avait-il l'intention de visiter l'ancienne maison de famille ? A Princeton ? La boutique avait été rachetée par une société. Si c'était là l'objet de son voyage, il n'avait pas besoin d'en faire un tel mystère ! Bon Dieu, où a-t-il pu aller ? Il ne dit jamais rien.

Mille idées tourbillonnaient dans l'esprit de Jeffers.

Wasserman s'empressa de répondre à la question de Meriwether :

— C'est pareil avec ma mère. Je reçois un colis chaque semaine. Elle aussi elle ne voulait pas croire à ce que j'avais fait. J'aurais pu me taper et tuer une gonzesse juste sous son nez, elle m'aurait dit : « Mon chéri, tu l'as baisée tellement fort qu'elle a eu une crise cardiaque et qu'elle est montée au paradis... »

Jeffers remarqua que Wasserman, pour une fois, ne bégayait pas. Mon frère, pensa-t-il, ne m'a jamais dit que ce qu'il jugeait bon que je sache. Et maintenant que j'ai besoin de savoir, il me laisse dans le vide !

— D-d-des f-f-fois ma m-m-mère é-é-était plus fo-fo-folle que-que moi, reprit Wasserman.

Tiens, son bégaiement est revenu, nota Jeffers, distrait. La voix dure et mâle de Pope se fit entendre :

— Ils ne veulent jamais y croire. Ils ne veulent pas croire qu'on puisse chiper des bonbons à l'épicerie du coin. Et quand c'est plus grave, ils refusent encore plus de le croire. Alors, quand on se fait baiser comme nous pour avoir enfilé des mômes ou des grands-mères, vous pensez ! Ouais, ils préfèrent nous croire innocents. C'est plus simple.

— Pas toujours, intervint Miller.

Les regards se tournèrent vers le tueur professionnel.

Miller considéra le groupe comme s'il avait sous les yeux de la marchandise volée.

— Ouais, il y a toujours eu quelqu'un, un père, une mère, un frère ou une sœur, qui savait qui nous étions et qui nous détestait pour ça. Quelqu'un qu'on ne pouvait tromper. Quelqu'un qui nous battait peut-être, ou qui nous a abandonnés parce qu'il ou elle ne pouvait pas nous battre. Quelqu'un qui s'est tiré alors qu'on commençait à prendre notre pied...

Cette dernière phrase le fit rire, mais les autres restèrent de marbre, silencieux avec leurs pensées.

— Peut-être quelqu'un qu'on avait envie de foutre en l'air. Peut-être quelqu'un qu'on a foutu en l'air. (Il marqua une pause comme pour mieux savourer le malaise qu'il avait instillé parmi les hommes.) Il y a toujours quelqu'un qui sait qui nous sommes. Et c'est pas une grande affaire, vraiment. Il suffit de manipuler différemment cette personne.

Miller se tut, et un murmure emplit la salle. Une question trottait dans la tête de Jeffers, mais il avait la désagréable impression de ne plus être maître des mots. Cela lui faisait peur. C'était aussi la première fois que ses problèmes personnels prenaient le pas sur ceux de ses patients. Il demanda :

— Que feriez-vous si vous appreniez que quelqu'un que vous aimez, quelqu'un de votre famille, a commis un crime ? Quelle serait votre réaction ?

Il y eut une brève hésitation, comme si les Garçons Perdus avaient tous pris leur souffle en même temps. Puis il se retrouva rapidement enveloppé dans une cacophonie d'opinions.

Mercedes poursuivit vers le nord, passant devant l'échangeur du New Jersey qui conduisait au Holland Tunnel. Elle préférait entrer dans Manhattan par le pont George Washington, qui étirait sa gigantesque carcasse grise au-dessus de l'Hudson. Elle avait opté pour le pont parce qu'elle détestait les tunnels qui lui donnaient des palpitations et la plongeaient dans un état d'angoisse qu'aucune considération sur le génie bâtisseur des hommes ne pouvait tempérer. Elle avait toujours peur que les masses d'eau qui pesaient sur la voûte ne défoncent un jour celle-ci et ne noient tout le monde et toutes choses en quelques secondes.

Alors qu'elle traversait le pont, elle regarda la cité, avec son amas de gratte-ciel qui se dressaient tels des géants de béton et de verre. Une fois dans Manhattan, elle n'accorda plus la moindre attention au décor, roulant obstinément vers West End Avenue et l'objet de sa quête.

Elle eut l'agréable surprise de trouver une place de parking à moins de cent mètres de l'appartement. Elle entra ensuite dans une épicerie et acheta quelques provisions.

Douglas Jeffers habitait un immeuble ancien. Un portier lui tint la porte ouverte alors qu'elle entrait, la clé à la main et le sac de provisions sous le bras.

— Où allez-vous ? demanda-t-il d'une voix rauque.

— Chez mon cousin, Douglas Jeffers. Il est absent pour quelques jours et il m'a passé la clé de son appartement...

— Quatrième étage, appartement F, l'interrompit le portier en souriant.

— Oui, je sais, merci, répondit-elle en lui rendant son sourire. Au revoir.

Elle prit l'ascenseur, un antique appareil qui bringuebalait dans la montée. Il s'immobilisa avec bruit, et elle en sortit prudemment.

A son grand soulagement, le couloir du quatrième était désert.

Elle trouva sans peine l'appartement F et posa le sac par terre pour ouvrir la porte. Elle inséra sans bruit la clé dans la serrure, serrant de son autre main le 9 mm, et écouta attentivement pendant un instant. Aucun son ne filtrait à travers le lourd battant de chêne.

Elle prit une profonde inspiration et se dit : Allez !

Elle tourna la clé, sentit le verrou céder et poussa la porte.

Elle entra d'un bond, tenant cette fois son arme à deux mains et balayant l'air du canon, à droite, à gauche, devant. Personne. Le silence. Elle se redressa puis alla prendre le sac d'épicerie qu'elle avait laissé sur le seuil et referma la porte derrière elle.

L'arme à la main, elle regarda autour d'elle, s'imprégnant lentement de l'atmosphère de l'appartement.

Elle fit un tour rapide, allant de pièce en pièce, s'assurant une dernière fois qu'elle était seule. Ce qu'elle remarqua d'abord, c'était la propreté et l'ordre. Chaque chose semblait être à sa place. Le contraste avec l'appartement de Martin Jeffers était saisissant.

Ce n'était pas un grand logement. Il y avait une seule chambre, une salle de bains, une cuisine avec une alcôve servant de coin-repas, et un vaste salon rectangulaire. Un deuxième cabinet de toilette avait été transformé en chambre noire. Le mobilier était confortable et témoignait d'un certain souci de la qualité. Il y avait quelques bibelots, une statuette d'Amérique centrale, une autre de provenance africaine, une grande dent de requin prise dans un bloc de plastique, ainsi qu'un fragment de roche. Celui-ci portait une légende : *Gorge d'Olduvai, deux millions d'années*.

Elle vit que Jeffers avait une table à dessin disposée près des grandes fenêtres par lesquelles entrait une vive lumière. Du matériel photographique était soigneusement rangé sur la table.

Il y avait des étagères chargées de livres qui occupaient un mur entier. Des dizaines de photographies encadrées dans toutes les dimensions et tous les styles couvraient les autres murs. Elle ne leur jeta qu'un vague regard : elle les avait déjà vues dans les magazines chez Martin Jeffers, et elles ne lui avaient pas appris grand-chose.

Mais elle en remarqua une petite dans un coin. Elle s'en approcha. C'était la photo d'un homme d'une quarantaine d'années mais qui dégageait une étonnante vitalité. Il était vêtu d'un treillis militaire kaki et bardé d'appareils photo. A l'arrière-plan on distinguait le rideau brunâtre de la jungle. L'homme était assis sur une boîte de munitions et souriait vers l'objectif, le doigt pointé comme une arme vers le collègue qui le prenait en photo. Il y avait une légende dans un coin du cadre. *Autoportrait, 1984, Nicaragua.*

— Bonjour, monsieur Jeffers, grommela-t-elle.

Elle resta encore une minute à contempler l'image, puis elle s'en détourna et décida d'entreprendre une fouille systématique des lieux. Elle alla à la table à dessin et vit, bien placée au centre, une grande enveloppe blanche. *Pour Marty*, était-il écrit dessus d'un tracé ferme.

Elle s'en empara.

Une âpre discussion s'éleva entre les Garçons Perdus. Tous avaient leur mot à dire :

— Bon Dieu, qu'est-ce qu'on peut faire ? Leur demander de s'arrêter ? gémit Weingarten. Mais ils en feront jamais qu'à leur tête !

— Si je trouvais quelqu'un de ma famille en train de faire ce que j'ai fait, moi, rugit Pope, je le descendrais tout de suite. Je le délivrerais de sa misère.

Ce à quoi Steele avait répondu :

— Tu vis une grande misère, Pope ? T'en as pas l'air, tu sais.

— Fais gaffe, pédé, avait répliqué l'intéressé, avant que je t'en fasse autant.

La menace, aussi sérieuse fût-elle, venant d'un type comme Pope, avait pourtant fait rire tout le monde. Tuer un homme comme Steele, c'était vraiment se donner de la peine pour rien. Cette opinion semblait partagée par tous les membres du groupe. Ces experts en la matière ne paraissaient pas savoir plus que les autres comment ils réagiraient face à cette situation.

Martin Jeffers non plus ne le savait pas. Il était à présent seul dans son bureau. Il repensa à ce qu'avaient dit les Garçons Perdus.

— D'accord, avait lâché Parker au milieu de la discussion, on t'a toujours dit de faire ce qui est juste. Mais qu'est-ce qui est juste ? Aller voir les flics et balancer ta mère, ton frère, ton pote, ton cousin même ? C'est juste, de trahir sa famille ?

Ce à quoi Knight avait répliqué :

— Alors tu te fais complice ? Tu fermes ta gueule, et tu laisses faire ? T'as pas l'impression alors d'être aussi dégueulasse que celui qui commet les crimes ?

Dans le concert d'approbations et de protestations qui suivit, une voix déclara :

— Ouais, si on la ferme on est aussi coupable que l'autre. Y devrait y avoir une prison spéciale pour ce genre de type !

Naturellement, pensa Martin Jeffers, taire le crime dont on est témoin est aussi répréhensible que le crime lui-même. Il pensa à l'Holocauste et se rappela les difficultés de la justice à Nuremberg à l'égard de tous ceux qui, confrontés à l'horreur, s'étaient contentés de fermer les yeux. Il était plus facile de juger les auteurs. Mais tous ceux qui avaient détourné la tête ? Politiciens, hommes de loi, médecins, industriels...

Que sont-ils devenus, ceux-là ? se demanda-t-il.

Le débat avait en tout cas passionné les Garçons Perdus qui étaient restés vingt minutes de plus que le temps habituel, et Jeffers avait regretté de ne pas avoir posé la question plus tôt. Il avait dû lui-même interrompre la séance.

— Nous reprendrons demain. Réfléchissez à ce problème, et on en reparlera.

Les hommes s'étaient levés et s'apprêtaient à sortir quand Miller, celui que Jeffers estimait le moins perceptif, s'était tourné vers lui et lui avait demandé :

— Pourquoi vous nous avez posé cette question, doc ? Vous avez une raison ?

Les hommes s'étaient immobilisés, regardant Jeffers.

Il avait aussitôt adopté sa contenance professionnelle et une expression de curiosité intellectuelle amusée, et les Garçons Perdus s'étaient remis en mouvement vers la sortie sans autre commentaire. Personne n'a été dupe, pensa-t-il. Pas une seconde.

Martin Jeffers porta son regard vers la fenêtre.

Je me refuse à croire que mon frère est un assassin, se dit-il avec colère. Ils ont arrêté le coupable de ce crime pour lequel elle vient me harceler. Que vient-elle faire ici ?

Mais, au fait, elle n'est pas là... Qu'est-ce qu'elle fabrique ?

A midi, comme elle ne s'était pas encore manifestée, il avait appelé à son hôtel. La réception lui avait certifié qu'elle n'avait pas passé la nuit dans sa chambre.

Contente-toi d'attendre, se dit-il. Elle a certainement beaucoup de choses à t'apprendre. Attends donc de l'entendre.

Elle n'est pas la seule à me devoir une explication, pensa-t-il ensuite.

Une violente colère monta en lui. Il froissa en boule un papier qui traînait sur le bureau et le jeta dans la pièce. Il fit pivoter sa chaise et se mit à frapper le mur de la paume de sa main jusqu'à ce que la douleur vienne se substituer à sa frustration. Je veux savoir ! avait-il envie de hurler à l'inspecteur.

Où est-elle, bon Dieu ? se demanda-t-il avec rage.

Et puis sa colère retomba brusquement tandis qu'une angoissante question lui venait : où est-il ?

L'inspecteur Mercedes Barren était assise par terre, les jambes croisées, dans le salon de Douglas Jeffers dont le rangement avait été bouleversé par ses recherches. Elle avait fouillé partout avec obstination et minutie. Sans succès. Elle n'avait pas trouvé la moindre trace du voyage à Miami, ni billet ni carte postale, pas même un ticket de caisse. Papiers, objets, linge gisaient éparpillés autour d'elle.

Elle considéra le désordre, et des larmes de rage lui vinrent aux yeux. Elle était persuadée qu'il devait avoir un coffre quelque part, un endroit où il gardait les traces de ses crimes et où se trouvait l'indice qui l'associerait à sa nièce.

Elle avait du mal à supporter l'atmosphère de la pièce. Celle-ci puait le crime. Elle le sentait. Tout son corps en était imprégné. Elle reconnaissait la sensation pour avoir été sur les lieux de centaines de meurtres.

Pas de doute, c'était lui le tueur. Un coup d'œil aux étagères chargées de bouquins l'avait édifiée. Sur les dizaines et les dizaines d'ouvrages, il n'y en avait pas un qui ne traitât de quelque aspect du crime. Elle connaissait certains titres, et elle était troublée par tant d'intérêt passionné pour la question.

Mais son intérêt livresque pour le crime n'était pas une preuve. Elle pouvait toujours en faire état au frère, et celui-ci lui rétorquerait qu'il n'y avait là rien de particulièrement morbide ni anormal de la part d'un homme dont le métier consistait surtout à photographier les aberrations humaines que la presse jetait quotidiennement en pâture aux lecteurs.

Elle tapa du poing par terre. Puis, pour la dixième fois au moins, elle ramassa la lettre de Douglas Jeffers à son frère Martin et la relut :

Cher Marty,

Quand tu liras ce mot, cela voudra dire que l'un des multiples scenarii possibles s'est réalisé. Je suppose que tu t'attendras à quelques explications.
Tu n'en as pas besoin.
Tu sais très bien ce qu'il en est.
N'empêche, je suis désolé pour tous les ennuis que je t'ai causés.
Mais c'était inévitable.
À bientôt en enfer.
Ton frère affectionné,
Doug.
P.S. Que penses-tu des photos ? Intéressant, non ?

Mercedes reposa la lettre sur ses genoux. La haine la submergea. Son cœur battit plus vite, et un flot de bile monta dans sa bouche. Elle avait envie de cracher à la figure du meurtrier. Elle avait envie de lui serrer la gorge comme il l'avait fait à sa nièce.

Elle voulut crier, mais il ne s'échappa de ses lèvres qu'un sourd grognement comme celui d'un fauve.

— Oh, Susan, gémit-elle, et il y avait plus de fureur que de tristesse dans sa voix.

La colère la raidit, et elle se redressa sur les genoux. Son regard tomba sur l'autoportrait. Elle vit le sourire de l'homme, comme s'il se moquait de ses vains efforts. Sa main se saisit de la dent de requin dans sa gaine de résine et, sans réfléchir, sans rien éprouver d'autre que la rage qui l'animait, elle lança l'objet sur la photo.

Le fracas du verre brisé la calma aussitôt.

Elle ferma les yeux, respira à fond et regarda le mur. Elle vit qu'elle avait raté le portrait de Douglas Jeffers, qui continuait de sourire, assis sur sa caisse de munitions. Elle avait touché à la place un autre cadre dont la photo gisait maintenant sur le tapis.

Elle poussa un grand soupir et se releva.

Elle s'approcha des morceaux de verre. Elle n'avait pas l'intention de nettoyer. Elle examina la photo. C'était un cliché en couleurs pris au cours d'une émeute. Sur un fond d'épaisse fumée noire, les silhouettes de policiers et de pompiers près de leurs véhicules.

— Bonne photo, dit-elle en la repoussant du pied. Mais tu as fait mieux.

Comme elle se détournait, un léger détail attira son attention : un coin de la photo s'était écorné en tombant.

Peut-être était-ce le contraste entre les couleurs vives de la photo et le gris du papier qui apparaissait dessous qui la fit se baisser et regarder de plus près. Elle ne savait trop pourquoi, mais elle trouvait ça bizarre. Des photographes collaient-ils de nouvelles images sur des anciennes, à la manière de ces peintres qui peignaient par-dessus des toiles déjà peintes ?

Elle ramassa la photo, la dégagea du sous-verre brisé et alla l'examiner à la lumière de la lampe sur la table à dessin. Elle examina le coin écorné, palpa la double épaisseur et se mit à tirer doucement la photo supérieure.

Le papier céda, révélant le fond gris d'un cliché en noir et blanc.

Elle continua de tirer avec précaution, veillant à ne pas déchirer le papier.

Ce ne fut que lorsqu'elle eut libéré complètement les deux photos qu'elle osa regarder.

C'était l'image d'un corps dénudé.

Le corps d'une jeune femme.

Mercedes sentit la sueur perler à son front. Ses mains se mirent à trembler.

— Susan, dit-elle.

Mais elle continua de regarder, et certains détails lui apparurent : les jambes plus fortes, les cheveux plus courts, et la position du corps différente de celle du corps de sa nièce. Le décor non plus n'était pas le même : pas de feuilles de palmiers en arrière-plan, mais un tapis forestier septentrional.

— Ce n'est pas Susan, dit-elle.

Pendant un bref instant elle éprouva de nouveau un sentiment de défaite. Encore une autre de ses foutues photos, pensa-t-elle.

Puis elle réalisa soudain qu'il s'agissait d'un instantané, pris sans aucun souci esthétique, réalisé à la hâte, comme sous le feu de l'ennemi.

Elle leva la photo à hauteur de son visage.

— Qui es-tu ? demanda-t-elle.

Elle regarda encore et distingua une tache brune sur la poitrine de la jeune femme. Du sang.

Elle poursuivit son examen, à la recherche de signes révélant la présence de la police, une enquête en cours.

Mais il n'y avait rien de tel.

Puis une idée se fit jour, une idée qui la frappa de stupeur horrifiée. La photo lui glissa des mains tandis qu'elle se tournait vers les murs et promenait ses yeux effarés sur les photographies encadrées qui les décoraient. Elle bondit et décrocha une grande photo de deux fermiers et de leur taureau primé sur fond de ciel changeant. Elle projeta violemment l'encadrement sur le sol.

Elle retira la photo, sentit la double épaisseur et entreprit de l'ôter comme elle l'avait fait de la précédente. Elle eut plus de difficulté cette fois, en raison d'un collage plus étendu, et elle dut se munir d'un cutter pour séparer les deux papiers.

Autre instantané en noir et blanc.

Une jambe nue, puis un bras nu apparurent. Et des traces brunâtres comme seul le sang en laissait.

Elle interrompit sa tâche et contempla les murs avec horreur.

— Bon Dieu, Susan, tu es quelque part sur ces murs, gémit-elle.

Et soudain elle se sentit honteuse et stupide. « Mon Dieu, Susan, tu n'es pas toute seule ici. » Cette idée la terrifiait encore plus. « Vous êtes toutes là... toutes... »

Elle avait la nausée. Elle s'imagina Douglas Jeffers assis dans son salon, à regarder l'image des deux fermiers et de leur taureau, mais revoyant en fait l'image de ce corps nu qu'il y avait derrière.

Elle se laissa choir de nouveau sur le sol, comme assommée par ce qu'elle venait de découvrir.

Elle leva la tête vers le mur en face d'elle.

— Je ne sais pas qui vous êtes, dit-elle d'une voix plaintive aux invisibles victimes sous leurs couvertures glacées. Je ne sais pas combien vous êtes, mais je sais que vous êtes toutes là. Toutes. Oh, mon Dieu.

Il ne lui restait plus qu'à poursuivre cette terrifiante exhumation jusqu'à ce qu'elle découvre Susan, et cette seule perspective lui ôtait ce qu'il pouvait lui rester de courage.

X. Les fruits du hasard

Anne Hampton, assise dans la voiture, observait Douglas Jeffers penché sous le capot à vérifier l'huile et l'eau. Il était tôt le matin, et ils se trouvaient devant un motel baptisé *Les Doux Rêves*, à Youngstown, Ohio, à quelques kilomètres de l'autoroute 80.

Elle ne put s'empêcher de tressaillir quand Jeffers referma le capot d'un coup sec.

Il se hâta de monter en disant :

— Il est temps de partir. Nous avons pas mal de route à faire avant la tombée de la nuit.

Puis il demanda :

— Vous aimez les courses de voitures ?

— Je ne sais pas. Je n'en ai jamais vu.

— C'est bruyant. Les moteurs qui grondent, les freins qui crissent, les gens qui gueulent. Ça pue l'essence, l'huile, la bière et les frites. Vous aimerez.

Elle hocha la tête. Il jeta un coup d'œil à sa montre.

— Eh bien, on y va. J'espère qu'il n'y aura pas trop de circulation en ce beau dimanche.

— J'avais oublié quel jour nous étions.

— Journée de loisir pour la plupart des gens. Mais pas pour nous. Nous avons du travail.

Il démarra et reprit la direction de l'autoroute.

Il était midi quand ils approchèrent de la bretelle de sortie menant au circuit automobile. L'autoroute était presque vide, et Jeffers roulait à bonne allure, juste un peu moins vite que les semi-remorques qui les doublaient dans le rugissement des diesels. Les chauffeurs de poids lourds sont toujours en retard le dimanche, pensa Jeffers. Ils ont fait la java hier, et aujourd'hui ils ont coincé un balai contre le champignon, avalé quelques amphètes avec un gobelet de café, et ils préféreraient vous passer dessus plutôt que de freiner.

Il jeta un coup d'œil à Anne Hampton. Elle semblait sommeiller.

— Boswell ? murmura-t-il.

Mais elle ne répondit pas. Il décida de la laisser dormir.

Elle aura besoin de toutes ses forces, pensa-t-il. Il reporta son attention sur la route. Le réseau routier américain avait quelque chose de rassurant avec ses autoroutes sans fin qui sillonnaient le pays comme les artères le corps humain. Il en résultait une espèce de circulation perpétuelle, sans commencement ni fin.

A côté de lui, Anne Hampton remua.

Il repéra un panneau annonçant la course et éprouva une montée d'adrénaline.

Anne Hampton se réveilla quand Jeffers s'arrêta à la cabine du péage. Elle s'étira du mieux qu'elle put dans l'espace réduit de la voiture.

— Nous sommes arrivés ? demanda-t-elle.

— Presque. Encore deux ou trois kilomètres, et nous y serons.

Il y avait une longue file de véhicules à l'entrée de l'immense parking jouxtant le circuit. Elle baissa sa glace et écouta les bruits provenant de l'anneau de vitesse. Il lui sembla d'abord que les bolides émettaient tous le même vrombissement, puis elle nota des différences de volume et de son dans la rugissante symphonie qui s'élevait.

Le parking était une vaste prairie poussiéreuse où étaient déjà rangées des centaines de voitures dont les pare-brise étincelaient au soleil. Jeffers se gara près d'un poteau téléphonique sur lequel une pancarte affichait le secteur 12A.

— Attendez une minute, dit-il.

Elle le regarda sortir de la voiture et, trottinant, s'éloigner dans l'allée d'une trentaine de mètres. Elle le vit qui s'arrêtait derrière deux voitures de sport. Il nota quelque chose sur son carnet et revint au petit trot. Avant de lui ouvrir la portière, il sortit du coffre quelques objets qu'elle ne pouvait voir.

Cela fait partie de son plan, pensa-t-elle.

Son cœur battit plus fort, et elle regarda les couples et les groupes de gens se dirigeant vers l'entrée des tribunes. Il y aurait foule.

Elle avait chaud et froid à la fois. Si elle en avait eu le pouvoir, elle se serait rendue malade. Elle pensa au clochard et à l'homme dans cette rue de St. Louis.

Nous allons recommencer.

Elle secoua la tête, frissonna légèrement. Ecouter Jeffers raconter ses souvenirs, aussi macabres fussent-ils, était au moins sans danger, sinon celui d'être battue si jamais elle commettait une faute. Passer à l'action était autrement plus angoissant, et irrémédiablement compromettant.

Jeffers ouvrit la portière, et elle sortit, pâle comme un linge.

— Je vois que vous avez compris que nous ne sommes pas venus ici uniquement pour écouter ces crétins faire vroum-vroum, dit-il de cette voix mesurée, presque atone, qu'elle avait déjà entendue à St. Louis.

Il la prit par le bras et la conduisit à l'arrière de la voiture. Il commença par sortir deux parkas de photographe de couleur kaki, enfila l'une en l'invitant à mettre l'autre.

— Ça vous va bien, dit-il en garnissant les passants de la veste de rouleaux de films.

Il lui passa la courroie d'un sac en bandoulière.

— Ça, c'est un zoom, et ça un grand angle, dit-il en désignant les deux objectifs que contenait le sac. Quand je vous demanderai l'un ou l'autre, vous me le donnerez comme si vous aviez une grande habitude.

Il lui accrocha un appareil photo autour du cou et un autre à l'épaule. Puis il sortit de son propre sac un paquet de cartes de visite et le glissa dans la pochette de la parka.

— Vous en donnerez à quiconque vous en demandera, dit-il en lui mettant sous les yeux l'une des cartes.

Elle lut :

JOHN CORONA, photographe
Représentant de *Playboy*, *Penthouse*
et autres publications.
Travail discret.
1313 Hollywood Boulevard, Beverly Hills
Tél. : 213 555 6646

— Vous m'appellerez M. Corona ou John si cela vous semble plus approprié. Vous êtes mon assistante. C'est du moins ainsi que je vous présenterai. Ecoutez attentivement, et vous comprendrez très vite. Prête ?

Elle acquiesça d'un petit hochement de tête.

— J'aimerais entendre votre voix, dit-il durement.

— Prête, s'empressa-t-elle de répondre.

— Je ne voudrais pas être obligé de vous rappeler ce genre de choses.

— Vous n'aurez pas à le faire.

— Espérons-le.

Sur ce, il se détourna d'elle et s'en fut d'un pas rapide. Elle se hâta derrière lui.

Alors qu'ils traversaient le parking, Jeffers parla de nouveau, mais sa voix semblait distraite.

— J'ai toujours été frappé par les suicides collectifs chez les animaux. Les savants se sont penchés sur les noyades des lemmings et sur les baleines qui viennent s'échouer sur les plages. J'en ai pris quelques-unes en photo sur la côte de Caroline du Nord pour le magazine *Geo*. Les baleines sont de superbes animaux. Elles peuvent communiquer entre elles par un système de sonar qui porte à des kilomètres en mer. C'est une race ancienne, très évoluée. Qu'est-ce qui les pousse donc à venir mourir sur une grève ? La maladie ? Le désespoir ? Une hystérie collective ? La folie ? L'ennui ? Comment pourraient-elles se lasser de la vie ? Cela n'a pas de sens. Et pourtant elles meurent, se tuent, et de braves écologistes ont beau s'efforcer de les repousser en mer, elles retournent neuf fois sur dix en direction du rivage et de la mort.

Il se tut pendant un instant, perdu dans ses pensées.

— Vous n'avez pas idée du nombre de gens qui se laissent mourir de cette façon. Je ne parle pas de personnes suicidaires, déprimées, désespérées, mais de gens qui acceptent l'issue fatale, y marchent sans protester. En 1916, pendant la bataille de la Somme, les Anglais ont perdu soixante mille hommes le premier jour. Eh bien, le lendemain, aux coups de sifflet qui commandaient aux assauts, les hommes continuaient de sortir des tranchées pour courir sus à l'ennemi sous un déluge d'obus et de mitraille. En plein vingtième siècle !

» Dans le couloir de la mort de chaque prison de ce fichu pays, les condamnés dont l'exécution est proche font l'objet d'une surveillance permanente. L'Etat ne veut pas qu'on lui vole son châtiment. Pourtant, quelle différence ?

» Il n'empêche, le suicide est le plus bel acte de liberté. Les baleines sont sûrement malades, mais on ne sait pas de quoi.

Alors elles abrègent le processus de leur propre mort. Elles ont fait un choix. Les scientifiques sont confondus. Inexplicable, disent-ils. Ce qui est inexplicable, c'est que nous sommes incapables de comprendre une chose qui paraît pourtant évidente.

Il continuait de marcher de son pas rapide, et elle avait du mal à rester à sa hauteur avec le sac qui lui battait la hanche et les balancements des deux appareils qui pendaient à son cou et à son épaule.

— Aujourd'hui, la leçon portera sur le fatalisme, reprit-il, comme s'il s'adressait à quelque classe invisible. Vous observerez attentivement comment les gens consentent à leur propre disparition. Vous vous souvenez de l'histoire de ce photographe à Miami, il y a deux ans, un type nommé Wilder ? A chaque grand prix automobile, ce type tuait une fille. Il opérait toujours de la même façon. Il se pointait avec ses appareils, prenait des photos des spectateurs, surtout des jeunes filles. Il y en avait toujours une pour être séduite et le suivre. Elle se retrouvait dans sa voiture pour un dernier voyage...

Il la regarda.

— Je me souviens de cette histoire, dit-elle.

— Mais le plus étonnant, c'est que tout le monde le savait. Le FBI, la police locale, les journalistes, les télévisions, tout le monde ! Le portrait de Wilder se trouvait dans tous les bureaux de poste, les gares, les journaux. Partout ! On connaissait son visage, son nom, sa façon d'opérer. Il avait une barbe. Il n'a jamais pris la précaution de la raser. C'était pourtant un signe particulier souligné par toute la presse. Si un barbu photographe veut vous tirer le portrait, ne montez pas dans sa voiture, jeunes filles ! Eh bien, savez-vous ce qui s'est passé ?

— Oui, il a été tué.

— Mais pas avant d'avoir tué près d'une dizaine de femmes qui ont péché par distraction, par oubli du danger, mais surtout par une espèce de désir inconscient de mourir.

— Il est mort dans le Nord-Est, n'est-ce pas ?

— Oui, dans le New Hampshire. Nous y passerons bientôt.

— Il a été tué par un policier, et la fille a eu la vie sauve, insista-t-elle.

— Ce type était un imbécile qui cherchait lui-même à mourir, dit brusquement Jeffers.

Mais la fille s'en est tirée, pensa-t-elle.

Ils approchaient des stands.

— Restez près de moi, dit Jeffers. Et vous allez voir la magie opérer.

Toute une foule de gens se pressait aux abords des stands où s'arrêtaient les bolides. Jeffers commença de se promener parmi les spectateurs et les équipes de mécaniciens, choisissant des jeunes femmes qu'il prenait en photo, d'abord de loin puis se rapprochant jusqu'à ce que non seulement il retienne leur attention, mais suscite leur coquetterie. Anne Hampton n'en revenait pas de voir toutes ces expressions étudiées, ces épaules haussées de façon provocante, ces moues enjôleuses et les grands sourires qui accueillaient l'objectif de Jeffers. Il répétait à chaque fois la même histoire, et elle sortait les cartes de sa pochette avec un entrain que démentait une secrète nausée. Il racontait à ces écervelées qu'il travaillait pour *Playboy* et qu'ils allaient sortir un numéro spécial sur les beautés qui hantent les circuits. Ce n'était qu'un travail de préparation pour l'instant. D'autres photographes en faisaient autant ailleurs sur d'autres circuits. Il y aurait ensuite une sélection des photos pour la publication.

Anne Hampton prenait les noms et adresses de certaines d'entre elles. Dans les tribunes, la foule acclamait les voitures et les pilotes, et le bruit était si fort qu'il noyait toutes choses.

— Boswell, passez-moi une autre pellicule, dut crier Jeffers pour se faire entendre dans le vacarme ambiant. Mesdemoiselles, je vous présente mon assistante, Anne Boswell...

Elle salua d'un signe de tête deux jeunes femmes, qui devaient avoir son âge. L'une était blonde, l'autre brune. Elles portaient toutes deux des chemisiers qui leur moulaient les seins et des blue-jeans serrés et effrangés. Elle ne les trouva pas très séduisantes. La blonde avait une denture affreuse qui l'obligeait à un sourire tordu, tandis que le nez de la brune était trop relevé pour être le « joli petit nez retroussé » dont son entourage avait dû s'efforcer de la convaincre. On sentait ces deux filles promises à un tranquille avenir conjugal et provincial, aux soirées passées devant la télé en compagnie de leur représentant de commerce de mari ou de bambins criards, le crâne armé de bigoudis et le visage tartiné d'une crème antirides.

— Ce doit être super, hein ? demanda la blonde.

— Excusez-moi, je n'ai pas bien entendu, répondit Anne Hampton, surprise par la question.

— Oh, je disais que ce devait être super d'être assistante d'un photographe. Certainement plus excitant que de travailler dans une banque. Comment vous avez fait pour trouver un boulot comme ça ?

— Je l'ai choisie parmi une bonne centaine de candidates, intervint Jeffers. Et je dois dire qu'elle m'a donné toute satisfaction jusqu'ici. Pas vrai, Anne ?

Elle hocha la tête.

La brune s'intéressait à l'appareil photo de Jeffers. Anne Hampton remarqua qu'elle avait glissé la carte de visite dans la pochette de son chemisier.

— Qu'est-ce que j'aimerais avoir ma photo dans *Playboy*, soupira la brune. Et Vicki aussi.

Elle eut un geste vers la blonde.

— Vous savez, ce n'est qu'un essai, dit Jeffers avec un sourire. Mais sait-on jamais... Quand on est jolies comme vous l'êtes, on a toujours une chance de gagner le gros lot.

— Il n'y a pas un moyen... je ne sais pas... d'être sûres qu'ils nous choisiront ? demanda Vicki, la blonde. Prendre d'autres photos de moi et Sandy, par exemple ?

Jeffers considéra attentivement les deux jeunes femmes.

— Ma foi, dit-il, je ne peux rien vous promettre. Tenez, rapprochez-vous l'une de l'autre. (Il leur fit signe de ses deux bras puis porta l'appareil à son visage et commença de les mitrailler.) Vous êtes sûrement photogéniques, ajouta-t-il en continuant de les cadrer, mais vous savez qu'à *Playboy* on publie des photos... disons... plus intimes...

Anne Hampton vit les deux filles se regarder et pouffer de rire. Puis elle entendit de nouveau la voix de Jeffers.

— Ecoutez, tout ce que je peux faire pour vous, c'est prendre quelques photos un peu plus révélatrices. Ça pourrait impressionner les types au journal. Mais encore une fois, je ne vous promets rien.

Les deux filles rirent de nouveau en hochant vigoureusement la tête.

— Eh bien, si ça vous intéresse, poursuivit Jeffers de l'air le plus détendu possible, vous n'avez qu'à me retrouver à ma voiture, section 13A, dans une demi-heure. Mais je vous en prie, ne parlez de ça à personne parce que j'ai dit à toutes les autres filles que j'ai photographiées que je ne ferais rien de spécial pour elles, et je n'aimerais pas m'entendre reprocher que je vous ai fait une faveur au prix de Dieu sait quoi...

Les dénommées Vicki et Sandy secouèrent énergiquement la tête.

— Très bien, je vais prendre quelques photos de la course,

et puis je vous retrouve sur le parking, dit-il aux deux filles qui s'empressèrent d'acquiescer avec enthousiasme.

Jeffers leur adressa un petit signe d'au revoir et se remit en marche parmi la foule. Anne Hampton le suivit en se demandant pourquoi il ne leur avait pas indiqué le numéro d'emplacement exact de la voiture.

— Comment feront-elles pour retrouver la voiture ? demanda-t-elle.

— Elles ne la trouveront pas...

— Mais...

— Allons, Boswell, réfléchissez. Si jamais elles en parlaient ou si quelqu'un les suivait, je pourrais alors quitter le parking sans me faire repérer. Mais je dois avouer que c'est une précaution bien inutile. Ces deux-là sont dans la poche. Elles ne diront rien à personne et seront fidèles au rendez-vous, s'offrant elles-mêmes sur un plateau.

Anne Hampton se contenta d'approuver d'un signe de tête.

Il réfléchit pendant un moment tout en continuant d'avancer à travers la foule.

— Boswell, dit-il, est-ce que vous ne trouvez pas paradoxal que dans ce pays on rencontre autant de puritains prêts à consentir à tous les sacrifices exigés par la religion que de gens tout à fait disposés à se foutre à poil et à s'envoyer en l'air dès qu'on le leur demande un tant soit peu gentiment ? Vous allez voir comme j'ai raison.

Elle le suivit alors qu'il faisait le tour du terrain, l'appareil photo en action, tout en revenant en direction du parking. Quand ils arrivèrent à la voiture, il lui ouvrit la portière.

— Nous les installerons à l'arrière, dit-il.

Elle lui tendit le sac et les appareils et se défit de la veste. Il fourra le tout dans le coffre.

— Montez et attendez, dit-il d'une voix redevenue dure.

Elle s'exécuta. Elle pensa aux deux jeunes femmes et à ce qui allait se passer. Elle frissonna et s'efforça de chasser de son esprit l'horrible perspective. Elle ferma les yeux, portant désespérément toute son attention sur le vacarme provenant du circuit.

— Ohé !

— Fidèles au rendez-vous, à ce que je vois.

— On monte à l'arrière ?

— Si ça ne vous dérange pas, répondit Jeffers. Vous y serez un peu à l'étroit.

— Oh, pas de problème. Mon petit copain a une Thunderbird, et on y est plutôt serré derrière, je peux vous le dire... j'y ai passé assez de temps...

Vicki et Sandy éclatèrent de rire. Elles se glissèrent sur la banquette arrière. Elles semblaient très excitées, gloussant sans raison et gigotant comme deux collégiennes.

Jeffers s'installa au volant.

— Je connais un bois pas loin d'ici. Nous chercherons un coin tranquille pour y faire quelques photos, puis je vous ramènerai ici, d'accord ?

— Ouais, super ! s'exclama Vicki.

— D'accord, du moment qu'on est de retour vers six heures, dit Sandy.

— Pas de problème, assura Jeffers, avant de démarrer.

Pourquoi ne lui demandez-vous pas comment il peut savoir qu'il y a un bois pas loin d'ici ? avait envie de crier Anne Hampton à ces deux étourdies. Comment se trouve-t-il qu'il sache exactement où aller ? Vous n'imaginez même pas qu'il peut s'agir d'un piège ?

Jeffers brisa le silence dans lequel elle s'enfermait.

— Soyez prête à prendre des notes, lui murmura-t-il.

Elle tendit aussitôt la main vers le calepin rangé dans le vide-poche.

— Je ne voudrais pas vous inquiéter, dit Jeffers aux deux filles, mais compte tenu de la nature des photos qu'on va prendre, j'espère que vous avez plus de dix-huit ans, toutes les deux.

— J'en ai dix-neuf, dit Sandy, et Vicki en a vingt.

— Pas avant la semaine prochaine !

— Hé ! dit Jeffers. Ça vous ferait un beau cadeau d'anniversaire si jamais le journal retenait vos photos.

— Ah ça, oui !

— Monsieur Corona, dit Sandy d'une voix hésitante, je ne voudrais pas vous importuner, mais...

— Allez-y, posez votre question, l'invita Jeffers.

— Est-ce que *Playboy* paie pour les photos qu'ils utilisent ?

Jeffers rit.

— Bien sûr ! Vous ne pensez pas qu'on vous ferait endurer les tortures d'une séance de photo sans vous payer ? Une séance en studio est pénible. Il y a le maquillage, et la pose, et la chaleur des projecteurs. Il faut souvent des heures de recherche pour obtenir la photo qui sera publiée. Le tarif normal se montait la dernière fois que j'ai fait ce travail à mille dollars la séance...

— Mille dollars pour quelques heures de pose ! Je pourrais en faire des choses, avec tout ce fric !

— Mais c'est seulement au cas où vous seriez retenue, continua Jeffers. Pour la séance de cet après-midi, je ne pense pas que le magazine vous paie plus de deux cents dollars.

— Parce qu'on sera payées ! Formidable !

Les deux femmes se mirent à bavarder avec enthousiasme. Anne Hampton regardait fixement devant elle, immobile et muette.

— Boswell, j'aimerais que vous notiez tout cela, dit-il d'une voix basse qui la fit tressaillir.

Puis, d'un ton enjoué qui sonnait cruellement aux oreilles d'Anne Hampton, il s'écria :

— Eh bien, nous y voilà.

Il quitta le macadam pour prendre une petite route forestière qui s'enfonçait à travers bois. Ils passèrent devant un grand panneau du Service des Parcs nationaux qui avertissait que le parc était fermé la nuit. Ils continuèrent de rouler pendant quelques centaines de mètres avant de prendre un autre chemin forestier, plus étroit celui-là. Ils s'arrêtèrent bientôt devant une chaîne qui barrait la route. « Interdit à toutes personnes non autorisées », disait un petit écriteau accroché à la chaîne.

— Heureusement que j'ai une autorisation, dit Jeffers avec entrain. Accordez-moi une minute, que je m'occupe de cette chaîne.

Il descendit de voiture, laissant les deux jeunes femmes glousser de contentement sur la banquette arrière et Anne Hampton contempler d'un regard fixe les arbres devant elle. Elle a l'air perdue, pensa-t-il. Il se demanda pendant un instant si elle tiendrait le coup jusqu'au bout. Je n'ai pas envie qu'elle aussi finisse en même temps que ces deux idiotes. Il se dit qu'elle devait pleinement prendre conscience du danger qui la guettait, car elle semblait avoir adopté un comportement détaché, absent, comme une marionnette ou un pantin dansant au bout de ses ficelles.

Mes ficelles, pensa-t-il. Danse, Boswell, danse.

Il sourit.

Ne précipite pas les choses, se dit-il encore. Boswell représente du temps, de l'effort et un investissement.

Il entendit rire dans la voiture.

Elles, en revanche, ne représentaient rien de tel.

La chaîne était comme il l'avait trouvée en visitant le parc un mois plus tôt. Il se baissa et empoigna les maillons près du piquet auquel la chaîne était fixée. Le rivet avait rouillé avec l'âge, le bois s'était fendu. Il tira un coup sec et arracha la chaîne. Il l'écarta du chemin et regagna la voiture en traînant les pieds, attentif à ne pas laisser d'empreintes de chaussures dans la poussière.

— Et voilà, dit-il, on peut y aller.

Ils cahotèrent encore sur deux ou trois cents mètres avant qu'il s'arrête derrière un écran d'arbres. Anne Hampton remarqua qu'on ne pouvait les apercevoir depuis la route principale.

— Allez, dehors, tout le monde, dit Jeffers avec enthousiasme. On n'a pas beaucoup de temps si on veut être de retour pour la dernière course.

Anne Hampton vit qu'il avait jeté son sac brun de photographe par-dessus son épaule. Elle hésita pendant un instant, regardant les deux jeunes femmes suivre Jeffers dans la forêt. Elles sont aveugles, pensa-t-elle. Comment peuvent-elles courir ainsi derrière lui ? Puis elle se retrouva trottinant à leur suite.

— Qu'est-ce que c'est excitant, dit Vicki.

— Ça l'est toujours, répliqua Jeffers. Et de bien des façons.

Les deux femmes pouffèrent de rire.

Anne Hampton pensa qu'elle serait malade si elle arrêtait d'avancer. Elle haletait et avait le vertige. La chaleur du soleil qui filtrait à travers les branches lui était insupportable. Vicki ou Sandy l'entendit haleter et se retourna.

— Vous fumez ? Non ? Bien. Mais vous n'avez pas l'air en forme. Vous ne devriez pas être fatiguée par une petite marche comme ça...

— J'ai été malade, répondit Anne Hampton d'une voix légèrement tremblante.

— Oh, je suis désolée pour vous. Vous devriez prendre des vitamines, comme moi. Chaque jour. Et de l'exercice. Vous n'avez jamais essayé l'aérobic ? Moi, j'aime ça. Ou courir un peu pour se faire le souffle. Vous verrez comme vous vous sentirez bien après.

Douglas Jeffers s'arrêta soudain.

— Alors, comment trouvez-vous cet endroit ? Beau, non ?

Il se tenait sous un pin à l'entrée d'une petite clairière. Même Anne Hampton, que torturait la peur, reconnut que c'était un bel endroit.

Il y avait un gros rocher au milieu de la clairière. Le soleil vernissait le vert sombre de l'herbe. Quand elle sortit du sous-bois et s'avança dans la lumière, Anne Hampton eut l'impression d'être dans un monde étranger dont la porte se refermait derrière elle.

— Mesdemoiselles, venez vous mettre près du rocher. Boswell, à côté de moi.

Elle s'approcha de lui, et ils regardèrent les deux filles prendre place contre le rocher. Chacune s'efforçait d'adopter l'attitude qu'elle imaginait la plus séduisante. Jeffers vérifia la lumière et commença sans tarder de prendre des photos. Il se déplaçait devant elles en les encourageant sans cesse.

— C'est ça, souriez maintenant. Faites-moi une petite moue. Plus avancée, la bouche. Oui, c'est bien. Tournez-vous un peu, là. C'est bon, très bon...

Elle le regardait en se demandant où il avait mis le revolver. Dans le sac ? A moins qu'il utilise un couteau ? Que va-t-il leur faire ? Il prendra son temps. Nous sommes seuls, et l'endroit est isolé. La chaleur du soleil l'incommodait, et elle craignait de s'évanouir. Elle ferma les yeux. Je reste moi-même, se dit-elle. Je suis seule et étrangère à tout ça, et je suis moi-même, et je serai forte, et j'y arriverai. J'y arriverai.

— C'est ça, laissez-vous aller un peu, encourageait Jeffers, et Anne Hampton entendit les deux femmes glousser.

Quand elle rouvrit les yeux, Vicki et Sandy s'étaient déshabillées. Elles étaient minces et bronzées et semblaient avoir perdu toute pudeur. Elles présentaient leurs seins et leurs cuisses écartées à l'objectif, et Jeffers tournait autour d'elles, s'accroupissait, les encourageait à se rapprocher, à se caresser.

— Voilà, c'est très bien. Vicki, pose ta main sur le sein de Sandy. Caresse-le doucement. Bien. Et maintenant descends vers sa cuisse. Oui. Excitant, non ?

Les deux femmes approuvèrent en chœur. Elles continuèrent de se caresser malgré que Jeffers se fût arrêté de photographier.

— Vous allez voir, ce sera encore plus excitant dans une minute. Juste le temps de changer de pellicule.

Il plongea la main dans le sac.

C'est maintenant, pensa Anne Hampton. Oh, mon Dieu, c'est maintenant.

Elle aurait voulu être un oiseau et s'envoler à tire-d'aile. Elle vit que Jeffers avait rangé l'appareil dans le sac et qu'il serrait la crosse du revolver dans sa main.

Vicki, Sandy, qui que vous soyez, je suis terriblement désolée pour vous. Terriblement...

Elle ferma les yeux.

Elle entendit les deux femmes rire. A côté d'elle, la respiration de Douglas Jeffers s'était sensiblement accélérée. Puis elle n'entendit plus rien, et il lui sembla être soudain enveloppée d'un profond silence. Elle attendit le premier cri de confusion et de panique quand les femmes verraient enfin l'arme.

Mais ce fut un coup de klaxon qu'elle entendit. Un bruit lointain, comme étranger à la clairière. Il retentit de nouveau.

Jeffers se tenait à côté d'elle. Il écoutait.

Un moment passa.

— Que personne ne bouge d'ici, dit-il d'un ton autoritaire.

Anne Hampton vit les deux femmes lever vers lui des regards étonnés.

— Ce n'est rien, probablement, expliqua-t-il, mais je dois aller voir. (Il la regarda.) Faites-les se rhabiller. Faites comme si rien ne se passait. Attendez-moi ici. Ne dites rien. Ne faites rien.

Jeffers balança le sac sur son épaule et s'en fut dans le sous-bois. Anne Hampton se tourna vers Vicki et Sandy. Elles regardaient dans la direction où avait disparu Jeffers.

Partez ! pensa Anne Hampton. Vous ne voyez donc pas ce qui se passe ?

Mais au lieu de cela elle s'entendit proposer :

— Pourquoi ne vous rhabillez-vous pas ? Je pense que la séance est finie.

— Oh, c'est dommage, dit l'une. J'aurais bien continué jusqu'au soir.

Anne Hampton ne dit rien. Elle s'assit sur le rocher et se mit à attendre le retour de Douglas Jeffers.

Douglas Jeffers marcha lentement jusqu'à ce qu'il fût hors de vue des trois femmes. Il se mit alors à courir, coupant à travers bois, sautant les souches ou les troncs abattus comme un coureur de cross. Il gardait une main sur son sac pour l'empêcher de sauter. Il continua de courir jusqu'à ce qu'il approche du chemin de terre où il s'était garé.

Une Jeep du service des parcs était rangée à côté de sa voiture.

Un garde en uniforme était appuyé contre le capot.

Il est sans armes et seul, pensa Jeffers.

Il examina la Jeep : pas d'antenne de radio ondes courtes, pas de fusil de chasse accroché au tableau de bord. Il jeta un coup d'œil à la ceinture du garde : pas de Colt à la hanche, pas d'émetteur-récepteur portatif. Jeffers s'avança et vit que l'homme était très jeune. Probablement un étudiant, travaillant comme suppléant pendant l'été. Il glissa la main dans son sac et sentit le métal froid du revolver. Tu pourrais le descendre tout de suite, se dit-il. Mais il n'avait pas plus tôt pensé cela qu'il se le reprocha durement. Contrôle-toi ! Tu n'es pas un minable voyou surpris à braquer une épicerie !

Il lâcha son arme et sortit son Nikon à la place.

Il salua le garde d'un geste de la main, et le jeune homme lui rendit son salut.

— Bonjour, dit Jeffers. J'ai entendu votre klaxon. Vous m'avez fait rater une belle photo.

— Je suis désolé, dit le garde.

Il était mince et peu musclé, et Jeffers pensa qu'il n'était pas de taille à lui résister. Ni physiquement ni mentalement.

— Mais vous êtes dans une zone interdite au public, vous n'avez pas le droit d'y entrer avec une voiture. Vous n'avez pas vu la pancarte ?

— Oui, bien sûr, mais Wilkerson m'a dit que ça ne posait pas de problème, que je pouvais aller photographier mon nid de hibou quand ça me plairait.

— Je vous demande pardon ?

— Wilkerson. Il travaille à l'administration des Parcs nationaux. C'est lui que tous les photographes animaliers vont voir quand ils veulent opérer dans des zones réservées. C'est une pratique courante, vous savez. L'an dernier, j'ai pu prendre un nid d'aigle.

— Ici ?

— Ma foi, pas là où nous sommes, mais un peu plus loin. (Il désigna la forêt d'un geste vague.) La photo a paru dans *la Vie sauvage*, et toute une bande d'ornithologues a débarqué ici. Vous n'étiez pas là ?

— Non, c'est ma première année.

— Ah oui ? Je m'étonne que vous n'en ayez pas entendu parler.

— Euh... Vous avez obtenu une autorisation ou un laissez-passer ?

— Bien sûr, répondit Jeffers. Elle doit se trouver à votre bureau, dans le dossier Photo.

— Je ne savais pas que nous en avions un, dit le garde. Je vérifierai.

— Pas de problème. Vérifiez à mon nom : Jeff Douglas.

— Vous êtes un professionnel ?

— Non, c'est juste un passe-temps. Oh, il m'est arrivé de vendre quelques photos, mais mon métier c'est assureur.

— Bon, je vérifierai.

— Laissez-moi quand même votre nom pour que je puisse appeler Wilkerson, au cas où il y aurait un problème quelconque.

— Oh, je m'appelle Ted Andrews. Garde Ted Andrews. (Il sourit.) Le temps que je m'habitue à me présenter comme ça, ce sera la rentrée universitaire.

Jeffers sourit.

— Ecoutez, j'avais fini de toute façon. Je vais juste retourner là où j'étais pour voir si je n'ai pas laissé traîner des emballages de films ou d'autres saletés. J'aime laisser les lieux propres derrière moi.

— J'aimerais bien que les promeneurs en fassent autant. Vous n'avez pas idée de toute la merde qu'ils laissent dans les bois. Evidemment, c'est à nous de nettoyer, après.

— Inutile de m'attendre, dit Jeffers. La prochaine fois, je passerai à votre bureau, pour m'assurer que tout est en règle.

— C'est parfait, dit le garde.

Il se dirigea vers la Jeep, et Jeffers le regarda. Je pourrais le descendre, là, maintenant. Il mesura la distance. Une seule balle. Personne n'entendrait rien. Personne ne saurait. Sa main se referma sur la crosse du revolver à l'intérieur du sac, mais il n'esquissa pas le moindre geste tandis que la Jeep s'éloignait en cahotant sur le chemin de terre.

— Bon Dieu, marmonna Jeffers. Bon Dieu de bon Dieu !

Pendant un moment il fut pris d'une rage sourde et résista à l'envie de briser quelque chose avec ses mains. Il respira profondément. Quelqu'un paiera, pensa-t-il. Il cracha sur le sol.

Puis, à voix haute, il lança :

— Elles vivront.

XI. Premier voyage dans le New Hampshire

Mercedes engagea sans ralentir sa voiture sur la bretelle déserte qui menait à l'autoroute. Il était près de trois heures du matin. Seuls quelques rares semi-remorques passaient de temps à autre en rugissant. Elle écrasa l'accélérateur, comme si elle cherchait à insuffler dans son propre corps la puissance du moteur. Elle était épuisée mais impuissante à trouver le sommeil. Elle savait que les images brûlantes qu'elle avait jetées pêle-mêle dans un sac en papier l'empêcheraient de dormir pendant quelque temps.

Elle se refusait à penser à l'appartement de Douglas Jeffers, bien qu'une dernière vision s'imposât à sa mémoire : les douzaines de cadres et de sous-verres brisés qui jonchaient le sol. Dans sa panique et son horreur, elle avait fini par arracher sans précaution les photographies, les soulevant telles des pierres tombales pour découvrir les corps figés dans la mort. Elle avait vidé de son contenu le sac de provisions acheté pour tromper un gardien d'immeuble trop curieux, et elle l'avait rempli des images froissées ou déchirées dans sa hâte. Quand elle avait quitté l'appartement et refermé la porte à clé, elle avait eu l'impression de sortir d'un cauchemar pour mieux entrer dans une réalité terrifiante, comme lorsqu'on s'éveille d'un mauvais rêve pour découvrir qu'un cambrioleur a pénétré dans la maison.

Elle avait trouvé la photographie de sa nièce derrière le portrait en couleurs d'un enfant africain dont les yeux exorbités et le ventre gonflé criaient toute la misère. C'était peut-être la quinzième ou la vingtième photo qu'elle décollait avec une fébrilité morbide. Elle avait brisé le cadre avec ses mains, et un éclat de verre lui avait coupé le pouce. Pas profondément, mais assez pour qu'un peu de sang vienne rougir le papier glacé.

Elle n'avait pas immédiatement reconnu sa nièce. Trop de corps dénudés et meurtris avaient défilé devant ses yeux depuis une heure dans l'antre du tueur pour qu'elle fît instantanément la distinction. Puis la forme des membres et la blondeur pâle des cheveux avaient brutalement surgi dans sa conscience. Le visage semblait reposé. La photo avait été prise de profil et sous un angle plus fermé que les clichés réalisés par la Criminelle. Il y avait une différence évidente entre le portrait presque caressant qu'avait fait Jeffers et les images cliniques et horribles exposées dans le bureau du médecin légiste. Sur la photo qu'elle tenait à la main, Susan avait l'air de dormir, et Mercedes était reconnaissante de cette marque de sensibilité inattendue.

Elle avait longtemps contemplé la photographie avant de la mettre de côté, doucement, tendrement, puis elle avait poursuivi sa tâche d'exhumation.

Une fois ses recherches terminées et la photo de Susan rangée avec les autres, elle avait été prise pendant un moment d'un tremblement incontrôlable et avait dû attendre de retrouver son calme pour quitter l'appartement.

Les phares de la voiture trouaient la nuit tandis qu'elle filait à toute vitesse vers le matin.

Je ne sais pas qui vous êtes, se dit-elle en pensant aux victimes de Douglas Jeffers, mais je suis là pour témoigner.

Témoigner et vous venger.

Martin Jeffers n'arrivait pas à dormir. Il n'en avait pas envie non plus.

Il était assis dans le salon qu'éclairait une unique petite lampe de bureau dans un coin. L'inspecteur Barren n'avait pas donné signe de vie, et il se demandait comment il réagirait si Douglas débarquait à l'improviste, laconique et secret comme il l'avait toujours été. Que lui dirait-il ? Qu'il savait ? Ou bien se tairait-il comme il s'était toujours tu en présence de l'aîné ?

Il imagina la confrontation avec son frère. Il se montrerait fort, sévère, inquisitorial, repoussant d'un geste les protestations de Douglas, jusqu'à ce que ce dernier craque et avoue.

Et puis quoi ?

Martin Jeffers se cacha le visage dans les mains, fermant le rideau sur cette scène imaginaire qu'il venait de se jouer. Que dirait Douglas ? Il avait du mal à croire qu'il avouerait le crime dont l'accusait l'inspecteur Barren.

Il se leva et se mit à arpenter la pièce.

Je le savais, je le savais, je le savais. Il a toujours été sauvage et violent, se dit-il. Il a toujours pensé qu'il pouvait faire tout ce qu'il voulait. Il n'était pas comme moi, il n'était pas organisé, patient. Il n'a jamais voulu m'écouter.

Bon Dieu, il a sûrement tué cette fille !

Il doit payer.

Martin Jeffers alla se rasseoir.

Tu conclus peut-être un peu trop vite, se dit-il. Pourquoi es-tu si prompt à croire au pire venant de Doug ? Tu as trop fréquenté tes malades, tous ces tueurs psychopathes qui sont ton entourage depuis tant de temps. Tu as entendu trop de mensonges, d'horreurs, pour ne pas en avoir le jugement affecté. Tu es prêt à voir le mal et la perversion en chaque individu. C'est de la déformation professionnelle.

Va donc au lit, et essaie de dormir. Tu te sentiras mieux après.

Il eut un sourire. Qu'est-ce que c'est, cet encouragement débile à dormir, maintenant ? Où as-tu pris ça ? Dans le *Reader's Digest* ? Est-ce là le résultat de toutes ces années d'études ? Dormir un bon coup quand un problème se pose ? Et pourquoi pas partir en vacances, à la pêche ?

Il se leva de nouveau et fit quelques pas dans la pénombre. Attendons de voir ce que l'inspecteur Barren aura à me dire. Si jamais elle réapparaît. Attendons de voir également ce que Doug aura à me dire.

C'était un plan d'action qui en valait un autre, compte tenu de l'ignorance où il se trouvait. Il en éprouva une certaine satisfaction, sinon un apaisement, et il ressentit soudain tout le poids de sa fatigue. Oui, je pense que tu peux t'accorder un peu de repos, se dit-il.

Il jeta un coup d'œil au petit réveil dont les chiffres clignotaient en rouge. Quatre heures du matin. Il se dirigea d'un pas lent vers sa chambre.

Soudain la sonnette à la porte vrilla le silence de son timbre aigu, et il sursauta malgré lui.

Qui ça peut être ? se demanda-t-il, alarmé.

Le bruit retentit de nouveau, impérieux, insistant.

Il gagna la porte d'entrée, l'esprit dans une totale confusion, et colla son œil au judas.

Dehors se tenait l'inspecteur.

Martin Jeffers éprouva une brusque nausée, et il dut lutter contre une envie de vomir tandis qu'il tendait la main vers la poignée.

Dès qu'elle vit le bouton de porte tourner, Mercedes porta la main à sa ceinture sous laquelle elle avait glissé son 9 mm. Elle dégagea le revolver et le dissimula derrière le sac en papier qu'elle avait dans l'autre main.

Quand la porte s'ouvrit, elle fit un pas en avant et pointa le canon de l'arme sous le nez de Martin Jeffers.

Elle le vit pâlir et reculer d'un pas.

— Ne bougez pas, dit-elle d'une voix glacée. Il est ici ? Si vous mentez, je vous tue.

Martin Jeffers secoua la tête.

Elle se glissa dans l'appartement, jeta un rapide coup d'œil autour d'elle. Elle sentait qu'ils étaient seuls, mais elle tenait quand même à s'en assurer.

— Je vous en prie, inspecteur, vous pouvez rentrer votre arme. Il n'est pas ici, et je ne sais toujours pas où il se trouve.

— Je vous croirai quand j'aurai vérifié.

Elle manœuvra de façon à pouvoir voir dans les autres pièces. Après une rapide inspection, elle revint dans le salon et lui fit signe de s'asseoir.

— J'ai du mal à en croire mes yeux... commença Martin Jeffers.

— Je me fous de ce que vous pouvez croire ou pas ! l'interrompit-elle sèchement.

Il y eut un silence, puis Jeffers demanda :

— Que se passe-t-il ? Nous étions convenus de nous rencontrer hier matin. Certainement pas ici. Et surtout à cette heure ! Et, je vous en prie, rangez ce revolver. Il me fait peur.

— J'espère bien qu'il vous fait peur, et je le rangerai quand ça me plaira.

Ils continuèrent de se regarder fixement.

— Où est-il ? demanda-t-elle.

— Je vous ai dit que je l'ignorais.

— Pourriez-vous le retrouver ?

— Je ne sais pas. J'en doute. En tout cas pas...

— Le temps presse. Pour moi. Pour d'autres.

Martin Jeffers s'efforça de se ressaisir.

— Ecoutez, inspecteur, que faites-vous chez moi au milieu de la nuit ? J'aimerais bien avoir une explication.

Mercedes était assise en face de lui. Elle sortit de sa poche l'enveloppe contenant la clé de l'appartement de Douglas Jeffers et la lui lança.

— Où avez-vous pris ça ? demanda-t-il.
— Sur votre bureau.
— Vous êtes entrée ici ? Par effraction ? Bon Dieu, quel genre de flic êtes-vous ?
— Est-ce que vous m'auriez donné cette clé ?
— Certainement pas.
Jeffers fit mine de se lever, mais elle braqua le revolver sur lui, et il se rassit, décontenancé par la dureté et la gravité de son visage.
— Je suis allée chez votre frère, dit-elle.
— Et alors ?
Elle avait posé le sac en papier à ses pieds. Elle se pencha et en sortit la photographie de Susan. Elle la tendit à Martin Jeffers, qui la regarda pendant quelques secondes.
— C'est ma nièce, dit-elle amèrement.
— Oui, mais...
— Je l'ai trouvée dans l'appartement de votre frère.
Martin Jeffers tressaillit. Sa respiration se précipita soudain. Il dit d'une voix mal assurée :
— Euh... il doit y avoir une explication.
— Il y en a une, dit-elle, solennelle.
— Oui, bien sûr, il a dû...
Elle l'interrompit.
— Ne vous donnez pas la peine d'inventer une excuse quelconque.
— Enfin, il a pu obtenir cette photo de mille façons. C'est un photographe professionnel, non ?
Elle ne répondit pas mais sortit du sac une autre photo et la posa devant Jeffers. Il regarda les deux clichés.
— Mais ce n'est pas la même personne, dit-il à la fin.
Elle jeta une autre photo devant lui.
Il les étala et les considéra attentivement.
— Je ne comprends pas, celle-ci non plus...
Elle en ajouta une nouvelle.
Il y jeta un coup d'œil puis s'appuya contre le dossier de sa chaise.
Elle continua de lui brandir les photos sous le nez pour finir par vider sur ses genoux le contenu du sac.
— Vous ne comprenez pas ? Vous ne comprenez pas ? répéta-t-elle.
Martin Jeffers regarda autour de lui comme s'il cherchait de l'aide.

— Et maintenant, dit-elle d'une voix sourde de rage, où est-il ? Où est votre frère ? Où ? Où ?

Martin Jeffers se cacha le visage dans les mains.

Elle bondit aussitôt sur lui pour lui relever violemment la tête.

— Si jamais vous osez pleurer, je vous tuerai, dit-elle.

Elle se demanda si elle parlait sérieusement ou pas. Mais elle ne pouvait supporter l'idée que le frère du meurtrier versât une seule larme sur lui-même, ou sur Douglas Jeffers, ou quiconque d'autre que les victimes étalées devant lui.

— Je ne sais pas ! répondit-il.

— Si, vous le savez !

— Non !

— Vous essaierez de le retrouver ?

Jeffers hésita.

— Oui, dit-il finalement. J'essaierai.

Il se laissa aller contre le dossier. Elle aussi avait envie de pleurer.

Au lieu de cela, ils restèrent assis, à contempler le vide entre eux.

L'aube les trouva silencieux, assis au milieu des photos qui jonchaient le sol.

Ce fut Martin Jeffers qui le premier brisa le silence.

— Je suppose que vous allez commencer par informer vos supérieurs de ce que vous avez découvert...

— Non, répondit Mercedes.

— Nous devrions en parler au FBI, poursuivit Jeffers, ignorant son refus. Ils ont un bureau à Trenton, et je connais un ou deux de leurs agents. Ils doivent être à même de nous aider...

— Non, dit-elle de nouveau.

Jeffers la regarda.

— Ecoutez, inspecteur, dit-il avec colère, si vous croyez que je vais vous aider à retrouver mon frère pour que vous puissiez satisfaire votre désir de vengeance, vous vous trompez.

Mercedes leva les yeux vers lui.

— Vous ne comprenez pas, dit-elle tranquillement.

— Ce que je comprends, rétorqua-t-il, c'est que vous êtes très forte pour menacer les gens avec votre revolver. Vous êtes venue m'annoncer que mon frère était l'assassin que vous cherchez, mais vous êtes bien avare d'explications. Quand il y a crime, il y a enquête et...

— Ça ne marchera pas, l'interrompit-elle d'une voix lasse.
— Et pourquoi donc ?
— Parce qu'il n'y a pas de preuve.
— Comment cela, il n'y a pas de preuve. Et ces photos ?
— Elles n'existent pas.
— Qu'est-ce que vous me racontez là ?
Il ramassa quelques-unes des photos et les agita devant lui comme quelque macabre éventail.
— Vous m'avez assuré que c'était là... l'œuvre de mon frère, et maintenant vous me dites qu'elles n'existent pas ! J'attends une explication !
Il se renversa sur sa chaise et attendit, l'air digne et offensé.
— Ecoutez, il faut que vous sachiez que j'ai toujours accompli mon métier de flic dans le respect le plus total de la loi. Toujours. Jusqu'à hier. Voyez-vous, j'ai tout foutu en l'air.
Elle se pencha et ramassa l'une des photos.
— Je suis entrée chez vous sans mandat de perquisition, je vous ai volé la clé de l'appartement de votre frère. Je suis entrée chez lui illégalement et...
— Et c'est à cause de cette entorse au règlement que vous ne pouvez pas aller voir le FBI et leur montrer ces photos ? demanda-t-il, sceptique.
— Je vois que vous ne comprenez toujours pas, dit-elle. Il s'agit de la loi. Si je vais voir votre FBI et que je dise à leur agent : « Voilà, je voudrais vous montrer quelques photos de meurtres », il me dira : « Ah oui ? Intéressant, et c'est dans le cadre de quelle enquête ? » Et je devrai leur dire qu'en réalité je suis en congé de maladie et que j'en ai profité pour mener une investigation personnelle. L'agent du FBI appellera alors mon supérieur à Miami, et celui-ci lui dira que la mort de ma nièce m'a profondément bouleversée, et il ne lui dira sûrement pas de me croire sur parole, car lui-même est persuadé que l'affaire est classée et que je continue de délirer. On passera à l'agent du FBI le service de la Criminelle, et il apprendra qu'effectivement le coupable a été arrêté, condamné à perpétuité, et que l'inspecteur Barren, officier remarquablement noté par ailleurs, n'est plus la même depuis le meurtre de sa jeune nièce et qu'elle peut avoir accès à des centaines de photos comme celles-ci et qu'elle a certainement perdu la tête.
— Mais supposez que je certifie que...
— Que quoi ? Que je vous ai convaincu de la culpabilité de votre frère ? L'agent du FBI pensera que nous sommes fous tous les deux. Et même si un soupçon lui venait, il commencerait par

vérifier sur les fichiers nationaux si votre frère n'a pas d'antécédents. Que trouvera-t-il ? Rien. Il apprendrait en revanche que Douglas Jeffers a un laissez-passer à la Maison-Blanche, laissez-passer approuvé par les services secrets, ainsi que je l'ai découvert moi-même quand je me suis livrée à la même vérification. Et vous savez ce qu'il fera alors ? Il fera une note de service, racontant notre venue, et il la classera ensuite parmi toutes les accusations délirantes, lettres anonymes et appels téléphoniques auxquels se livrent chaque jour des centaines de cinglés !

— Et vous ne pourriez pas convaincre certaines personnes de votre propre service ?

— Non, je vous l'ai dit, ils pensent que j'ai été choquée par la mort de Susan.

— Alors qu'allons-nous faire ? demanda Jeffers, perplexe.

— Le retrouver.

— Pour que vous puissiez le tuer ?

Mercedes hésita.

— Oui, dit-elle.

— Ne comptez pas sur moi.

— J'aurais pu vous mentir, vous dire non.

— C'est vrai, vous auriez pu. Votre franchise vous honore.

Il la regarda amèrement, et elle lui retourna son regard avec la même intensité.

— D'accord, dit-elle. Regardez bien ces photos encore une fois, pensez à toutes ces filles, et puis vous me proposerez un compromis.

Il s'empressa de répondre :

— Nous le retrouverons, et il sera bien obligé d'avouer.

— Il n'avouera rien du tout.

— Ecoutez, inspecteur, j'ai quelque expérience en la matière. Les criminels finissent toujours par avouer leurs crimes. C'est comme un besoin chez eux, un besoin d'identité, de reconnaissance, pas seulement un effet de leur culpabilité...

Il se tut brusquement en réalisant qu'il parlait de son frère comme si sa folie meurtrière ne faisait plus aucun doute.

— C'est vraiment une histoire de fous, dit-il.

— Je vous l'accorde.

— Mon frère est l'un des meilleurs photographes de ce pays. C'est un journaliste, un artiste. Il n'est pas concevable qu'il ait pu commettre de pareilles horreurs. Il n'a jamais manifesté de penchant pour la violence...

— Vous le pensez vraiment ?

Ils se regardèrent. Tous deux savaient que l'instant était chargé de confusion, d'angoisse, de certitudes et de leurs contraires. Mercedes pensa soudain : c'est mon unique chance. Il ne retournera jamais dans son appartement. Il disparaîtra. Et je le perdrai à jamais. Si le frère ne me fournit pas le lien qui me manque, tout est fichu.

Elle s'efforça de dissimuler le désespoir et la frustration qui la saisissaient à l'idée de perdre la partie.

Martin Jeffers essayait quant à lui de se composer un masque impénétrable. Je ne dois pas la lâcher, se dit-il. Sinon, elle poursuivra seule de son côté et tuera Doug sans que j'aie eu l'occasion de savoir moi-même ce qu'il a fait et pourquoi.

Il se sentit soudain lié à l'inspecteur par le même but : retrouver Doug. Même but mais différentes intentions. Il dit :

— Si je vous aide à le retrouver, afin que nous puissions faire éclater toute la vérité, je dois avoir votre promesse.

— Promesse de quoi ?

— De ne pas tirer. Promettez-moi d'écouter d'abord. Promettez-moi de ne pas le tuer ! Bon Dieu, c'est mon frère ! Sinon, ne comptez pas sur moi.

Elle ne se hâta pas d'accepter sa proposition, voulant lui donner l'impression qu'elle réfléchissait avant de répondre :

— D'accord, je vous promets de vous laisser une chance. Une chance de lui parler. Ensuite, il arrivera ce qui arrivera.

Elle dit cela d'une voix ferme, assurée.

C'était, elle le savait, un parfait mensonge.

— D'accord, dit-il avec une reconnaissance mesurée dans la voix. C'est honnête.

Il ne la croyait pas une seule seconde.

Ils n'eurent ni la bêtise ni la naïveté de sceller leur accord d'une poignée de main. Ils s'adossèrent un peu plus confortablement à leurs sièges et, laissant le silence les envelopper de nouveau, ils contemplèrent la lumière matinale qui envahissait la pièce.

La brillante clarté du jour éclairait à présent la pièce. Mercedes rompit finalement le silence avec la seule question pratique qui importait :

— Par où commençons-nous ? Que vous a-t-il dit exactement avant de partir ?

— Pas grand-chose, reconnut Jeffers. Il m'a dit qu'il partait faire un voyage sentimental. Ce sont les mots qu'il a employés.

— Il n'a rien dit de plus ?

Martin Jeffers ferma les yeux pendant un bref instant et revit le visage souriant de son frère à la cafétéria où ils s'étaient retrouvés.

— Il m'a dit qu'il allait visiter des souvenirs. Il ne m'a pas spécifié lesquels.

— Qu'en pensez-vous ?

Jeffers parut réfléchir pendant un moment.

— Eh bien, en admettant que tout ça soit vrai... (Il eut un geste vague vers les photos.) Il me semble qu'il parlait de deux sortes de souvenirs. Les premiers seraient ceux qu'il a gardés de notre enfance, et les autres... ceux de ces... euh... événements.

Mercedes ressentit soudain une nouvelle vigueur. Elle eut l'impression que la fatigue des dernières nuits avait subitement disparu. Elle se leva et fit quelques pas dans la pièce en s'efforçant d'ordonner ses pensées.

— D'habitude, dit-elle, le travail d'un enquêteur de police est de découvrir pourquoi et comment un crime a été commis. Les deux questions sont le plus souvent liées. Il est rare, toutefois, que nous devions anticiper...

— Notre travail n'est guère différent, approuva Jeffers.

Elle acquiesça d'un signe de tête.

— Nous savons, ou du moins nous pouvons nous douter qu'il nous faudrait des mois d'enquête avant de pouvoir mettre un nom — hormis celui de ma nièce — sur chacune de ces photos et d'y associer les lieux correspondants...

— Exact, et nous ne savons pas non plus quelles pourraient être ses priorités dans son itinéraire, fit remarquer Jeffers.

— Alors, il nous faut chercher du côté des souvenirs personnels.

— Les difficultés restent les mêmes : nous ignorons l'ordre, ou la hiérarchie, si vous préférez, de ses souvenirs. Lesquels visitera-t-il ? Selon quelle priorité ? Chronologique ? Affective ?

— Nous pouvons toujours faire des suppositions.

— Ce ne seront jamais que des suppositions.

— Mais au moins nous ferons quelque chose !

Jeffers opina du bonnet.

— Eh bien, par exemple, nous avons été abandonnés dans le New Hampshire. C'est probablement l'un des endroits qu'il visitera.

— Que voulez-vous dire ? Abandonnés ?

Martin Jeffers aboya sa réponse :

— Foutus dehors ! A la rue ! Qu'est-ce que vous croyez ?

— Je suis désolée, dit-elle, surprise par la violence de sa réponse. Je ne savais pas.

— Vous voyez, il n'y a là rien d'extraordinaire, dit-il, plus calme. Notre mère était la brebis galeuse de la famille. Elle est partie avec un type qui sortait du service militaire. Ils ont travaillé dans une fête foraine, allant de ville en ville. Elle n'a jamais épousé ce type. Et puis Doug est né, et puis moi. Ni elle ni lui ne devaient beaucoup aimer les enfants. Il est parti le premier, et elle s'est arrangée pour nous faire adopter par des cousins. Elle devait nous emmener dans le New Jersey, mais je suppose qu'elle était pressée, et elle nous a abandonnés dans le New Hampshire. A Manchester, pour être exact.

Il hésita.

— Je me souviens encore parfaitement de ce putain de poste de police où nous avons attendu, mon frère et moi, qu'on vienne nous chercher. Les murs étaient couverts de dessins et de graffiti dont je ne pouvais comprendre le sens mais qui me faisaient étrangement peur. Vous savez, cette sorte de peur que l'on éprouve face à un monde fait pour les grands...

— Et votre frère ?

— Il m'a aidé. Il prenait soin de moi.

— Quelle a été sa réaction quand votre mère vous a abandonnés ?

— Il lui en a terriblement voulu de ne pas nous avoir aimés, de nous avoir laissés. Il a détesté tout autant nos nouveaux parents. Nos faux parents, disait-il.

— Et vous ?

— Moi aussi, je les détestais, mais pas autant que lui.

— Où avez-vous atterri ensuite ?

— Ici.

— Non, je veux dire quand vous étiez petits...

— J'entends bien. Ici, dans la région. Les cousins qui nous ont adoptés vivaient à Rocky Hill, de l'autre côté de Princeton. Lui tenait un drugstore. Il avait le sens des affaires. Il a fini par vendre son commerce à une société pour un gros paquet de fric qu'il a su investir sagement.

— Vous ne l'aimiez pas ?

— C'est un euphémisme. Doug le haïssait encore plus que moi. Ce salaud n'a jamais voulu nous donner son nom. Jeffers est celui de notre mère. Vous ne pouvez pas savoir quels problèmes ça peut poser à un gosse de ne pas porter le nom de ceux qui passent pour ses parents. A l'école, partout, il faut toujours que vous vous expliquiez. Quand il nous donnait quelque chose, c'est que nous l'avions gagné en travaillant.

— Vous vous en êtes bien tiré.

— Vous croyez ?

Elle ne savait pas quoi dire. La voix de Jeffers était chargée d'amertume et de colère. Elle se demanda comment il s'était accommodé de toute cette rage accumulée dans sa jeunesse. Elle savait comment le frère avait fait, lui.

— Pourquoi ne pas essayer Manchester ? proposa-t-elle.

— A quoi bon ?

— Je ne sais pas. Cela vaut mieux que d'attendre ici qu'il se manifeste.

Il acquiesça d'un signe de tête.

— Nous sommes samedi, dit-il. Je ne retournerai pas à l'hôpital avant lundi.

Elle se leva.

— New Hampshire, dit-elle. Nous pouvons toujours montrer sa photo dans les hôtels, les stations-service.

Elle réfléchit pendant un moment, puis elle demanda :

— Où sont vos parents maintenant ?

Elle vit Martin Jeffers prendre une profonde inspiration. Quand il parla, ce fut d'une voix basse, mesurée, une voix qui fit frissonner Mercedes. Elle se rassit et l'observa qui luttait avec ses émotions et ses souvenirs, et elle se promit de ne jamais oublier que Martin Jeffers était le frère de Douglas, le frère d'un homme qui depuis des années semait la mort sur son passage.

— Les « faux » sont morts tous les deux, dit froidement Jeffers. Quant aux « vrais », qui sait ? Lui est probablement mort quelque part dans le pays. Elle aussi, à moins que... (Il marqua une pause.) A moins que Douglas l'ait tuée.

Ils passèrent devant le drugstore, descendant lentement Nassau Street à Princeton. L'université, avec ses bâtiments couverts de lierre, de l'autre côté de la rue, semblait attendre avec impatience la venue de l'automne qui ferait flamboyer les érables ombrageant ses pelouses. Martin Jeffers conta à Mercedes combien le spectacle était beau alors. Elle le savait. Elle préférait lui cacher qu'elle connaissait parfaitement la ville.

La vue des bâtiments de pierre lui rappela son mari. Elle

sourit en repensant combien il aimait ce monde du collège et comme il lui avait paru étrange d'en partir pour rejoindre l'armée. Il aimait ce monde d'idées, de livres et de rigueur.

Le monde de mon père, pensa-t-elle.

Pas le mien.

Avant qu'ils prennent la route, elle était passée à son hôtel pour se doucher, se changer, s'apprêter à la traque qu'elle appelait de toutes ses fibres, oublieuse du manque de sommeil, uniquement consciente d'être enfin sur la piste du tueur, impatiente d'être face à lui, l'arme à la main. Cette vision lui avait arraché un sourire sinistre.

Elle s'était regardée dans le miroir, mais au lieu de vérifier sa mise elle avait pointé son arme sur son reflet. Elle avait gardé la position pendant un instant, tel un mime immobile. Puis elle avait rangé le revolver dans un petit sac de sport avec ses affaires de toilette et la photo que Douglas Jeffers avait prise de lui-même dans la jungle.

Martin Jeffers avait insisté pour prendre sa voiture, et elle n'avait pas protesté, sachant que conduire son propre véhicule lui donnerait un illusoire sentiment de contrôle. En outre, cela lui permettrait à elle de se reposer, voire de dormir, alors qu'il supporterait seul la fatigue d'être au volant.

Après le drugstore, Martin Jeffers sortit de la ville et prit une petite route de campagne. Ils arrivèrent bientôt dans un lotissement curieusement implanté au milieu des champs et des fermes.

Il arrêta la voiture et désigna une petite maison de deux étages peinte en gris et blanc, avec une pelouse bien tenue. Une voiture de marque étrangère était garée devant le garage.

— J'ai passé dix années là-dedans, dit-il. A l'époque, elle était peinte en brun, un vilain brun qui reflétait bien l'atmosphère sinistre qui régnait à l'intérieur. Un foyer sans chaleur, sombre et inconfortable.

— Mais c'était quand même un foyer. Vous n'étiez pas abandonnés comme des gosses de la rue.

Il haussa les épaules.

— Les gens surestiment souvent les facteurs extérieurs. C'est ce qui se passe dans les familles qui s'avère critique pour les enfants.

— Que voulez-vous dire ?

— Quand on a l'amour, le soutien, le contact, on peut traverser les pires conditions matérielles. Sans affection, l'argent, la famille, l'éducation, tout ça ne sert pas à grand-chose. Il y a des enfants du ghetto qui s'en sortent très bien, et des gosses de riches qui finissent avec une overdose. Vous comprenez ?

— Oui. (Elle pensa à sa nièce, et son cœur se serra pendant un instant.) Vous m'avez dit que vos parents adoptifs étaient morts ?

— Oui, répondit Martin Jeffers. Notre père adoptif est mort dans un accident alors que nous étions adolescents, et notre mère adoptive est décédée il y a trois ans de ce que nous appelons des causes naturelles, mais qui étaient en fait le résultat de mauvaises habitudes : alcool, tabac, tranquillisants, et un cœur qui n'en pouvait plus de pomper dans ces conditions. Rien de naturel en vérité dans ce genre de décès.

— Où sont-ils enterrés ?

— Ils ont été tous deux incinérés.

Mercedes regarda la maison, et elle voulut en avoir le cœur net.

— Je vais quand même leur poser la question, dit-elle. Attendez-moi ici.

— Non, non, je viens avec vous.

Mercedes sonna à la porte. L'instant d'après, elle entendit un bruit de pas à l'intérieur et une voix fluette qui criait :

— J'y vais ! J'y vais ! C'est sûrement Jimmy !

La porte s'ouvrit et un garçonnet de cinq ou six ans apparut. Il regarda Mercedes, puis Martin Jeffers, parut déçu, et se retourna pour annoncer :

— Maman ! C'est un monsieur et une dame !

Une femme arriva aussitôt. Elle devait avoir l'âge de Mercedes et tenait un racloir de jardinage à la main.

— Excusez-moi, dit-elle, mais j'étais dans le jardin. Que puis-je pour vous ?

— Bonjour, dit Mercedes. (Elle exhiba sa plaque de police.) Je suis l'inspecteur Barren. Nous enquêtons sur la disparition de cet homme. (Elle montra la photographie de Douglas Jeffers.) Nous voudrions savoir si vous ne l'auriez pas vu, par hasard.

La femme regarda la photo, manifestement étonnée d'avoir en face d'elle un officier de police.

— Non, répondit-elle. Je ne l'ai pas vu. Pourquoi ? Il se passe quelque chose ?

— Non, non. Cette personne, qui est le frère de ce monsieur... (Ele désigna Martin Jeffers d'un signe de la tête.) Eh bien, cette personne a disparu, et nous avons pensé qu'il était peut-être passé voir la maison où il avait grandi. C'est tout.

— Oh, fit la femme, je suis désolée, mais nous n'avons pas vu cet homme.
— Laisse-moi voir, dit l'enfant.
— Non, dit la mère. Ça ne te regarde pas.
— Je veux voir !
La mère regarda Mercedes.
— Il attend un petit camarade, et il est un peu nerveux.
Mercedes se pencha et montra la photographie au garçonnet.
— Tu l'as vu ? demanda-t-elle.
L'enfant examina attentivement la photo.
— Oui, peut-être qu'il est venu.
Mercedes sentit son estomac se contracter, et Martin Jeffers s'avança d'un pas.
— Billy ! dit la mère. Ce n'est pas un jeu !
— Peut-être que je l'ai vu, insista le garçon.
— Billy, dit Mercedes d'une voix douce et amicale, où l'as-tu vu ?
L'enfant désigna vaguement la rue.
— Est-ce qu'il a dit quelque chose ? Qu'a-t-il fait ?
Billy se fit soudain timide.
— Non, rien.
— Tu as vu une voiture ? Ou quelqu'un d'autre ?
— Non.
— C'était quand ?
— Il n'y a pas longtemps.
Mercedes entendit une voiture s'arrêter devant la maison, et les yeux de Billy s'éclairèrent.
— Ils sont là ! s'écria-t-il, joyeux. Est-ce que je peux y aller, maintenant ?
La mère regarda Mercedes qui se redressa et hocha la tête.
— Bien sûr, dit la femme.

Le gamin courut vers la voiture d'où était descendu un enfant de son âge avec lequel il se mit aussitôt à jouer. L'autre mère, derrière le volant, adressa un signe à la femme et redémarra sans tarder.

— Eh bien, je vous remercie, dit Mercedes.
— Je n'accorderais pas trop de crédit à ce qu'a pu vous dire Billy, dit la mère.
— Ne vous inquiétez pas, répondit Mercedes. Je ne pense pas qu'il ait vu qui que ce soit.

Elle salua la femme et regagna la voiture, Martin Jeffers sur ses talons.

— Qu'en pensez-vous ? demanda Jeffers quand ils eurent démarré.

Elle hésita pendant un instant.

— Je ne sais pas trop, répondit-elle. Et vous ?

— Je pense qu'il est passé par ici, dit-il.

— Moi aussi.

La plus grande partie du trajet jusque dans le New Hampshire se passa dans un silence que seuls troublaient les bruits de la route et le ronronnement du moteur. Mais, à la sortie de New Haven, Jeffers demanda :

— Etes-vous mariée, inspecteur ?

Elle songea à mentir puis se dit que ça n'en valait pas la peine.

— Non, veuve.

— Oh, je suis désolé.

— Cela remonte à longtemps. Je me suis mariée très jeune, et il est mort à la guerre.

— Cette guerre du Vietnam a vraiment fait des ravages.

— Vous y êtes allé ?

— Non, ils ont institué le tirage au sort quand mon temps est venu, et j'ai tiré le numéro trois cent quarante-sept. Je n'ai jamais été chanceux, sauf cette fois-là : ils ne sont jamais venus frapper à ma porte.

— Et votre frère ?

— C'est bizarre, il est allé là-bas plusieurs fois en reportage. Il avait quitté l'université, et il aurait dû normalement être appelé, mais il ne l'a jamais été. Je ne sais pas pourquoi.

Il se tut pendant un instant puis demanda :

— Vous paraissez jeune. Mais vous ne vous êtes jamais remariée ?

Elle sourit malgré elle.

— Trop difficile de trouver quelqu'un qui puisse faire oublier tous ces souvenirs, toutes ces émotions liées à un amour de jeunesse passionné.

— Oui, je comprends, dit-il. Et pourquoi avez-vous choisi la police ?

— Pur hasard. Je me trouvais à Miami quand les autorités décidèrent de recruter davantage de femmes et de Noirs dans les services de police. Je me suis dit : pourquoi pas ? Et puis j'ai découvert que c'était quelque chose que je pouvais faire, et bien.

J'ai fini par devenir l'une des meilleures. Et vous, pourquoi la psychiatrie ?

— La psychiatrie ? Oh, pour deux raisons, en fait. Primo, je ne supportais pas très bien la vue du sang — un handicap quand on fait médecine. Secundo, je détestais l'idée de perdre mes malades. Il y en a peut-être une troisième : ce qu'il y a dans la tête des gens est toujours une source d'étonnement.

— Oui, c'est bien vrai, dit-elle. Et vous non plus vous n'avez personne pour partager votre vie ?

Elle le vit qui réfléchissait avant de répondre :

— Non... pas vraiment. Je ne sais pas très bien pourquoi, mais je mène une existence assez solitaire avec tout ce travail à l'hôpital. Les malades dont je m'occupe exigent beaucoup de disponibilité. Alors, je vis seul.

Elle hocha la tête. Vous avez la trouille, pensa-t-elle. La trouille de vous-même.

Après ce bref échange de confidences, le silence retomba dans la voiture, et Mercedes s'absorba dans la contemplation de la route.

La nuit était tombée depuis un bon moment quand ils atteignirent les faubourgs de Manchester. Ils ne s'étaient arrêtés qu'une fois pour prendre de l'essence, et Mercedes avait couru jusqu'à la cafétéria pendant que Martin Jeffers s'occupait de faire le plein et de vérifier l'huile. Elle avait acheté du café, deux sodas et deux sandwiches, l'un au thon, l'autre au jambon et fromage. Quand elle était revenue à la voiture, elle avait dit à Jeffers :

— Choisissez.

— Vous me demandez de choisir entre deux poisons. (Il avait pris le sandwich au jambon et avait mordu dedans.) J'adore le thon, avait-il ajouté.

Ils avaient ri.

Il s'était alors demandé depuis combien de temps il n'avait pas entendu une femme rire. Il en avait éprouvé un certain contentement mais s'était aussitôt rappelé pourquoi elle était avec lui et ce qu'elle n'hésiterait probablement pas à faire quand ils toucheraient au but de leur voyage.

Il se recommanda la méfiance. N'interprète pas un rire comme une marque de confiance ou un sourire comme un signe d'affection.

Aux abords de Manchester, il repéra l'enseigne d'un Holiday Inn.

— On pourrait s'y arrêter pour la nuit, proposa-t-il. Nous

avons tous les deux un gros retard de sommeil, et de toute façon nous ne pourrons rien faire d'ici demain matin.

Elle approuva d'un hochement de tête.

— Oui, pourquoi pas, dit-elle.

Ils prirent chacun une chambre, ce qui parut surprendre le réceptionniste. Quand il leur donna leurs clés, Mercedes lui montra la photo de Douglas Jeffers.

— Avez-vous souvenir du passage de cet homme ? demanda-t-elle.

L'homme examina la photo.

— Non, je ne me souviens pas l'avoir vu, dit-il.

— Vous voulez bien regarder dans votre registre ? dit Martin. Au nom de Douglas Jeffers. C'est mon frère.

— Je ne peux pas faire...

Mercedes sortit sa plaque de police.

— Si, vous le pouvez, dit-elle.

L'homme considéra le badge.

— Nous n'avons pas de registre, dit-il. Tout est informatisé, et l'ordinateur ne garde en mémoire que les clients de la semaine écoulée.

— Essayez quand même, dit Martin.

L'employé hocha la tête. Il tapa quelques lettres sur le clavier d'un ordinateur.

— Non, rien au nom de Douglas Jeffers, dit-il.

— Est-ce que votre ordinateur n'est pas relié à d'autres du réseau Holiday Inn ? demanda Mercedes.

— Oui, en effet, répondit le réceptionniste. Il est relié aux trois autres établissements de la région.

— Essayez-les, s'il vous plaît, demanda-t-elle.

Il tapa de nouveau sur le clavier, mais le nom de Douglas Jeffers n'apparut nulle part.

— Merci d'avoir essayé, dit Mercedes.

— Ce type a des ennuis ? demanda l'employé.

— C'est le moins qu'on puisse dire, répondit-elle.

Arrivés devant leurs chambres, Martin se tourna vers elle.

— Vous désirez quelque chose à manger ? demanda-t-il.

Elle secoua la tête.

— Bien, dit-il.

Ils se regardèrent, silencieux.

— J'ai besoin de votre parole, dit-il.

— Quoi ?

— Promettez-moi que vous ne partirez pas sans moi.

Elle réprima un sourire. C'était ce qu'elle-même avait redouté.

— Oui, à la condition que vous me fassiez la même promesse.

— D'accord, vous avez ma parole, dit-il. Je demande à la réception de nous réveiller à neuf heures ?

— Huit heures, dit-elle d'un ton décidé. A demain.

Ils entrèrent en même temps dans leurs chambres. A l'intérieur, ils s'immobilisèrent pendant un instant, l'oreille tendue, puis, réalisant que chacun devait espionner l'autre, ils se préparèrent pour la nuit.

Manchester avait jadis été une ville industrielle active, et elle en gardait une atmosphère de labeur avec ses solides bâtisses de brique dont la belle lumière estivale atténuait à peine l'austérité. Mercedes et Martin Jeffers prirent un rapide petit déjeuner puis se mirent à parcourir les rues de la ville, s'arrêtant dans les restaurants, les stations-service, les hôtels, partout où Douglas Jeffers aurait pu passer ou séjourner.

Mercedes doutait quelque peu de l'intérêt de leurs recherches. Mais, comme l'avait fait remarquer Martin, cela leur donnerait au moins une idée de la direction que son frère avait pu prendre.

A la différence de certains de ses collègues, elle n'avait jamais détesté cet aspect du travail policier. Il lui était souvent arrivé de réussir au terme d'une enquête systématique, répétitive, et elle exhibait à présent la photo de Douglas Jeffers sans jamais se lasser. De son côté, Martin réalisait qu'il n'avait jamais travaillé lui-même que de cette façon : en revenant sans cesse sur les souvenirs de ses patients, sur les mensonges et les défenses auxquelles ils s'accrochaient jusqu'à ce qu'un jour celles-ci sautent enfin, et que se produise l'aveu libérateur.

Vers la fin de l'après-midi, il demanda :

— Pourquoi n'essayons-nous pas le poste de police où nous avons été recueillis étant enfants ? On ne sait jamais, il y est peut-être passé.

— Je réservais ça pour la fin, dit-elle.

— Nous sommes à la fin, répliqua-t-il. S'il est venu ici, il l'a fait bien discrètement.

— Je ne pense pas qu'il y soit venu, dit-elle. Ce qui ne veut pas dire qu'il n'y viendra pas.

Jeffers approuva d'un signe de tête.

— D'accord, mais il faut que je sois demain matin à l'hôpital. Il y a huit heures de route pour rentrer à Trenton. Mais si vous voulez rester ici...

— Non, dit-elle. Nous resterons ensemble jusqu'à ce que...
— Nous en ayons terminé, l'interrompit-il.
— Exact.
— Alors, allons voir ce poste de police.
Il vérifia l'adresse pendant que Mercedes montrait une fois de plus sans succès la photo de Douglas Jeffers à l'employé d'une station-service. Ce dernier leur indiqua le chemin le plus court pour se rendre au poste, et ils arrivèrent bientôt en vue d'un vaste bâtiment de brique.
— C'est là, dit Mercedes.
Martin hésita.
— Je ne reconnais pas l'endroit, dit-il. C'était un vieux bâtiment, et celui-ci est récent.
Il gara la voiture, et ils descendirent.
A l'intérieur, le bureau de renseignements était tenu par un policier en uniforme au visage jovial. Mercedes lui montra sa plaque.
— Miami, dit l'homme en souriant. J'ai un beau-frère qui tient un bar à Fort Lauderdale. Je suis allé le voir une fois, mais, bon Dieu, qu'il fait chaud dans ce pays. A vous donner envie d'habiter l'Alaska ! Que puis-je pour vous, chère collègue de Miami ?
Mercedes lui rendit son sourire.
— Deux choses, répondit-elle. Avez-vous vu cet homme ? Et n'y avait-il pas jadis un vieux poste de police dans le coin ?
Le policier examina attentivement la photo.
— Non, je ne l'ai pas vu. Voulez-vous que j'en fasse des photocopies pour les distribuer aux hommes ? Si ce type est recherché, il serait peut-être bon qu'on le sache par ici. Qu'en pensez-vous ?
Mercedes réfléchit à la proposition du policier. Non, pensa-t-elle. Douglas Jeffers m'appartient.
— Non, répondit-elle. Pour le moment, cet homme n'est recherché que pour être entendu dans le cadre d'une certaine affaire, et il n'y a pas assez d'éléments contre lui pour que vous puissiez l'interpeller.
Le policier hocha la tête.
— Comme vous voulez, dit-il. En ce qui concerne l'ancien poste de police, il a été converti en bureaux. Il est situé pas loin d'ici, près du palais de justice. Il y avait un autre poste près des quartiers résidentiels. Quand la ville s'est agrandie, on nous a regroupés dans ce merveilleux endroit... termina-t-il avec un ample geste de la main.

— Comment se rend-on au palais de justice ? demanda Martin.

— Une seule façon. Transgressez la loi !

— Pardon ?

— C'est une blague. Pas terrible, je vous l'accorde. Bon, eh bien, vous descendez la rue, à droite en sortant, et au troisième carrefour vous prenez à droite par Washington Boulevard. Le palais est un peu plus loin, et votre ancien poste de police est juste en face.

Ils remercièrent le policier et s'en allèrent.

— Passons devant ce fameux poste avant de reprendre la route, dit Mercedes.

Martin acquiesça.

Ils trouvèrent l'immeuble sans difficulté. Jeffers considéra la façade en silence pendant un moment.

— Ça n'a pas trop changé, dit-il en arrêtant la voiture devant la porte. Il y avait du vent et il pleuvait, cette nuit-là. Je me souviens que mes chaussures étaient trop petites et me faisaient mal. Je me demandais avec angoisse si on allait m'en acheter une autre paire. Je me souviens que j'avais une terrible envie de faire pipi mais que je n'osais demander à personne où étaient les toilettes. Doug a pris soin de moi. Il savait ce qu'il fallait faire. Toujours. C'est lui qui m'a emmené aux toilettes. Et il m'a dit de ne pas avoir peur, qu'il était là et qu'il ne me quitterait pas. Il m'a pris par la main, et j'ai cessé d'avoir peur...

Le soleil commençait à disparaître, et la voix de Martin Jeffers sembla décliner avec lui.

C'est cela, l'enfance, pensa Mercedes. Aller de peur en peur jusqu'à ce que l'on devienne assez fort pour les combattre une à une. Certaines, toutefois, demeurent et nous accompagnent jusqu'au bout.

Elle regarda Martin. Il continuait de fixer du regard la façade comme s'il y lisait les souvenirs d'un passé lointain. Puis il se tourna vers elle et dit :

— Rentrons à Trenton, maintenant. Si vous le voulez bien.

Elle lui répondit d'un hochement de tête. Pendant un moment elle se sentit liée à lui par la tristesse. Elle se surprit également à penser qu'en d'autres circonstances elle aurait peut-être aimé cet homme. Et cette pensée suscita en elle un apitoiement qu'elle s'empressa de chasser. Elle avait l'intime conviction que Martin Jeffers la conduirait à son frère, mais elle savait aussi, alors que Jeffers tournait la tête pour qu'elle ne vît pas les larmes qui embuaient ses yeux, qu'il ne le trahirait jamais.

Il était près de minuit quand ils passèrent le pont George Washington, les lumières de la ville de New York scintillant à leur gauche. Mercedes avait les yeux fermés, et Martin pensa qu'elle s'était assoupie. Il y avait de la circulation sur l'autoroute, et les phares des voitures venant en sens inverse étaient aveuglants malgré la ligne de végétation qui séparait les deux sens. Il se demanda avec un sentiment d'étrangeté si son frère n'était pas dans l'une de ces voitures qu'il croisait. Il pourrait être n'importe où, se dit-il, mais je sais qu'il est là. Peut-être dans celle-ci ou celle-là. L'idée lui paraissait folle, mais il avait envie de baisser sa glace et de l'appeler.

Il secoua la tête et s'efforça de retrouver son calme. Il était fatigué, se dit-il, et enclin à délirer. Il reporta toute son attention sur la route, ignorant qu'il ne se trompait pas : Douglas Jeffers n'était pas loin.

XII. Second voyage dans le New Hampshire

Il l'avait ligotée trop serré, et la corde de nylon lui cisaillait les poignets. Elle s'était efforcée en vain d'oublier la douleur et de trouver le sommeil. Aussi, malgré son épuisement, demeurait-elle éveillée. Le bâillon lui donnait aussi des problèmes. Elle avait saigné du nez et, maintenant que le sang avait séché, elle avait le plus grand mal à respirer. Quand il l'avait bâillonnée, il lui avait renversé brutalement la tête en arrière, pour lui nouer avec force le mouchoir sur la nuque et appliquer par-dessus une bande d'adhésif qui dégageait une désagréable odeur de colle. Elle avait eu très peur de vomir, sachant que dans ce cas elle périrait étouffée.

Anne Hampton ne savait pas pourquoi Douglas Jeffers l'avait battue et ligotée cette nuit-là, mais cela ne la surprenait pas.

Elle se disait que l'échec de sa tentative de meurtre sur les deux jeunes femmes en était probablement la cause.

En quittant le circuit automobile, il avait roulé vite et dans un silence plus terrifiant que son habituel bavardage. Il était minuit quand il s'était enfin arrêté près de Bridgeport dans le Connecticut. Ils avaient échoué dans un misérable motel où il avait comme à l'accoutumée payé la chambre en liquide. A peine avait-il refermé la porte derrière eux qu'il avait commencé à la frapper. Elle avait d'abord tenté de parer les coups, puis elle avait abandonné toute résistance, se disant qu'en le frustrant de son envie de cogner elle risquait de prendre la place des deux jeunes femmes. Elles avaient échappé au pire, et elle ne tenait pas à payer pour la chance qu'elles avaient eue.

Elle s'était donc laissé battre jusqu'à ce qu'il en ait assez et la pousse avec mépris dans un coin de la pièce. Il l'avait ensuite solidement attachée et abandonnée gisant sur la moquette sale avant de quitter le motel sans autre explication qu'un laconique « Je reviendrai ».

Elle avait perdu toute identité, toute importance, mais elle savait qu'elle resterait en vie tant qu'elle serait Boswell, qu'elle lui serait d'une quelconque utilité. Ce qui la terrifiait à présent, c'était le fait qu'il pouvait fort bien tuer une pauvre fille au visage tuméfié, bâillonnée et ligotée, qui lui rappellerait son échec précédent. Elle regarda autour d'elle, et la misère de la chambre la fit frissonner.

Elle repensa à Vicki et Sandy, qui s'étaient rhabillées manifestement à contrecœur. Jeffers avait émergé du sous-bois en souriant, comme si rien ne s'était passé, alors qu'elle savait que quelque chose avait interrompu son plan. Il avait complimenté les deux filles sur leur anatomie et promis qu'elles risquaient fort de décrocher la timbale.

Sur le chemin du retour au circuit, il avait continué de plaisanter, tandis qu'elle-même s'était demandé avec terreur ce qui avait pu se passer pour qu'il renonce à tuer. Il avait déposé les deux filles près des tribunes et, sur un dernier signe de la main, il avait repris la direction de l'autoroute.

Anne Hampton se jura qu'à son retour elle ferait tout ce qui était en son pouvoir pour qu'il la libère de ses liens. Il fallait qu'il retrouve « Boswell », et cela ne serait possible qu'une fois qu'elle ne serait plus bâillonnée.

Elle attendit son retour en se répétant : il faut qu'il te détache, il faut qu'il te détache, trouvant dans cette répétition lancinante une manière de soulagement.

Douglas Jeffers roula sans but à travers les rues sombres, ruminant les événements de la journée. Il s'en voulait terriblement de ne pas avoir anticipé tous les problèmes qui pouvaient surgir en la circonstance. J'aurais dû découvrir un meilleur endroit. J'ai choisi cette clairière dans le parc pour sa lumière. Je l'ai choisie en photographe, pas en tueur.

Evidemment, l'arrivée du garde forestier avait été purement accidentelle. Mais ce n'était pas une excuse. Il avait toujours anticipé ce genre d'incident. Il cogna du poing contre le volant avec une telle force qu'il manqua perdre le contrôle de la voiture.

Il pensa à Anne Hampton, là-bas, dans la chambre du motel.

Qu'elle attende, se dit-il avec colère. Qu'elle s'angoisse. Qu'elle souffre.

Qu'elle crève !

Il s'étonna du soudain malaise qui le saisit à cette dernière pensée. Il arrêta la voiture dans une petite rue déserte et éprouva une subite fatigue. Ce n'était pas sa faute. Elle n'a fait que ce que tu lui demandais de faire. Il ferma les yeux. Bon Dieu, c'est mon plan qui était nul.

Il soupira. Ma foi, cela démontre seulement que personne n'est parfait. Il abaissa la glace et respira l'air frais de la nuit. Il ressentait maintenant une immense lassitude. Il fallait qu'il dorme. Ils iraient le lendemain dans le New Hampshire. Il emmènerait peut-être Anne Hampton au mont Monadnock ou au lac Winnipesaukee, dans quelque joli coin où ils pourraient se détendre. Il pensa à une petite ville qu'il connaissait dans le Vermont. Hors des grandes routes mais pas trop éloignée de son lieu de rendez-vous dans le New Hampshire. Puis il travaillerait un peu avant de se rendre à Cape Cod.

Il pensa de nouveau à Anne Hampton. Boswell doit être morte de peur. Il haussa les épaules. Ce n'était pas si terrible que ça. Il agissait avec sagesse, avec raison.

Mais il avait beau se tenir ce discours, il ne s'en sentait pas moins coupable.

Laissons-la respirer, se dit-il. Elle m'est encore nécessaire.

Il se sentait plus calme maintenant, et il décida de rentrer au motel. Il redémarra et roula lentement, la vitre baissée, laissant l'air s'engouffrer doucement dans la voiture.

Anne Hampton se raidit en entendant le bruit de la clé dans la serrure. De l'endroit où elle se trouvait, elle ne pouvait pas voir la porte, mais elle perçut le grincement qu'elle fit en s'ouvrant. Elle grogna à travers son bâillon tandis que des pas s'approchaient d'elle. Elle souleva la tête de façon que son regard rencontre celui de Jeffers. Elle avait mobilisé toute sa volonté pour chasser de ses yeux la crainte et la remplacer par une lueur de défi. Leurs regards se croisèrent, et Jeffers parut surpris.

— Tiens, dit-il, Boswell est en colère.

Il se baissa et arracha d'un coup sec l'adhésif. Elle eut l'impression que ses lèvres et ses joues étaient déchirées. Elle se tint immobile tandis qu'il lui enlevait son bâillon.

— Ça va mieux ? demanda-t-il.

— Beaucoup mieux. Merci, dit-elle d'une voix qu'elle s'appliqua à durcir.

— Boswell est en colère, répéta-t-il.

— Non, dit-elle. Seulement dans une position inconfortable.

— Normal. Vous avez mal ?

Elle secoua la tête.

— Seulement un peu raide.

— Eh bien, remédions à votre inconfort.

Il sortit un couteau, et elle vit la lame briller. Boswell, il t'a appelée Boswell. Tu n'as rien à craindre. Pas encore.

Il plaça la lame à plat contre sa joue.

— Avez-vous remarqué combien il est difficile de dire si une lame est froide ou chaude ? Cela dépend de la peur qu'on éprouve.

Elle ne bougea pas.

Il écarta la lame et entreprit de trancher ses liens.

— Je n'aurais pas dû vous frapper, dit-il d'une voix neutre. Ce n'était pas votre faute.

Elle ne répondit pas.

— Disons que j'ai eu un moment de faiblesse.

Il l'aida à se relever.

— Et voilà ! Vous ne tenez pas très bien sur vos jambes, mais ça pourrait être pire. Vous pouvez utiliser la salle de bains.

Elle fit quelques pas avec difficulté, s'appuyant contre le mur pour ne pas tomber. Dans le miroir de la salle de bains, elle vit qu'elle avait du sang séché autour de la bouche et du nez. Elle se lava vigoureusement le visage et dut se retenir au lavabo tant elle se sentait faible.

Quand elle revint dans la chambre, Douglas Jeffers avait apprêté l'un des lits jumeaux pour elle. Elle ôta son blue-jean et se glissa sous les draps, pendant qu'il se rendait dans la salle de bains. Quand il en ressortit, il se coucha aussitôt. Il éteignit la lumière, et l'obscurité la submergea comme une vague à la plage.

Il resta silencieux pendant un moment, puis il dit :

— Boswell, avez-vous jamais songé à la fragilité de la vie ?

Elle ne répondit pas.

— Pensez à la mère qui a un moment d'inattention, et dont l'enfant s'aventure imprudemment sur la route. Au père qui, pour une fois, oublie de boucler sa ceinture de sécurité et se fait éjecter sous les roues d'un camion. Accidents. Maladies. Malchance. La mort d'un proche est toujours un facteur de déséquilibre pour ceux qui restent. Pensez un instant à ce que votre propre mort signifiera pour ceux qui vous ont aimée...

Elle ferma les yeux, et elle eut soudain envie de pleurer.

— ... Ou à ce que serait pour vous la mort de gens aimés. Il en resterait quelques souvenirs. Peut-être un album de photos. Une pierre tombale. Nous sommes liés les uns les autres de tant de façons. Nous dépendons tellement des autres pour notre propre équilibre. Nous sommes si fragiles, si fragiles.

Il marqua une pause et reprit :

— Ce que je déteste le plus au monde, Boswell, c'est quand on n'a pas le choix d'être autre chose qu'une victime.

Il y avait une grande amertume dans sa voix. Dans la pénombre de la chambre, Anne Hampton pouvait voir que Douglas Jeffers était étendu sur le dos, les deux poings serrés en l'air au-dessus de lui.

Il soupira.

— Vous êtes tous des victimes. Sauf moi.

Puis elle l'entendit se tourner et s'abandonner au sommeil.

Au matin, ils prirent la direction du nord, empruntant l'autoroute 91 à New Haven. Anne Hampton remarqua que Jeffers consultait sa montre de temps à autre, calculait les distances, veillait à tenir sa moyenne. Cela la rassura, et elle se détendit, attendant que quelque chose de neuf se produise.

Ils atteignirent le sud du Vermont en début d'après-midi et continuèrent vers le nord. Elle se demanda s'ils n'allaient pas au Canada, bien que cette idée lui parût plutôt fantaisiste. Que pourrait-il bien y avoir dans ce pays qu'il veuille me montrer ?

— Il y a une petite ville un peu plus loin que vous devriez voir, dit-il soudain, comme s'il avait lu dans ses pensées.

Il ne lui décrivit pas Woodstock, préférant conduire en silence. Elle verra bien par elle-même, pensa-t-il. Il repassa mentalement en revue les éléments de son plan. Il avait envie de vérifier si la lettre de la banque du New Hampshire se trouvait toujours dans sa valise, mais il savait que ce n'était pas nécessaire. Ils t'attendent demain matin, se dit-il. Ce sera rapide et précis, ainsi que toutes choses devraient être.

Quand il sortit de l'autoroute pour se diriger vers Woodstock, il dit :

— Avez-vous jamais remarqué que tous ces Etats de la Nouvelle-Angleterre ont un Woodstock ? Vermont, New Hampshire,

Massachusetts. Même Rhode Island. Bien sûr, le Woodstock qui restera dans l'histoire est celui de l'Etat de New York et du festival de rock qui s'y est tenu. Vous vous en souvenez ?

— J'étais trop jeune à l'époque, dit-elle.

— J'y étais, dit Jeffers.

— Ah oui ? Et ça a été aussi formidable qu'on le dit ?

Il rit.

— Non, en vérité, je n'y étais pas.

Elle parut décontenancée.

— Vous savez, les événements sont ce que les hommes en font. J'ai connu personnellement le type qui a créé le mythe de Woodstock. Il venait d'entrer au *Daily News*. C'était l'été, et le journal l'avait envoyé là-bas, juste au cas où il se passerait quelque chose d'intéressant. Ils n'avaient aucune idée des foules qui allaient y accourir.

» Le type s'est donc pointé là-bas la veille pour voir les préparatifs, et il a eu une sacrée veine parce que le lendemain il y avait tellement de monde sur les routes qu'il n'aurait jamais pu y arriver. Quand il a téléphoné à son rédacteur en chef, celui-ci a voulu savoir combien il y avait de gens, et lui était bien incapable de lui répondre parce que partout où il portait son regard il voyait une espèce de marée humaine. Alors il a demandé à un flic qui se trouvait à côté de lui, et le flic l'a regardé d'un air ahuri. Il n'en savait foutre rien lui-même. Et le rédacteur en chef continuait de gueuler au téléphone : « Alors, combien sont-ils ? », tout en se maudissant d'avoir envoyé là-bas un débutant, alors que le festival était en train de devenir un événement.

» Mon copain a eu alors une soudaine inspiration. Il a décidé de mentir. « La police estime la foule à plus de cinq cent mille personnes ! Woodstock est depuis ce matin la troisième ville de l'Etat de New York, et la foule continue de grossir ! » Le rédacteur en chef a adoré ça. Le lendemain matin, le *Daily News* faisait du chiffre la une du journal, et le *Times* et toutes les agences de presse du monde entier reprenaient la même information. Voilà comment le mensonge de mon copain est devenu un fait historique...

Il marqua une pause, visiblement satisfait de son histoire.

— Alors, moi aussi je mens. Qui pourrait vérifier que je n'y étais pas ?

Il y avait dans sa voix une note sombre qui détermina Anne Hampton à prendre note de ce qu'il disait dans son calepin.

— C'est comme ça que fonctionnent tous les médias, continua-t-il. Prenons le Vietnam. Qui peut dire qu'il n'y était pas ? Beyrouth, c'est pareil. N'importe quel abruti pourrait prétendre qu'il y est allé. Aujourd'hui, j'ai parfois l'impression que c'est l'information qui crée l'événement, et non le contraire. Si une tribu d'Indiens meurt emportée par une épidémie sans que personne en parle, est-ce que cela s'est réellement produit ?

Il eut un rire qui n'avait rien de joyeux.

— Je suis tellement ennuyeux que je m'étonne que vous ne m'ayez pas encore tué, dit-il en riant de nouveau.

Anne Hampton le regarda d'un air perplexe.

— Allons, Boswell, détendez-vous. Vous n'aimez pas mes plaisanteries ? Je ne peux pas vous en vouloir, mais vous devriez sourire de temps en temps... pour me faire plaisir.

C'était une demande, et elle grimaça un sourire.

— Pas terrible, commenta-t-il en l'observant, mais c'est toujours mieux que rien.

» Il faut s'appliquer à toutes ces petites choses que nous faisons dans la vie et qui nous rappellent que nous sommes vivants. Je pense, donc je suis. Je ris, donc j'existe... Est-ce que Boswell existe si elle ne rit pas, ne pense pas ?

Elle sentit son cœur se serrer de désespoir.

— Douglas Jeffers, lui, existe.

Ils approchaient de Woodstock. De chaque côté de la route se dressaient de belles demeures de bois peintes en blanc.

— Vous voyez, dit-il en désignant une petite église qui se découpait dans le crépuscule, comme tout est calme ici. Qui pourrait imaginer qu'un tueur vient de pénétrer dans cette oasis de paix ?

Il gara la voiture.

— Mais même les tueurs ont faim.

Il regarda Anne Hampton.

— Je plaisantais encore, dit-il.

Elle se força à sourire.

— Le meilleur humour est toujours basé sur le réel, ajouta-t-il.

Il la prit par la main et la conduisit dans un restaurant aux tables joliment éclairées par des chandelles. Une bonne odeur de cuisine mêlée au parfum des fleurs qui décoraient les dessertes flottait dans l'air. Il se dégageait de cette salle une telle impression de bonheur simple et de chaleur qu'Anne Hampton en eut les larmes aux yeux. Comment tout autour d'elle pouvait-il être aussi normal et paisible quand rien ne l'était pour elle ?

La peur la fit se contrôler, et elle prit place sans broncher à la petite table que lui désignait Jeffers.

— J'ai une faim de loup, dit-il.

Ils mangèrent tranquillement et sans joie. Jeffers commanda du vin, qu'il sirota lentement en contemplant sa victime.

Quand il eut réglé l'addition, il l'emmena faire le tour du jardin public. Il la sentait frissonner. La fraîcheur de la nuit avait succédé à la chaleur du jour, et il y avait dans l'air une senteur d'automne.

— Comme c'est calme, dit-il de nouveau.

Elle n'éprouvait aucune sensation de détente. Elle avait envie de l'agripper et de lui hurler : « Et ensuite, que va-t-il se passer ? »

Il la ramena à la voiture. L'instant d'après, ils reprenaient la direction de l'autoroute. Douglas Jeffers conduisait lentement, l'esprit légèrement embrumé par le vin.

— Je connais une ou deux petites auberges pas loin d'ici... commença-t-il.

Un klaxon aigu noya ses mots en même temps que des phares puissants illuminaient l'intérieur de la voiture.

Il s'écarta trop brusquement, et les roues chassèrent sur le gravier du bas-côté, tandis que les doublait l'un de ces véhicules tout terrain aux énormes pneus et au pot d'échappement chromé. Deux très jeunes gens étaient à l'avant. Le passager leur cria une obscénité au passage.

Jeffers jura comme un forcené.

— Des ados ! dit-il avec rage. Bon Dieu ! J'ai bien failli quitter la route ! Je connais bien ce coin. Ça tombe à pic par ici. Il y a une petite rivière qui coule en bas. On aurait pu se tuer. Les petits salauds !

Il continua de conduire lentement.

— Ça va ? demanda-t-il en tournant la tête vers la jeune femme.

— Oui, répondit-elle, mais j'ai eu une de ces frousses !

— Moi aussi.

Il sourit et tendit la main devant lui.

— Regardez, je tremble. Les nerfs, je suppose.

Il sourit de nouveau.

— Vous voyez comme la vie est peu de chose. Qui aurait pensé que sur une petite route aussi paisible on courait le risque de perdre la vie ? Mais il n'y a rien de plus dangereux au monde qu'un adolescent au volant d'une bagnole. Il suffit d'un moteur gonflé et de quelques bières pour que ces jeunes cons se transforment en écraseurs publics !

L'obscurité de la route fut interrompue par les enseignes lumineuses d'une station-service. Alors qu'ils passaient devant, Anne Hampton et Douglas Jeffers aperçurent la Jeep arrêtée à l'une des pompes. Les jeunes gens étaient tous deux grands et minces, coiffés d'une casquette de base-ball, une boîte de bière à la main.

Jeffers continua puis, environ deux cents mètres plus loin, il accéléra brutalement.

— J'ai une idée, dit-il. Il y a un endroit très intéressant un peu plus loin. La route bifurque. A droite elle mène dans une petite vallée, et à gauche vers l'autoroute.

Une minute plus tard, ils atteignaient la bifurcation. Jeffers engagea la voiture en direction de l'autoroute, trouva un sentier forestier et se gara, masqué par la végétation.

— Et maintenant nous allons voir si la chance est avec nous, dit-il. Ne bougez pas.

Il descendit, ouvrit le coffre et en sortit sa carabine Ruger, qu'il chargea. Puis, laissant l'arme dans le coffre ouvert, il s'empara d'un étui de cuir et courut jusqu'à la route.

Il ouvrit l'étui et en fit glisser une paire de jumelles à infrarouges. Il les porta à ses yeux et commença à scruter la route.

— Tiens, tiens, dit-il doucement. Nous allons avoir de la compagnie.

Dans ses jumelles venait d'apparaître la Jeep des deux jeunes gens. Il ne pouvait les voir, mais il les imaginait les cheveux au vent, riant, battant la mesure d'un rock braillé par la stéréo. Il courut à la voiture, prit la carabine et repartit toujours courant vers son poste de guet en bordure de la route. Il épaula son arme et visa les phares de la Jeep.

— La route du bas ! Prenez la route du bas, bon Dieu ! dit-il à haute voix.

Il grimaça un sourire en voyant le véhicule répondre à son souhait. Il raffermit sa prise sur la carabine et pressa sept fois la détente. Il vit la Jeep zigzaguer sur la route, tandis que l'écho des détonations se répercutait sur le flanc de la colline. Il ne pouvait voir les deux jeunes gens à l'intérieur, mais il imagina leur terreur. La Jeep finit par capoter, et elle bascula dans le ravin qui bordait la route. L'instant d'après, il y eut une explosion, et une brève lueur orangée illumina la nuit.

Il regagna la voiture en s'obligeant à marcher lentement, rangea la carabine dans le coffre, claqua doucement celui-ci et s'installa sans hâte derrière le volant. Il démarra calmement, sans un mot ni un regard pour Anne Hampton, tassée sur son siège, terrorisée.

Ce ne fut qu'en entrant sur l'autoroute qu'il tourna la tête vers elle.

— Nous sommes une nation d'assassins, dit-il. Souvenez-vous de ce tueur, Charles Whitman, qui, depuis la fenêtre de son appartement, a tué dix-huit passants à coups de carabine.

Anne Hampton n'osait pas le regarder. Elle contemplait le compteur de la voiture, sachant qu'à chaque seconde ils s'éloignaient un peu plus du lieu de ce dernier crime.

— Où allons-nous ? demanda-t-elle.

Elle connaissait la réponse : jusqu'au bout.

— Loin d'ici. De toute façon, vous savez, il y a neuf chances sur dix que la police conclue à un accident. Et qui soupçonnerait un couple d'aimables touristes ?

Le soleil était fort, et Anne Hampton dut s'abriter les yeux. Pendant un instant la vive lumière lui rappela la Floride, et elle contempla la rue principale de Jaffrey, dans le New Hampshire, en se demandant une nouvelle fois si elle ne rêvait pas.

Non, ce n'était pas un rêve, se dit-elle. Elle repensa à la nuit passée dans des draps trempés de sueur. Les rêves sont beaucoup moins horribles.

Elle tourna la tête et le vit derrière la vitrine de la pâtisserie. Il payait à la caisse deux gobelets de café et des beignets au sucre. Il sortit du magasin en sifflotant, étranger à toute culpabilité, à toute crainte.

— Et voilà ! dit-il en lui tendant un gobelet fumant et un beignet dans une serviette en papier.

Il désigna la rue d'un geste de la main.

— Coquet, vous ne trouvez pas ? Il n'y a que dans les petites villes que s'exprime bien le rêve américain. C'est calme, propre, et ennuyeux.

Il abaissa la vitre.

— Ça va chauffer, dit-il. Ici, la fin de l'été est toujours imprévisible. On peut crever de chaleur ou de froid, selon que le vent souffle du sud ou du Canada.

La chaleur pénétrait dans la voiture. Elle but un peu de café, et Jeffers déplia un journal dont il se mit à feuilleter rapidement les pages.

— Ah, voilà ! Je vous l'avais dit. Ecoutez ça : *« Deux jeunes gens ont trouvé la mort à quelques kilomètres de Woodstock, après que leur véhicule tout terrain eut quitté la route et se fut écrasé au fond d'un ravin. Daniel Wilson, dix-sept ans, et Randy Mitchell, dix-huit ans, étaient en état d'ébriété, si l'on en croit le témoignage du pompiste à la station-service où ils s'étaient arrêtés quelques minutes avant l'accident...* »

Il regarda Anne Hampton.

— Il y a encore quelques lignes. Vous voulez que je continue ?

Elle ne répondit pas.

— Non ? Eh bien, lisez vous-même.

Elle sursauta au ton sec de sa voix.

— Ecoutez, vous allez m'attendre ici, dans la voiture, reprit-il. Il est dix heures. Je serai de retour dans une heure.

Il prit sa mallette et sortit. Elle le suivit du regard et le vit entrer dans la New Hampshire National Bank, de l'autre côté de la rue. Qu'allait-il faire ? se demanda-t-elle. Braquer la banque ? Elle eut un haussement d'épaules, jugeant insensée une telle supposition. Elle se mit à attendre comme il le lui avait dit. Sagement. Passivement. L'idée de s'échapper ne lui vint même pas quand une voiture de police passa lentement dans la rue. Elle se méfiait d'un dénouement aussi simple. Elle se savait impuissante. Elle finit par fermer les yeux et songea qu'il lui faudrait du courage pour oser accomplir le geste qui, peut-être, la sauverait. Mais, pour le moment, c'était la peur qui régnait en maîtresse absolue.

Il faisait frais à l'intérieur de la banque. La salle était haute de plafond, et les pas crissaient sur le parquet ciré. Jeffers se dirigea vers le comptoir. Une employée leva la tête et lui sourit.

— Douglas Allen, se présenta-t-il. J'ai rendez-vous avec Mlle Mansour.

Mlle Mansour était une femme d'âge mûr au visage ouvert. Elle vint elle-même le chercher, après que la secrétaire l'eut informée de l'arrivée de son client. Il la suivit dans son bureau, et elle indiqua un siège, en même temps qu'elle sortait une chemise d'un classeur au nom d'Allen.

— Evidemment, dit-elle, nous n'aimons pas trop voir un client de longue date nous quitter. Cela fait combien de temps que...

— Dix ans, dit-il.

— Vous nous avez demandé de clore votre compte et de vous

donner des chèques de voyage. Ils sont prêts. Vous n'avez plus qu'à les signer, et vous pourrez ensuite prendre ce que vous avez déposé dans votre coffre.

Elle lui tendit un gros carnet de chèques de voyage, et il se mit aussitôt en devoir de les signer. Depuis dix ans, pensa-t-il, ici, à Jaffrey, je suis Douglas Allen. Il est temps de partir vers d'autres horizons.

— Je vous prie de les compter, dit Mlle Mansour. Il y a là plus de vingt mille dollars.

Les économies de dix années, songea-t-il.

Il la suivit ensuite dans la salle des coffres. Elle lui remit sa clé.

— Rapportez-la-moi quand vous aurez fini, lui dit-elle. Je serai à mon bureau.

Il la remercia, et une secrétaire le fit entrer dans une cabine. Elle revint une minute après avec un petit coffre qu'elle posa devant lui. Il l'ouvrit dès qu'elle eut refermé la porte derrière elle.

— Au revoir, Douglas Jeffers, dit-il tout bas.

A l'intérieur du coffre, il y avait d'abord le numéro du *New York Times* qui avait été à l'origine de sa nouvelle identité. Il rechercha l'article en feuilletant les pages jaunies. *Est-ce difficile de changer de peau ?* interrogeait le journaliste. Pas vraiment. Il avait suivi la recette à la lettre, depuis la demande d'un numéro de sécurité sociale à l'ouverture d'une boîte postale au nom d'Allen, puis de celle d'un compte en banque assorti de cartes de crédit et dûment approvisionné. Il avait pu obtenir ensuite un permis de conduire et, nanti de tous ces documents, il avait fait une demande de passeport, qu'il avait reçu par la poste. Un vrai faux au nom de Douglas Allen.

Il le rangea dans sa mallette avec le permis de conduire, les cartes de crédit et sa carte de sécurité sociale.

Je suis libre, pensa-t-il.

Il fourra dans ses poches l'argent liquide contenu dans le coffre, soit plusieurs milliers de dollars en coupures de vingt et de cent. Il vérifia le billet d'avion New York - Tokyo, un aller simple en première classe, valable un an. De Tokyo il pourrait aller où bon lui semblerait. Sydney, Melbourne, Perth. Le dernier objet était un 357 Magnum, qui rejoignit les autres affaires dans la mallette.

Il avait envie de chanter quand il regagna le bureau de Mlle Mansour.

— Tout est en ordre ? demanda-t-elle.

— Oui, tout à fait, répondit-il, jovial.

Il signa d'autres papiers, satisfait par son aisance à griffonner son nouveau nom.

Le soleil l'aveugla quand il sortit, et il chaussa ses lunettes noires. De l'autre côté de la rue, dans la voiture, Boswell attendait patiemment.

Elle leva la tête quand elle le vit arriver et ouvrir la portière.

— Et maintenant, direction la plage, dit-il, solennel.

Elle sommeilla la plupart du temps alors qu'il traversait le Massachusetts en direction de Cape Cod. Il semblait préoccupé. Il mit la radio et trouva une station qui passait des rocks des années soixante, la seule musique, dit-il, digne d'être écoutée.

Il conduisait nonchalamment, donnant l'impression d'avoir tout son temps, mais elle savait qu'il ne faisait qu'observer un horaire précis.

Le soir commençait à tomber quand ils atteignirent l'embranchement avec la route 6 qui menait à Cape Cod. Ils passèrent Bourne Bridge dans la dernière lueur du jour. Des péniches étaient amarrées le long du canal, et Anne Hampton ressentit une fois de plus la force du contraste entre la folie de leur équipée et l'existence paisible du plus grand nombre. Ils dînèrent rapidement à Falmouth et reprirent la route pour attraper le ferry à l'embarcadère de Wodds Hole.

Il y avait une file de voitures attendant l'embarquement, et un adolescent coiffé d'une casquette de base-ball et armé d'un émetteur portatif s'approcha de la voiture.

— J'ai une réservation sur le ferry de huit heures trente, dit Jeffers.

— Bien, mettez-vous derrière ce break.

Jeffers obtempéra.

— Vous savez ce que j'aime sur un ferry ? dit-il. C'est que l'avant est identique à l'arrière. Vous y entrez par un bout et vous en sortez par l'autre. Le bateau ne fait qu'avancer et reculer entre les deux embarcadères.

— Où va-t-on ? demanda-t-elle.

— A Martha's Vineyard. Un coin chic, peuplé de célébrités new-yorkaises. Les Kennedy y ont une maison, et Walter Cronkite, et toute la direction du *New York Times.* L'élite intellectuelle de ce pays, en un mot. C'est un bel endroit, agréable et calme, où des gens bien vivent en parfaite harmonie avec la nature.

Une fois de l'autre côté, Jeffers fit le tour de l'île par de petites routes sans éclairage, désignant tel ou tel endroit qui, pour une fois, n'était pas associé à quelque crime.

— Vous y êtes allé souvent ? demanda Anne Hampton.

— Oui, quand on était gosses, jusqu'à l'âge de quinze ans. Ça n'a pas trop changé. Bien sûr, il y a de nouvelles constructions, mais le paysage apparemment n'en a pas souffert, et Anne Hampton remarqua que Jeffers devenait plus attentif.

Ils traversèrent le minuscule village de West Tisbury. Il était légèrement penché sur le volant, scrutant la route, et elle en déduisit qu'il allait se passer quelque chose. Son corps se contracta à cette pensée, et elle se tassa sur son siège. Il avait si souvent évoqué la fin de leur voyage qu'elle se demanda si celle-ci n'approchait pas à grande vitesse.

Jeffers prit une petite route sablonneuse bordée de buissons d'épineux, et elle eut l'impression qu'ils quittaient le monde civilisé pour entrer dans quelque lieu primitif. Après avoir cahoté pendant près de deux kilomètres, ils arrivèrent à un carrefour de chemins. Des flèches de couleurs diverses pointaient dans chaque direction.

— Les flèches désignent les maisons, expliqua Jeffers. Il ne faut pas se tromper de couleur.

Il prit l'un des deux chemins à leur gauche. La voiture brinquebala de nouveau, et Anne Hampton en éprouva une nausée qu'aggravait l'inquiétude qu'elle sentait monter en elle.

Ils roulèrent pendant une dizaine de minutes à travers une forêt de pins puis débouchèrent dans un espace découvert. Jeffers passa en code et ralentit. A leur droite, une vaste étendue d'eau calme miroitait sous la lune.

— C'est ce qu'on appelait la « mare », dit-il. En fait, c'est grand et profond comme un lac.

Il arrêta la voiture et abaissa la vitre.

— Ecoutez, dit-il.

Un bruit de ressac leur parvenait au loin.

— La mare sépare les maisons de la plage, expliqua-t-il. Pour y aller, on traversait en barque ou en canot à moteur. Maintenant, regardez bien là-bas. (Il désigna le rivage.) C'est très sauvage. La seule personne qui y vive est un vieux fermier du nom de Johnson. Il est complètement fou. Il vole les bateaux des gens dont les têtes ne lui reviennent pas, ou bien il tire au fusil de chasse sur les voitures qui empruntent son chemin pour se rendre à la plage. Une fois, il a même fabriqué une mine qu'il a enterrée sur le chemin. Heureusement elle n'a pas explosé. Comme il n'a jamais tué personne, la police ne peut rien contre lui. Le vieux salaud m'a chassé de ses terres un jour sous la menace de son fusil. C'était il y a vingt ans, mais il n'a pas changé.

Il se tut. Quand il reprit la parole, il y avait de la colère dans sa voix.

— C'est lui qu'on va d'abord accuser de ce que nous allons faire.

Il désigna le chemin.

— Si vous regardez bien dans cette direction, vous pourrez distinguer la silhouette d'un toit. C'est là que nous allons.

Jeffers remonta la vitre et redémarra en marche arrière sur le chemin qu'il avaient pris pour venir. Il tourna brutalement dans un petit sentier qu'Anne Hampton n'avait pas remarqué, et il coupa le moteur.

— Parfait, dit-il. Nous y sommes. Ne bougez pas.

Il sortit de la voiture, ouvrit le coffre et sortit le sac où il gardait ses armes. Il en sortit deux combinaisons en nylon noir et plusieurs autres objets.

Il enfila l'une des combinaisons, glissa un revolver dans sa ceinture. Il rechargea le fusil, engagea une cartouche dans la chambre. Puis il balança le sac sur son épaule.

— Très bien, dit-il. Vous pouvez sortir.

Elle obéit sur-le-champ.

— Enfilez ça.

Elle passa par-dessus ses vêtements l'autre combinaison. Je suis de la couleur de la nuit, pensa-t-elle.

— Mettez ça, maintenant.

Il lui tendit un bonnet de laine qu'elle considéra d'un air perplexe.

— Comme ça ! dit-il, la voix dure.

Il fit un pas vers elle et, lui arrachant le bonnet des mains, il le lui enfonça sur la tête. Il y avait des fentes pour les yeux et la bouche, mais la chaleur de la laine sur son visage la fit suffoquer pendant un instant. Elle remarqua que lui aussi en portait un.

— Dépêchons-nous, le musée des horreurs va ouvrir ses portes, dit-il en se mettant en route de son pas rapide.

Elle s'empressa de lui emboîter le pas.

XIII. Séance inhabituelle chez les Garçons Perdus

Mercedes attendait dans le bureau de Martin, incapable de demeurer assise. Elle était au supplice. Chaque minute qui s'écoulait aggravait son exaspération. Elle brûlait d'agir, de courir après le tueur qui ne devait pas rester inactif à l'attendre. Les photos récupérées dans son appartement continuaient de la hanter. Elle grimaça. Elles ne me quitteront jamais, pensa-t-elle. Je les aurai toujours avec moi.

Elle passa lentement ses mains sur ses paupières. Elle se souvenait d'un cours durant ses premiers temps à l'école de police. Un agent fédéral était arrivé, les bras, les poches et la tête encombrés de statistiques criminelles. D'une voix monotone il avait égrené la litanie des délits survenant chaque jour, à chaque heure, à chaque minute dans toute agglomération de plus d'un million d'habitants. Elle pensa : dix heures du soir, une partie de dés dans le ghetto dégénère en rixe au couteau ; onze heures, un homme défenestre sa femme à la suite d'une querelle domestique ; minuit, Douglas Jeffers commence à draguer sa prochaine victime. Elle eut soudain envie de casser quelque chose, d'entendre un fracas. Mais il n'y avait rien autour d'elle qu'un silence pesant, et elle se résigna à arpenter la pièce, consultant ses notes de temps à autre, se préparant à l'affrontement qui l'attendait. Car ce moment viendrait. Elle en était sûre, et elle se tiendrait prête.

Elle se rappela comment Achille avait oint son corps d'huile avant son combat contre Hector. Il avait su qu'il vaincrait, car cela était écrit, mais il n'ignorait pas que sa propre mort était inscrite dans sa victoire ce jour-là. Pâris le tua, vengeant Hector. Elle chassa l'image : non, ce n'est pas ce que tu cherches.

Les chevaliers du Moyen Age auraient prié avant un combat, implorant la divine Providence, mais toi tu sais ce que tu dois faire. Personne, pas même le ciel, n'a besoin de te le dire. Bien sûr, Roland était obstiné : il ne sonnerait pas du cor avant l'ultime moment, et cela lui coûterait la vie, et celle de son compagnon, mais il gagnerait l'immortalité. Ce n'était pas une mauvaise affaire. Elle se demanda : es-tu différente ? Elle se refusa à répondre. Elle songea au rituel des samouraïs et aux danses des guerriers Sioux. Le Grand Esprit les animait, et ils pensaient que les balles des soldats les traverseraient sans plus de mal qu'une flèche fendant la brume. Ils ne se trompaient pas : les balles les traversaient, mais en emportant leur vie, ce qui n'était pas prévu. Sitting Bull, qui savait cela dans sa grande sagesse, ne combattait pas moins avec la même ardeur aveugle.

Elle se demanda si son mari s'était livré à quelque rite avant de partir au combat. S'était-il préparé avec un soin particulier ? Probablement. C'était un garçon romantique, aux idées chevaleresques tellement ancrées qu'elles avaient dû l'accompagner jusque dans la boue et la jungle du Vietnam.

Qu'avait-il omis de faire le jour où il s'était fait tuer ? Avait-il négligé quelque pratique magique ? Qu'avait-il fait pour déranger le précaire équilibre de la vie ?

Avait-il été averti au tréfonds de lui-même d'un danger particulier ce jour-là ? Un jour si semblable aux autres. Si oui, il avait dû hausser les épaules et poursuivre sa marche sous le soleil ardent.

Poursuivre.

Faire ce que l'on doit faire. Faire ce qui est juste.

Elle tendit les mains devant elle.

Elles ne tremblaient pas.

Elle les retourna, exposant les paumes : sèches.

Puis elle serra les poings. Fort.

— Choisis ton terrain, dit-elle à voix basse, en concentrant toutes ses pensées sur l'invisible Douglas Jeffers. Fais quelque chose. Contacte ton frère.

Elle pensa à Martin, jeta un coup d'œil à la pendule murale. Il serait dans un moment au milieu de sa bande de dépravés, et elle serait clouée ici, à attendre qu'il se souvienne soudain d'un détail, ou que son frère appelle, ou qu'une carte postale tombe dans la boîte, du genre :

« Salut ! La vie est belle ! Dommage que tu ne sois pas avec moi ! »

La rage la reprit, et pendant un moment elle alla et vint dans la pièce comme un fauve en cage, saisissant combien était précaire sa prise sur le frère, combien elle dépendait de lui et devait ainsi subir le plus dur : l'attente.

Martin Jeffers considéra les hommes assemblés devant lui, et il eut pour la première fois le sentiment que son acquiescement tacite et son impuissance à l'égard de son frère étaient aussi pervers que les déviances de ses Garçons Perdus.

Il craignait que son expression trahisse son émotion, mais il avait beau s'efforcer d'arborer un calme professionnel, son regard balayait nerveusement la salle.

Les hommes étaient agités. Les chaises grinçaient, les corps se balançaient impatiemment. Martin savait qu'ils avaient remarqué sa fatigue lors de la séance précédente. A présent, ils devaient bien voir qu'il avait passé une deuxième nuit sans sommeil. Il avait traversé ce lundi comme un zombie, après être rentré tard du New Hampshire, écoutant à peine le lamento quotidien de ses patients. Il avait espéré que la routine d'une journée à l'hôpital l'apaiserait. Il s'était trompé : les images de son frère n'avaient cessé d'assaillir son esprit.

Une fois de plus, une sourde colère s'empara de lui. Il revit Douglas dans une attitude familière, insouciant, souriant. Puis la vision s'assombrit, et il vit son regard glacé : celui du prédateur, calculateur et sans pitié. Un regard de tueur.

Pourquoi as-tu fait ça ? adressa-t-il à l'image. Comment as-tu pu le faire et le refaire sans jamais te trahir un seul instant ?

Mais la vision de son frère se dissipa sans apporter de réponse, et Martin se trouva idiot avec ses questions. Pourquoi m'as-tu fait ça, à moi ? songea-t-il avec une colère croissante.

Il prit une profonde inspiration et regarda le groupe devant lui. Il devait dire quelque chose, démarrer la séance, et alors il pourrait s'abandonner au flot de la conversation. Mais au lieu de soumettre un sujet ou de lancer une idée quelconque à la réflexion des hommes, il pensa au New Hampshire et essaya de se rappeler le dernier instant où il avait vu sa mère. Il avait le souvenir d'un visage pâle derrière la vitre d'une voiture, se tournant vers eux une seule fois avant de disparaître à jamais de leur vie. Qu'avaient-ils fait, son frère et lui, pour qu'elle les abandonne ainsi ? Il connaissait la réponse : rien. La psychiatrie a établi que les fautes des parents retombaient toujours sur les enfants. Nous avons été abandonnés, puis traités cruellement, sans affection. Etait-ce surprenant que Doug ait grandi avec le désir de se venger d'un monde qui l'avait durement malmené ?

Mais pourquoi lui et pas moi ?

Où est-il ?

— Alors, doc, qu'est-ce qui vous tracasse ? Vous avez l'air d'un type qui a un pied dans la tombe.

— Ouais, vous nous emmenez ?

Il y eut un bref éclat de rire.

Martin leva les yeux. C'étaient Bryan et Senderling, les auteurs des questions. Mais tous les visages exprimaient la même curiosité impatiente.

Sa première réaction fut d'ignorer les questions et de lancer le groupe dans une autre direction. C'était le plus sensé. Après tout, l'attention des hommes devait se porter sur eux-mêmes, non sur le praticien. Mais en même temps sa colère l'incitait à rejeter les précautions d'usage et les précieuses théories, et à jouer cette partie différemment.

— J'ai l'air si mal en point que ça ? demanda-t-il à la ronde.

Il y eut un silence. La question, trop directe, les avait surpris. Au bout d'un moment, Miller grogna du fond de la salle :

— Ouais, c'est sûr... quelque chose vous tracasse, doc. (Il eut un rire cruel.) Ça nous change, pour une fois.

De nouveau la salle fut silencieuse, jusqu'à ce que Wasserman bégaie :

— S-s-si vous vous s-s-sentez p-p-pas bien, nous p-p-pouvons r-r-revenir d-d-demain.

Jeffers secoua la tête.

— Non, je vais bien. Physiquement parlant.

— Alors qu'est-ce qu'il y a, doc ? Vous avez chopé une grippe émotionnelle ?

C'était Senderling, et Bryan rit avec lui. L'image était bonne : grippe émotionnelle. Je m'en souviendrai, pensa Jeffers.

— Je suis inquiet au sujet d'un ami, répondit-il.

— Inquiet ? s'empressa de répliquer Miller. Vous m'avez l'air complètement paniqué, ouais ! Pas besoin d'être toubib pour voir ça.

Jeffers ne répondit pas. Il regarda les douze hommes qui braquaient sur lui des regards intenses. Ils ressemblaient à un jury guettant l'instant où l'accusé se trahirait lui-même dans ses déclarations. Ses yeux s'arrêtèrent sur Miller.

— Dites-moi, Miller, dit-il d'une voix pressante. Dites-moi comment vous avez commencé.

— Qu'est-ce que vous voulez savoir ? dit Miller en s'agitant sur sa chaise.

Comme tous les criminels sexuels, il détestait les questions directes, préférant être consulté de façon détournée, afin de pouvoir garder le contrôle de la conversation.

— Je veux savoir comment vous avez commencé à faire ce qui vous vaut d'être ici aujourd'hui.

— Vous voulez dire ce que j'ai...

— Oui, ce que vous avez fait subir à des femmes. Racontez.

Les hommes se tenaient silencieux et tranquilles. L'insistance et l'urgence qu'ils avaient ressenties dans la question de Jeffers les dérangeaient. Quant au médecin, il savait qu'il violait les sacro-saintes règles régissant les séances, mais il en avait assez d'attendre, assez de la passivité, de l'impuissance.

— Allez-y, parlez !

Sa voix s'éleva, forte, impérative.

— Bon Dieu, j'en sais rien...

— Si, vous le savez ! (Jeffers embrassa des yeux le groupe.) Vous le savez tous. Rappelez-vous ! La première fois. Qu'est-ce qui s'est passé dans votre tête ? Qu'est-ce qui a déclenché le passage à l'acte ?

Il attendit.

Ce fut Pope qui brisa le silence.

— C'est une question d'occase, dit-il avec un regard haineux.

— Expliquez-vous, Pope, dit doucement Jeffers.

— On savait tous dès le début qui on était. Peut-être qu'on ne se l'était pas encore avoué, peut-être que les mots n'avaient pas été prononcés, mais on savait qu'on était pas comme les autres. Alors il manquait plus qu'une occasion pour qu'on passe à l'acte, comme vous dites. Il y avait cette putain d'envie en nous, et c'était plus qu'une question de circonstances pour que ça arrive.

Jeffers vit les têtes acquiescer lentement.

— Des fois, intervint Knight, on sait ce qu'on va faire, mais ça prend du temps avant qu'on le fasse. On commence à chercher, et puis on finit par tomber sur ce qu'on cherche.

— N'empêche, c'est d-d-dégueulasse, bredouilla Wasserman.

— Ouais, on déteste tous ça, dit Weingarten, mais ça change rien. On le fait quand même. Parce que...

— Parce que c'est comme ça, l'interrompit Pope. On a ça en nous, et il faut que ça sorte.

— Ouais, qu'on se haïsse soi-même ou qu'on haïsse celle

qu'on va se faire, ça fait aucune différence, approuva Meriwether.

Martin suivait passionnément ce qui se disait.

— Mais la première fois... commença-t-il.

Pope le coupa brutalement :

— Vous ne comprenez pas ! La première fois, c'est jamais que la fois où ça arrive pour de vrai ! Mais dans ta tête, mec, tu l'as déjà fait cent fois ! Mille fois !

— A qui ? demanda Jeffers.

— A tout le monde !

Jeffers vit les hommes, assis le buste penché en avant dans une attitude d'intérêt passionné. Jamais il ne les avait vus aussi attentifs. Il y avait dans leurs yeux une lueur cruelle, et il songea à tous ceux et toutes celles qui avaient vu cette lueur avant d'être attaqués, battus, violés.

— Mais il y a sûrement eu, dit-il lentement, un moment, un mot, quelque chose qui a déclenché l'acte, non ? Qu'est-ce qui a fait office de détonateur ?

Un nouveau silence tomba, tandis que les hommes semblaient réfléchir à la question.

— Je me r-r-rappelle q-q-que ma m-m-mère disait q-que je serais j-jamais un homme c-comme m-mon p-père, dit Wasserman. J'ai j-jamais oublié ça. Q-quand je l'ai f-fait p-pour la p-première f-fois, c'est à ça q-que j'ai p-pensé. (Il se tourna vers les autres et lança sans bégayer :) Et ma salope de mère s'était bien gourée.

— Moi, ça s'est passé comme ça, dit Senderling. J'en ai eu assez d'attendre. Il y avait cette nana au bureau, une véritable allumeuse, qui s'était déjà tapé la moitié des mecs de la boîte. J'me suis dit que moi aussi j'y avais droit.

— Et elle a pas voulu de toi ? demanda Bryan.

— Non, c'est pas ça, mentit Senderling.

Des huées lui répondirent.

— Elle t'a dit non, poursuivit Bryan, alors tu lui as fait sa fête dans le parking de son immeuble. C'est toi-même qui me l'as raconté.

— C'était qu'une salope, grogna Senderling. Elle a eu que ce qu'elle méritait.

— Uniquement parce qu'elle vous avait dit non ? demanda Jeffers.

— Ouais !

— Mais pourquoi avoir réagi comme ça ? Ce n'était tout de même pas la première fois qu'une femme vous disait non.

— Parce que... j'étais seul. Ma sœur et mon beau-frère, ce connard, avaient enfin foutu le camp de la maison, et j'avais plus à supporter ces deux branleurs qui passaient leur temps à baiser pendant que moi je me tapais tout le boulot et rapportais la paie, sans quoi ils auraient rien eu à bouffer. J'ai fini par les foutre dehors. J'étais enfin peinard et j'pouvais m'offrir un peu de plaisir. Mais cette pute au bureau, elle a pas voulu de moi. Alors elle l'a quand même eu dans le cul !

— Après ça, vous vous êtes senti plus libre ?

— Ouais ! Libre ! Libre de faire ce que je voulais !

Jeffers regarda les autres d'un air interrogateur.

— Vous aussi, vous avez ressenti ce sentiment de liberté ?

Il vit quelques têtes approuver.

— Parlez-m'en.

Ils hésitaient.

— C'est différent pour chacun, dit Knight.

— Ouais, à chacun son trip, ajouta Weingarten.

— Mais supposez que vous ayez fait plus que violer, insista Jeffers.

Les hommes s'agitèrent sur leurs chaises.

— C'est quoi, plus que violer, doc ? intervint Pope. Tuer ?

Martin n'hésita pas.

— Oui, tuer. Pourquoi ne l'avez-vous pas fait ? Qu'est-ce qui vous a retenus ?

— Il y en a peut-être parmi nous qui l'ont fait, dit Meriwether. Pas moi, en tout cas.

— Qu'est-ce qui vous poussait à le faire ?

Les hommes ne répondirent pas.

Jeffers attendit.

— Pourquoi toutes ces questions, doc ? finit par demander Meriwether.

Il hésita, essayant de choisir prudemment ses mots.

— Je dois retrouver quelqu'un.

— Quelqu'un comme nous ? demanda Bryan.

— Quelqu'un comme vous.

— Quelqu'un que vous connaissez bien ? demanda Senderling.

— Oui, quelqu'un que je connais bien.

— Et vous pensez qu'il s'est réfugié quelque part, et que vous pouvez peut-être deviner où, c'est ça ? demanda Parker.

— Plus ou moins.

— C'est un parent à vous ? s'enquit de nouveau Senderling.

Jeffers le regarda sans lui répondre.

— Et vous pensez qu'on peut vous aider ? demanda Weingarten.
— Oui, répondit Jeffers.
— Et ce quelqu'un, dit Parker, il est en plein dedans en ce moment ?
— Oui.
— Et vous voulez le retrouver pour l'arrêter ?
— Oui.
— Ou sinon...
— Oui, dit Jeffers, l'arrêter ou sinon...
— C'est t-très im-important ? demanda Wasserman.
— Oui.
Miller eut un rire gras.
— Merde alors, doc. Décidément, on en apprend tous les jours.
— Oui, c'est bien vrai, dit Jeffers en fixant Miller d'un regard froid.
— Eh bien, si vous nous en disiez un peu plus ?
Jeffers hésita.
— A mon avis, dit-il, il est allé revoir les lieux de ses crimes.
Miller rit de nouveau.
— Le criminel revenant sur le lieu du crime ! s'exclama-t-il.
— Oui, c'est à peu près ça.
Miller sourit.
— C'est peut-être un cliché, mais c'est pas si stupide que ça. Les crimes deviennent des souvenirs, vous savez. Et tout le monde aime se rappeler les bons souvenirs.
— Bons ? demanda Jeffers.
La question provoqua des éclats de rire.
— Vous avez donc rien appris ici ? railla Miller.
Jeffers l'ignora, mais l'homme continua :
— Tout est tordu chez des types comme nous ! On aime ce qu'on hait. On hait ce qu'on aime. La douleur est plaisir. L'amour est blessure. Tout est à l'envers ! Bon Dieu, vous avez pas encore remarqué ça ?
Oui, Martin le comprenait maintenant.
— Alors, pour nous, le souvenir d'une horreur est un bon souvenir, dit Miller, suscitant des hochements approbateurs autour de lui.
Jeffers réprima un frisson. Il avait peur des pensées qui avaient commencé à se rassembler dans son esprit tels de gros nuages sombres. Il leva les yeux alors que Pope — le vieux Pope, gri-

sonnant, tatoué, rempli de haine envers le monde entier — prenait la parole d'une voix sourde, éraillée.

— Une mort, un départ, c'est pareil, dit-il. Quelqu'un meurt et on est libre d'être soi-même. C'est simple. Cherchez une mort, doc, une mort qui libère, une qui soulage.

La première image qui vint à l'esprit de Jeffers fut celle de l'obscurité dans les arbres la nuit où ils furent abandonnés dans le New Hampshire. Je suis allé là-bas, se dit-il. Douglas n'y était pas. Pourtant il aurait dû y être.

Mais une autre image fit son chemin à travers sa conscience.

Pas un départ, pas un abandon, mais une mort.

Il se passa une main sur le front, ignorant le silence des hommes autour de lui.

Je sais, se dit-il.

Je sais où mon frère est allé.

Jeffers leva les yeux au plafond et éprouva un bref vertige. Comment n'avait-il pas deviné plus tôt ? C'était tellement évident. Comment avait-il pu se montrer aussi aveugle ? La colère, l'espoir et aussi une grande tristesse l'envahirent. Il fallait qu'il parte là-bas, qu'il parte tout de suite. Il soupira, s'efforça de se reprendre. Il regarda les hommes qui attendaient, tendus et silencieux.

— Merci, dit-il.

Il se leva.

— Il n'y aura pas d'autres séances pendant quelques jours. Le secrétariat vous avertira quand elles reprendront. Et merci encore.

Les hommes étaient déçus, frustrés dans leur curiosité. Ils aiment bavarder et cancaner comme tout le monde, pensa-t-il. Cependant il n'avait pas à s'excuser de ne pouvoir leur en dire plus, et il ignora leurs murmures.

Il pensa à l'inspecteur Barren qui l'attendait dans son cabinet.

Elle n'aura qu'à me regarder pour découvrir que j'ai appris quelque chose. Que je sais où il est. Pendant un instant il éprouva de l'abattement. Il ramassa ses papiers et quitta la salle sans un regard pour les hommes qui n'avaient pas bougé de leurs chaises. Comme il refermait la porte derrière lui, il les entendit qui se mettaient à parler tous en même temps. Il chassa le brouhaha de son esprit et pensa aux prochaines heures. Il se durcit intérieurement. Sois prudent. Ne révèle rien. Rien du tout.

Martin s'éloigna à grands pas, et le bruit des voix mourut derrière lui. En traversant les salles, il accéléra le pas inconsciemment et passa bientôt en courant devant le personnel et les malades étonnés de tant de hâte. Mais lui ne remarqua rien. Je sais, je sais, se répétait-il sans cesse.

Il ralentit en entrant dans le couloir où se trouvait son cabinet. Il attendit de retrouver son souffle et fit lentement les derniers mètres qui le séparaient de l'inspecteur Barren.

Mercedes contemplait le paysage par la fenêtre quand Martin entra. Il la devança :

— Pas de nouvelles ?

Elle hésita.

— J'allais vous poser la même question.

Il secoua la tête, évitant son regard, ce qu'il se reprocha aussitôt. Regarde-la, s'exhorta-t-il. Regarde-la ! Il alla s'asseoir à son bureau et leva les yeux vers elle.

— Non, dit-il. Je n'ai rien appris. J'avais demandé au standard de me passer toutes les communications, même pendant la séance. Mais il n'y a pas eu d'appel.

Mercedes s'assit en face de lui.

— Et chez vous ?

— J'ai branché le répondeur, mais je peux vérifier tout de suite. (Il sortit d'un tiroir un petit boîtier et décrocha son téléphone.) J'ai un répondeur à distance, expliqua-t-il.

Il composa son numéro et appliqua le boîtier contre le combiné. Il y eut une brève série de signaux sonores avant que la bande d'enregistrement des messages ne se déroule.

Ils écoutèrent un message du plombier et un autre d'un visiteur médical. Il n'y avait rien d'autre.

— Je n'ai pas reçu de courrier ici, dit Jeffers. A la maison, il n'est distribué qu'à quatre heures.

— Aucune importance, dit Mercedes. Il n'enverra pas de carte postale.

— Il l'a déjà fait par le passé.

— Admettons qu'on en reçoive une, dit-elle. Il aura toujours quatre ou cinq jours d'avance sur nous.

— Oui, mais ça nous donnerait peut-être une idée de la direction qu'il a prise.

Elle savait que cela était possible, mais une colère sourde l'animait. Elle fixait Jeffers d'un regard de reproche.

— Et votre mémoire ? demanda-t-elle. J'ai davantage confiance en ça.

— Je pensais qu'il serait dans le New Hampshire, répliqua Martin. Ça me paraissait logique de démarrer par là.

— Eh bien, réfléchissez encore.

Il renversa la tête en arrière.

— Vous n'êtes donc pas fatiguée ? demanda-t-il. Bon Dieu, on ne s'est pas arrêtés depuis bientôt quarante-huit heures. Vous ne voulez pas faire une pause ?

— Je me reposerai quand ce sera fini.

Martin hocha la tête. Il savait qu'elle ne s'arrêterait que lorsque Douglas serait... Il se refusa à énoncer le mot que sous-entendait la réponse de l'inspecteur.

— Vous avez raison, dit-il. Nous ne pouvons pas nous arrêter maintenant.

Il la vit se détendre légèrement. Il y eut un silence, puis elle dit :

— Ce n'est tout de même pas aussi extraordinaire que ça.

— Quoi donc ?

— De penser qu'on devrait savoir à tout moment où se trouve une sœur, un frère.

— Peut-être quand on est gosses, dit-il. A l'école, j'aurais pu dire à tout moment où il était. Mais quand on devient adultes, chacun va de son côté. Nous devenons indépendants. Nous devenons davantage nous-mêmes, et moins le frère ou la sœur d'un autre.

Elle secoua la tête avec irritation.

— C'est faux. La psychiatrie nous dit que les adultes ne font que masquer avec l'âge, la moralité, la responsabilité, tous les désirs de l'enfant que l'on a été. Alors essayez de penser comme vous le faisiez autrefois, pas comme vous le faites aujourd'hui !

Elle le fixait d'un regard las et tendu à la fois.

Elle avait parfaitement raison, pensa-t-il.

Il se leva de sa chaise et fit quelques pas nerveux dans la pièce.

— J'essaie, j'essaie. J'ai en mémoire des souvenirs par dizaines, mais lequel d'entre eux intéresse mon frère ?

— Vous savez quoi ? dit-elle. Vous faites un blocage.

— Vous parlez comme moi, dit-il avec un sourire.

Mercedes passa une main sur son visage marqué par la fatigue. Elle sourit faiblement.

— Vous avez raison, dit-elle. Excusez-moi, je suis un peu dure parfois.

Son aveu la surprit elle-même.

— Peut-être, dit-il, mais vous avez raison : il y a sûrement un blocage.

Cette fois ils se sourirent franchement.

Martin Jeffers regarda Mercedes Barren. Le désespoir de cette femme devait être terrible, pensa-t-il. Pendant un instant il souhaita qu'ils s'embrassent et versent ensemble des larmes pour les vivants, des larmes pour les morts, des larmes pour tous les souvenirs. Il avait envie de la serrer contre lui, à la fois furieux et triste de se retrouver avec elle dans ce cabinet à l'atmosphère confinée au milieu d'un monde insaisissable, créé et défini par son frère. Il tendit une main vers elle puis, se ravisant, l'enfonça brusquement dans la poche de sa blouse blanche.

— Inspecteur, que ferez-vous quand tout ça sera fini ?

Elle rit, mais sans humour.

— Je ne me suis pas encore posé la question, dit-elle. (Elle secoua la tête.) Je reprendrai mon travail, je suppose. J'aime ce que je fais, j'aime bien les gens avec qui je travaille. Pas de raison de changer.

C'était certainement un mensonge, pensa-t-elle. Rien ne serait plus comme avant.

Elle le regarda.

— Et vous, docteur ?

Il hocha la tête.

— La même chose que vous.

Nous mentons bien tous les deux, se dit-elle amèrement.

— On n'a pas tellement de choix dans la vie, n'est-ce pas ? dit-elle.

— Non, répondit-il tristement. C'est vrai.

Tous deux savaient toutefois qu'il y avait au moins un homme qui, lui, avait le choix : Douglas Jeffers.

Mercedes regarda Martin et, pendant un instant, elle essaya de se mettre à sa place. Mais elle dut se durcir pour contenir l'élan de sympathie qu'elle sentit monter en elle. Concentre-toi ! s'exhorta-t-elle. Souviens-toi ! Elle remarqua les rides aux coins des yeux du médecin, la pâleur grise de la peau, et elle pensa qu'il devait être rempli de remords. Ce qui m'est arrivé est arrivé, se dit-elle. Ce qui me reste, c'est la justice, qui n'est pas une émotion mais une nécessité. Lui est encore en proie à la douleur. Elle avait envie de lui parler mais se sentait incapable de trouver les mots appropriés.

Martin se renversa contre le dossier de son fauteuil et s'étira, l'air apparemment calme, alors qu'intérieurement il était tendu comme un ressort.

Déclenche le piège, maintenant ! s'encouragea-t-il.

— Ecoutez, dit-il lentement, vous avez absolument raison. Il faut qu'on continue de chercher jusqu'à ce qu'on trouve où il est allé. La vie de quelqu'un en dépend peut-être...

Mercedes acquiesça de la tête.

— Voilà ce que je pense, dit-il en lançant un coup d'œil à la pendule murale. L'après-midi tire à sa fin. Je vais vous déposer à votre hôtel, et vous me laisserez une heure, que je puisse prendre une douche et retrouver mon souffle. Nous nous retrouverons chez moi. On boira un verre, et je sortirai toutes les vieilles photos et les lettres que j'ai gardées. Elles nous fourniront peut-être un indice. De toute façon, s'il appelait, nous serions là. Il y a plus de chances qu'il me téléphone chez moi qu'à l'hôpital.

Mercedes considéra le plan. La perspective d'une douche à l'hôtel était séduisante. Mais une voix intérieure lui recommanda la prudence, et elle regarda Martin Jeffers. Il se balançait doucement sur son siège. Elle chercha sur son visage un signe quelconque de duplicité mais n'y releva que la fatigue et le découragement qu'elle éprouvait elle-même. Après tout, pensa-t-elle, il a eu cent fois la possibilité de fuir. Il ne le fera pas. Pas avant d'avoir eu des nouvelles de son frère.

— Nous aurons les idées plus claires, ajouta-t-il.

— D'accord, approuva-t-elle. Je serai chez vous vers six heures trente.

— Disons six heures. Et quand nous aurons trouvé par où commencer, nous pourrons nous mettre en route sans tarder. L'hôpital peut très bien se passer de moi pendant quelque temps.

— Très bien, dit-elle.

Elle éprouvait une certaine détente à l'idée d'agir. Elle aurait au moins le sentiment d'être de nouveau sur la piste de Douglas Jeffers. Cela la réconforta mais lui masqua un petit détail : Martin avait brusquement détourné la tête, évitant son regard dès qu'il avait eu la certitude qu'elle acceptait son plan.

Martin Jeffers s'arrêta devant l'hôtel de l'inspecteur Barren à Trenton. Il se tourna vers elle.

— Qu'est-ce que vous aimez, comme sandwiches ? Je vais en prendre en chemin. Je n'ai rien à manger chez moi.

Elle ouvrit la portière et s'extirpa à moitié de la voiture.

— J'aime tout, répondit-elle en souriant. Rosbif, jambon, fromage, thon. Pas de moutarde, mais beaucoup de mayonnaise.

Il rit.

— Et un peu de salade, si vous en trouvez, ajouta-t-elle.

— Pas de problème.

Il jeta un coup d'œil à sa montre.

— Alors à six heures chez moi, dit-il.

Elle hocha la tête.

— Ne vous inquiétez pas. J'y serai.

— Parfait.

Il la regarda gravir les marches du perron de l'hôtel et disparaître, happée par la porte-tambour. Toute la force de son plan tenait à sa banalité. Elle était tellement obsédée par Douglas et le mal qu'il incarnait à ses yeux qu'elle avait négligé la possibilité que Martin puisse la trahir. Sa fatigue avait fait le reste. Pendant un instant il eut honte de sa trahison. Elle me tuera pour ça, pensa-t-il sans réfléchir. Puis il se dit qu'après tout elle était bien capable de le faire.

Il démarra. Ne t'arrête pas. Ne passe même pas chez toi. Vas-y comme ça, sans rien, pas même une brosse à dents. Il calcula mentalement le trajet. En se hâtant, il pourrait même attraper le dernier bac. Je fais cela pour sauver des vies, raisonna-t-il. Celle de mon frère, celle de l'inspecteur, la mienne.

N'empêche, pensa-t-il de nouveau, elle sera assez furieuse contre moi pour me tirer dessus quand elle me reverra. Il ne lui vint pas à l'esprit que son frère puisse avoir la même réaction.

Martin Jeffers accéléra, impatient d'agir.

Mercedes sortit de sous la douche. Elle s'essuya avec des gestes lents. La tête enveloppée dans une serviette de bain, elle s'allongea sur le lit, revigorée par l'eau mais également par le fait de se retrouver seule. Elle s'étira. Ses muscles tendus se relâchèrent un peu. Elle était tout endolorie, comme après une bagarre ou un accident. Elle ferma les yeux, sentit une douce somnolence l'envahir. Elle résista, ouvrit un œil, puis l'autre, remua un bras, un pied, s'exerça au contrôle de son corps. Bientôt elle lui accorderait du repos. Pour le moment, il fallait qu'il tienne, ce corps.

Elle se redressa et s'assit au bord du lit. Lève-toi, s'ordonna-t-elle. Habille-toi. Va.

Elle enfila un jean et un chandail léger, prit le temps de se coiffer et de se maquiller. Elle trouvait nécessaire de paraître moins marquée par l'événement qu'elle ne l'était réellement. Elle s'examina dans la glace. Pas terrible, jugea-t-elle, mais ça va quand même mieux.

Elle jeta un coup d'œil au petit réveil sur la table de nuit. Je serai un petit peu en avance, pensa-t-elle. On pourra commencer plus tôt.

Elle conduisit lentement, laissant derrière elle la petite ville de Trenton pour prendre la route menant à Pennington. Elle se rappela ce que son mari disait du New Jersey. Il avait toujours aimé cet Etat, parce qu'on y trouvait une diversité qui n'existait nulle part ailleurs : l'insupportable misère de Newark, l'incroyable richesse de Princeton, l'excentricité d'Asbury Park, la jolie campagne de Flemington. C'était un Etat d'une beauté extraordinaire en certains endroits et d'une rare laideur en d'autres. Elle regarda le paysage de collines verdoyantes que traversait la route bordée de grands arbres. Ici, c'est beau, pensa-t-elle.

Elle tourna dans Pennington. C'était l'heure où les maris rentraient du travail dans leurs costumes trois-pièces, où les gosses jouaient devant chez eux, sur les trottoirs ombragés ou les pelouses, où les mères préparaient le dîner. Tout cela semblait trop normal, trop idéal. A un coin de rue, deux jeunes filles riaient, leurs têtes rapprochées d'un air de conspiration. Vous êtes en danger ! pensa Mercedes. Son cœur se serra. Elle avait envie de s'arrêter et de donner l'alarme.

Elle soupira et tourna dans la rue où habitait Martin Jeffers. Elle se gara en face de son immeuble. Elle descendit de voiture, ferma la portière et s'immobilisa.

Elle n'aurait su dire quoi, mais quelque chose clochait, quelque chose qui manquait ou s'ajoutait au décor de la rue. Quelque chose ou... quelqu'un !

Il est ici ! pensa-t-elle.

Elle regarda autour d'elle mais ne remarqua rien d'anormal. Je suis complètement parano, se dit-elle, mais elle continua néanmoins de scruter les fenêtres des maisons, à la recherche d'une paire d'yeux braqués sur elle.

Elle ne vit rien de semblable.

Très lentement, elle fit passer son sac à bandoulière sur sa hanche droite. Puis, encore plus lentement, elle y glissa la main et serra la crosse du 9 mm qui occupait presque tout l'intérieur.

Elle eut un moment de panique : est-ce qu'il y avait une cartouche engagée ?

Elle ne pouvait se rappeler. Elle ôta le cran de sûreté et, décidant de ne prendre aucun risque, elle glissa la main gauche dans le sac et manœuvra la culasse. Elle avait la chair de poule, les poils de son avant-bras hérissés comme ceux d'un chien s'aventurant en territoire inconnu.

Elle regarda les fenêtres de l'appartement de Jeffers. Elle avait la gorge sèche.

Où est sa voiture ?

Elle fit quelques pas de côté pour jeter un coup d'œil dans l'allée. Pas de voiture. Elle tourna la tête vers la rue, cherchant parmi les quelques véhicules rangés le long du trottoir. Celui du médecin n'y était pas.

Il est probablement parti faire des courses, se dit-elle.

Mais elle n'en était pas convaincue. Elle resserra sa prise sur la crosse de l'automatique et entra rapidement dans le couloir de l'immeuble.

Ce qu'elle vit fit battre son cœur plus vite : le courrier de Martin Jeffers gisait au pied de sa porte.

Non, non !

Elle sortit son arme et frappa à la porte.

Pas de réponse.

Elle attendit, frappa de nouveau.

Rien.

Elle ne se donna même pas la peine de dissimuler son arme en ressortant pour gagner le côté de l'immeuble jusqu'à la fenêtre par laquelle elle s'était introduite quelque temps plus tôt.

L'appartement était plongé dans l'obscurité.

Elle retourna à la porte et frappa de nouveau.

Seul le silence lui répondit.

Elle recula, les yeux fixés sur la porte. J'aurais dû m'en douter, se reprocha-t-elle. Après tout, ils sont frères. Elle se laissa choir sur les marches de l'escalier dans le hall.

Il est parti. Il sait où il est, et il est parti le rejoindre.

Elle éprouva une bouffée de rage qui se dissipa presque aussitôt pour laisser la place à un sentiment d'accablement et de défaite.

Un semi-remorque avait versé sur le bas-côté de la route 95, non loin de Mystic, Connecticut, paralysant la circulation sur plus de dix kilomètres. Martin s'agitait impatiemment sur son siège, tandis que de temps à autre un véhicule de secours ou une voiture de patrouille passaient sur la bande d'urgence dans les éclaboussements multicolores des gyrophares. Toutes les dix secondes, les feux arrière de la voiture de devant s'allumaient, et il devait freiner aussitôt. Cet embouteillage était insupportable. Il parasitait le flot de souvenirs qui montait du passé. Il essaya de penser aux bons moments qu'il avait partagés avec son frère, à ces instants où leur fraternité s'était manifestée : une nuit passée sous la tente, la construction d'une cabane dans un arbre, une discussion au sujet des filles qui avait dégénéré en conversation sur la masturbation. Ça le fit sourire. Doug avait toujours des conseils à donner dans tous les domaines, comme s'il bénéficiait d'une vaste expérience. Il se rappela le jour où — il devait avoir six ou sept ans — il avait été attaqué à coups de boules de neige par des gosses du voisinage. Une véritable embuscade qu'il s'était empressé de raconter à son frère. Doug l'avait écouté puis, enfilant bottes et manteau, il lui avait fait signe de le suivre. Ils étaient sortis par la porte de derrière, avaient fait le tour du pâté de maisons, précautionneux comme des Sioux, et ils avaient approché les assaillants sans se faire voir. Leur attaque surprise fonctionna à merveille : deux boules de neige s'écrasèrent sur les visages de deux ennemis avant même qu'ils sachent d'où elles venaient.

Déjà, pensa Martin, Douglas savait comment approcher sa proie.

Il arrivait à hauteur de l'accident. Un policier muni d'une torche électrique pressait les automobilistes de passer rapidement. Mais les gens ne pouvaient s'empêcher de ralentir pour regarder.

Nous sommes tous fascinés par l'horreur, pensa Martin. Nous tendons le cou pour voir le cauchemar. Nous ralentissons pour mieux mesurer la misère des autres.

Il espéra qu'il résisterait à toute curiosité morbide mais, comme les autres, il ne put s'empêcher de tourner la tête vers la forme humaine recouverte d'une bâche qui gisait sur le bas-côté.

En d'autres temps, se dit-il, un voyageur, à la rencontre d'un présage aussi funeste, aurait tourné bride, reconnaissant envers le ciel de l'avoir averti du destin tragique qui l'attendait. Mais je suis un homme moderne. Je ne suis pas superstitieux.

La route était de nouveau libre, et il accéléra. Il jeta un coup d'œil à sa montre. Il allait rater le dernier bac à Woods Hole. Il lui faudrait attraper le premier bateau du matin. Il espéra que celui de six heures était toujours en service. Il se souvenait d'un bon motel d'où l'on pouvait se rendre à pied jusqu'à l'embarcadère.

Pendant un moment il caressa l'idée d'appeler l'inspecteur Barren, une fois qu'il aurait réservé une chambre. Il ne lui dirait pas où il se trouvait, mais lui demanderait pardon, lui expliquerait qu'il faisait ça parce que c'était son devoir, un devoir dicté par le sang et la chair. Il voulait qu'elle lui pardonne. Il voulait qu'elle se pardonne elle-même son erreur. Il savait qu'elle se maudirait de lui avoir donné l'occasion de lui fausser compagnie. Elle saisirait qu'il avait eu dix fois la possibilité de filer. Bien sûr, il s'était trompé au sujet du New Hampshire. Il se trompait peut-être en ce moment même, en se rendant à Finger Point.

— Oui, c'est pas évident qu'il soit là-bas, dit-il à haute voix. Je tomberai probablement sur une famille en vacances qui me regardera avec des yeux ronds en se demandant si je ne suis pas fou.

Il oublia l'inspecteur Barren pour penser de nouveau à son frère. Il se sentait pris dans un tourbillon de pensées et d'émotions, pris entre sa détermination à confondre Douglas et l'espoir de ne pas avoir à le faire.

La nuit était tombée, et il se sentait aussi seul qu'en cette triste nuit dans le New Hampshire, plus de trente ans plus tôt.

Mercedes resta figée dans le couloir, à quelques pas de l'appartement de Jeffers, laissant l'obscurité l'envelopper.

Les souvenirs l'assaillaient. Ceux de son mari, de sa nièce. Ce n'était pas l'image de Susan morte, gisant sur un coin de pelouse sale dans un jardin public, qui s'imposait à elle, mais celle d'une jeune fille qui venait dîner chez elle et qui tournait le volume de la chaîne hi-fi et dansait, débordante de vie. L'image disparut, et Mercedes vit Susan enfant, vêtue d'une petite robe rose, qui accourait en tendant ses bras potelés vers elle. Si j'avais su, pensa-t-elle, si seulement quelqu'un m'avait dit : « Fais de chaque moment une fête, car le temps est si court. »

Elle se revit elle-même enfant, accrochée à la main de son père.

Elle regarda la porte de l'appartement. Eh bien, se dit-elle, fais appel aux facultés de raisonnement de ton père. C'est le seul héritage qu'il t'ait légué. Ça t'a déjà servi dans le passé. Que ferait-il à ta place ?

Examine les faits. Réfléchis, te dirait-il.

Très bien. Jeffers m'a donné rendez-vous ici. Et il mentait.

Et bien, avec ça. Elle applaudit le numéro des sandwiches et l'exploitation rusée de la familiarité qui s'était créée entre eux.

Mais quand la décision de mentir avait-elle été prise ?

Elle se remémora leur dernière rencontre dans son cabinet à l'hôpital. Elle n'avait décelé aucun changement particulier. Il n'avait pas reçu de coup de fil. Il n'y avait pas eu de courrier. Il était parti sans même retourner à son appartement. Il avait donc pris sa décision à l'hôpital. Elle récapitula. Non, dut-elle en convenir, il n'y avait pas la moindre chance que Douglas Jeffers se soit manifesté quand elle se trouvait là-bas.

Martin Jeffers avait dû se souvenir de quelque chose, d'un détail qui l'avait mis sur la piste de son frère, conclut-elle.

Il a effectué quelques consultations, puis il est allé à cette foutue séance avec ses pervers. Il est revenu, et c'est là qu'il a commencé à mentir. Après quoi, il a disparu. Elle se leva, fit quelques pas dans le couloir, réfléchissant de toutes ses forces.

— Oui, il me faut commencer par l'hôpital. Commencer par les patients qu'il a vus. Demander la liste à la secrétaire. Si elle refuse de me la donner, je la lui prendrai.

Elle avait parlé à voix haute, et le bruit résonna dans le hall d'entrée.

Elle respira profondément, reprit le contrôle d'elle-même, pensa à Martin et Douglas Jeffers.

Je ne vous lâcherai pas, se jura-t-elle.

Le bac fendait les flots gris dans la pâle lueur matinale. L'air était vif. Martin releva le col de son veston et en referma les revers sur sa gorge. Il tourna le dos au vent et observa l'île dont ils approchaient. Le rivage était bordé de maisons pimpantes et, un peu plus loin, il pouvait voir Vineyard Haven, où le bac accosterait. Le soleil frappait une rangée de réservoirs d'essence aux abords du petit port, où des douzaines de voiliers se balançaient à l'ancre. Il lui semblait entendre le clapotis de l'eau contre les coques.

Le bateau semblait aller plus vite tandis que l'île se rapprochait. Il lança un coup de sirène dont le son rauque fit sursauter quelques passagers.

Les machines grondèrent en arrière toute tandis que le bac

abordait le quai. Les passerelles s'abaissèrent, et les gens commencèrent de descendre. Martin se mêla à eux et vit la file de voitures qui attendait d'embarquer. Les véhicules chargés de bagages et d'enfants lui rappelèrent que la fin de l'été était proche. Il n'y avait pas grand monde avec lui à l'aller.

Il jeta un regard autour de lui en mettant pied à terre et se dirigea vers la sortie du quai. Les lieux n'avaient pratiquement pas changé. Il y avait bien quelques constructions nouvelles, des boutiques et un parking qui n'existaient pas vingt ans plus tôt, mais dans l'ensemble Vineyard Haven était resté le même.

Je n'aurais jamais pensé revenir ici, se dit-il. Il commença à compter les années, puis abandonna. Il savait que la maison serait là, en bordure de la « mare », telle qu'il l'avait quittée, retirée en bout d'île.

Il se hâta vers l'agence de location de voitures. L'employé prenait son café matinal.

— Que puis-je pour vous ? demanda-t-il.

— Martin Jeffers. J'ai réservé une voiture par téléphone hier au soir.

— Ah oui, mon collègue m'a laissé un mot. Vous voulez un véhicule pour deux à trois jours, n'est-ce pas ? Un peu de vacances ?

— Un peu de travail. Mais pas long. J'en profiterai pour me balader un peu.

— L'essentiel est que vous me rameniez la voiture avant vendredi. C'est la Fête du Travail, lundi, et elle est déjà réservée pour le week-end.

— Pas de problème, mentit Jeffers.

— Vous avez une adresse dans l'île ?

Il hésita.

— Oui, Chilmark, à Quansoo. Désolé, mais il n'y a pas de téléphone.

— C'est la meilleure plage.

— C'est vrai.

— Moi, j'y vais pas souvent, à la plage, confia l'employé. Je ne suis pas très bon nageur, et ces vagues et le courant me foutent les jetons. Mais les surfers, ils aiment ça, Vous faites du surf ?

— Non.

— Bien. Ces types me louent des voitures, roulent avec sur la plage et invariablement ils s'ensablent.

L'homme décrocha un trousseau de clés à un râtelier derrière lui.

— Vous avez besoin d'une carte ? demanda-t-il.

— Non, à moins que le pays ait beaucoup changé ces dernières années.

— Tout change. C'est la vie. Mais les routes, elles, n'ont pas bougé. (L'homme fit signer à Martin la fiche de location.) C'est la Chevy blanche devant la porte. Retour vendredi, avec le plein d'essence, d'accord ?

— A vendredi.

Martin démarra la voiture et prit la route en se disant qu'il n'avait rien prévu d'autre que de débarquer à l'improviste chez les gens qui devaient occuper la maison. Mais que dirait-il ? Excusez-moi, monsieur ou madame, mais vous n'auriez pas vu mon frère ? C'est un dangereux tueur.

C'était absurde. Comment pourrait-il annoncer cela à un étranger qu'il aurait peut-être tiré du lit ? Non, il dirait que son frère souffrait d'amnésie, qu'il était inoffensif, que simplement il ne savait plus qui il était ni où il allait. Il dirait qu'il était là pour prendre soin de lui et le ramener dans une maison de repos.

Mais cela aussi lui parut déraisonnable.

Dis-leur ce qu'ils veulent entendre. Dis-leur que ton frère et toi vous passiez vos vacances ici autrefois, et que, te trouvant sur la côte, tu en as profité pour faire une promenade dans l'île et revoir la maison.

Et puis il songea qu'il se fichait pas mal de leur étonnement, que cela avait bien peu d'importance, comparé au reste.

Il roulait sans trop consulter les panneaux routiers, laissant sa mémoire le guider. Les distances lui paraissaient toutefois différentes, d'abord plus longues puis plus courtes. Il vit des maisons dont il se souvenait, et d'autres qui étaient nouvelles. Il fut étrangement content de découvrir que le magasin d'alimentation du minuscule village de West Tisbury n'avait pas changé. Il continua, parvint au croisement qu'il attendait.

L'hôpital est de ce côté-ci, pensa-t-il. On n'avait pas eu besoin de rouler vite quand on l'a transporté, il était déjà trop tard.

Il vit l'entrée du chemin sablonneux et ralentit pour s'y engager. Il fut néanmoins surpris de l'avoir trouvé si vite, presque sans la moindre hésitation, et de le retrouver tel qu'il était resté en sa mémoire. Les graviers crépitaient sous la caisse, et les buissons griffaient les vitres au passage. Les gens qui résidaient dans le périmètre n'avaient jamais voulu élargir le chemin ni combler les ornières, dans l'espoir que cela découragerait les curieux et les importuns. Il semblait qu'ils aient réussi. Il heurta une bosse à l'arrière, et la voiture racla violemment le sol.

Il arriva un moment plus tard aux flèches de couleur indiquant les maisons. Il s'orienta une fois encore sans hésiter, malgré toutes ces années. Il sentit son cœur battre plus vite tandis qu'il passait sous la voûte feuillue des arbres qui bordaient le chemin. Jamais je n'aurais pensé revenir ici, se dit-il pour la centième fois. Il déboucha en terrain découvert et vit le bras de mer, la « mare ». Il apercevait au loin l'océan scintillant sous les rayons matinaux. Une demi-douzaine de voiles multicolores fendaient les eaux de la mare en direction de la plage. La forme trapue de la ferme du vieux Johnson se découpait de l'autre côté de l'eau. Il sourit, se demandant si le vieux misanthrope tirait toujours sur ceux qui s'aventuraient sur ses terres. Il s'arrêta et baissa sa vitre. Il perçut le bruit du ressac au loin. Comment un bruit si présent et si répétitif pouvait-il être apaisant ?

Il vit la maison et ferma les yeux pendant un bref instant, comme aveuglé par une trop vive lumière. Qu'allait-il leur dire ? L'important, c'était de se montrer ouvert et amical. Frappe à la porte, et tu verras bien ce qui se passera.

Il parcourut les deux ou trois cents mètres qui le séparaient de la maison. Il descendit de voiture et considéra la façade. Plusieurs fenêtres étaient neuves, ainsi qu'une bonne moitié des ardoises du toit. C'était une maison basse, à un seul niveau, dans la tradition du pays. Une porte d'entrée sur la route, mais tout l'intérieur était ouvert sur la mare et l'océan.

Finger Point, songea-t-il. Une langue de terre s'avançant comme un doigt pointé vers l'océan. Il contempla les hautes herbes qui ondulaient sur les terres de Johnson et se souvint de leurs courses avec son frère, les tiges lui fouettant les jambes, tandis qu'il s'efforçait de suivre le pas rapide de Douglas. Il ferma les yeux et sentit la chaleur du soleil sur son crâne et ses épaules. Pendant un moment il se sentit complètement fou, puis complètement terrifié. Il avait envie de remonter en voiture et de fuir. Il n'est pas ici, se dit-il. Il rôde quelque part sur le continent, s'acharnant encore à faire le mal. Il est parti pour toujours. Ne reste pas ici, va-t'en, chasse-le à jamais de ta vie.

C'était impossible. Il rouvrit les yeux.

Il alla jusqu'à la porte et cogna.

J'espère qu'ils sont déjà levés, pensa-t-il. Il entendit un bruit de pas à l'intérieur, et la porte s'ouvrit.

C'était une jeune femme d'une vingtaine d'années, jolie, ses cheveux blonds contrastant avec la salopette noire dont elle était affublée.

— Excusez-moi, dit Martin. Je sais qu'il est tôt, et je suis sincèrement désolé de vous déranger, mais...

Il s'interrompit. La jeune femme le dévisageait avec une curiosité presque fiévreuse.

— Je suis désolé dit-il de nouveau.

— Mais pourquoi ? demanda derrière lui une voix moqueuse et terriblement familière.

Le groupe des Garçons Perdus emplit lentement la salle ensoleillée où se tenait d'ordinaire la séance, et chacun s'assit à sa place habituelle. Ils n'aimaient pas qu'on bouscule ainsi leur emploi du temps ; mais ils ne pouvaient que se soumettre aux décisions de l'administration, d'autant plus qu'ils n'avaient aucun motif de refuser une séance. Ils savaient que Jeffers ne serait pas là, puisqu'il le leur avait annoncé lui-même la veille, et qu'un nouveau médecin se présenterait. Ils savaient aussi qu'ils ne lui diraient pas un mot.

Ils attendirent en fumant et bavardant tranquillement entre eux, vaguement curieux tout de même de ce qui allait suivre.

L'arrivée d'une femme dans la salle fit taire aussitôt les conversations. Dans le silence qui salua son entrée, Mercedes fixa le groupe d'un regard sans aménité. Voilà mes ennemis naturels, pensa-t-elle avec une sensation de malaise.

Elle demeura immobile pendant quelques secondes puis s'avança sous les regards des hommes assis en demi-cercle. Ils ne savaient pas qui elle était, et pourtant leur antipathie totale, instinctive, était presque palpable.

Elle fit face au groupe et, lentement, sortit de son sac à main une plaque de police. Elle l'exhiba bien haut devant elle, de façon à ce que chacun puisse la voir. La plaque scintillait à la lumière du soleil.

— Je m'appelle Mercedes Barren, dit-elle d'une voix sèche. Inspecteur à la Criminelle de Miami.

Elle marqua une pause.

— Si vous aviez eu affaire à moi, vous en auriez pris pour le maximum.

Elle dit cela sans colère ni cruauté, et à la qualité du silence qui suivit elle sut que les hommes en mesuraient tout le poids. Le fait de se déclarer aussi brutalement leur ennemie excluait toute tentative de séduction.

— Le psychiatre qui s'occupe de vous, Martin Jeffers, a disparu peu de temps après vous avoir vus. (Elle marqua une pause.) Où est-il ?

La salle s'emplit d'un brouhaha de voix. Elle leva la main, et douze paires d'yeux se braquèrent sur elle.

— Où est-il allé ?

Des murmures s'élevèrent de nouveau pour laisser place à un silence agressif. Finalement, un homme au visage grêlé, lourdement bâti, la bouche marquée d'un pli dur, dit d'une voix de basse :

— Va te faire foutre, salope.

— Comment vous appelez-vous ?

— Miller.

— Vous aurez de la taule à faire, Miller, après ces petites vacances hospitalières, non ? Vous voulez faire le reste de votre temps en quartier de sécurité ?

— J'connais, et c'est pas ça qui m'fait peur.

— Tant mieux.

Un nouveau silence tomba jusqu'à ce qu'un petit homme agite la main et demande d'une voix sarcastique :

— Et pourquoi devrait-on vous aider, inspecteur ?

— Comment vous appelez-vous ?

— Steele.

— Très bien, Steele, je vais vous dire pourquoi vous devez m'aider : parce que vous êtes tous des criminels. Ce sont eux qui ont toujours aidé la police. C'est comme ça que ça marche. Quand on veut se renseigner sur un criminel, on interroge un criminel.

— Vous entendez par là que le doc en est un ? demanda Bryan.

— Non, pas lui, mais la personne qu'il recherche est un criminel très dangereux.

— C'est qui ?

Senderling et Knight avaient parlé de concert.

Elle hésita. Pourquoi le cacher ?

— Si vous m'aidez, je vous le dirai. Je veux d'abord qu'on soit d'accord là-dessus.

Elle vit les hommes échanger des regards.

— D'accord, dirent de nouveau en chœur Senderling et Knight. On vous aidera. (Ils rirent.) On n'a rien à perdre.

— S-sauf la con-confiance d-du d-docteur, bégaya Wasserman.

La remarque parut faire réfléchir les hommes.

— Et qu'est-ce qu'on gagne ?
— Rien de concret. Vous en saurez un peu plus, c'est tout. Une information a toujours de la valeur.
Miller renifla d'un air de mépris.
— Vous êtes bien comme tous les flics, même s'il vous manque quelque chose entre les jambes. Vous voulez tout gratis.
Elle ne répondit pas.
— Ecoutez, dit Parker, si on vous aide un peu, vous nous promettez que le doc n'aura rien ? Je veux dire judiciairement, pas seulement physiquement.
— Le docteur Jeffers n'est pas concerné, répondit Mercedes. Mais il connaît la personne que je cherche. Je veux justement empêcher qu'il arrive malheur au docteur.
— Je ferai jamais confiance aux flics, dit Miller.
— Le doc est en danger ? demanda Bryan.
Peut-être. Peut-être pas. Elle ne savait pas. Elle mentit.
— Oui, absolument. Mais il ne le sait pas.
Un murmure parcourut le groupe.
— Eh bien, vous nous dites qui c'est le méchant, et on verra si on peut vous aider.
Mercedes haussa les épaules. Elle savait que, pour obtenir une information de ces hommes, elle devrait parler la première. Si elle se taisait, ils en feraient autant.
Elle répondit :
— Son frère.
Il y eut un silence, puis Steele poussa un cri de victoire et bondit de sa chaise.
— J'le savais ! J'le savais ! Allez, les mecs, par ici la monnaie. Toi, Bryan, deux paquets de sèches. Toi, Miller, trois paquets. Ah ! vous avez tous parié contre moi, hein ? J'vous l'ai dit que ça pouvait être qu'un parent ! A tous les coups ! Allez, allongez-les !
Les hommes grognèrent.
— Alors, demanda Mercedes, où est-il allé ?
— I-il n'a r-rien d-dit, répondit Wasserman.
— Il a seulement dit que le type en question était pire que nous, dit Senderling. Il a dit qu'il visitait les lieux de ses crimes. Mais je vois pas ce qu'on a pu lui dire pour qu'il file comme ça.
— Ouais, n'empêche, à la fin c'est tout juste s'il nous a pas foutus dehors pour se casser plus vite, ajouta Bryan.
— Y se demandait quel souvenir avait pu attirer l'autre, grogna Miller. Alors on l'a aidé un peu. On lui a dit de cher-

cher du côté des mauvais souvenirs, parce que pour nous c'est des bons souvenirs.

— Qu'avez-vous dit exactement ?

Mercedes se pencha en avant.

— Merde, qu'est-ce qu'on en sait ? On a dit un tas de choses.

— Oui, mais il y en a une qui lui a rappelé un fait précis.

Les hommes s'agitèrent, parlant tous en même temps.

— Un tas de choses, j'vous dis ! insista Miller.

— Au sujet de *quoi* ? cria-t-elle.

— Il voulait savoir comment on avait franchi la barrière.

— Quoi ?

— Il voulait savoir ce qui nous était passé dans la tête la première fois qu'on a fait ce qu'on a fait, et pourquoi on avait continué.

Elle respira. Elle comprenait mieux à présent ce qui s'était passé. Il avait demandé la clé, et ils la lui avaient donnée.

— Oui, et qu'est-ce que vous avez dit ?

Les hommes la regardaient avec colère. Elle sentait la force de leur haine non seulement pour le flic mais aussi pour la femme qu'elle était. Elle soutint leurs regards, plissant les yeux d'un air dur.

Le silence faisait tache d'huile.

Mais parlez ! Parlez ! avait-elle envie de crier.

— Je sais, moi, dit une voix grave et profonde au fond de la salle.

C'était Pope. Elle porta son regard sur lui. Voilà un homme, pensa-t-elle, vraiment terrifiant. Elle eut la vision horrible qu'il l'empoignait, lui déchirait ses vêtements. Elle se demanda combien de femmes avaient vécu ce cauchemar.

— Je sais ce qui a dû lui rappeler ce qu'il cherchait, continua Pope.

— Quoi ?

Pope hésita puis haussa les épaules.

— Après tout, qu'ils crèvent tous, dit-il d'une voix sourde. (Il regarda Mercedes.) Je lui ai dit de chercher un départ ou une mort, parce que ça commence toujours avec l'un ou l'autre. Des fois, les deux en même temps.

Mercedes se renversa sur sa chaise. Un départ. Nous sommes allés dans le New Hampshire, là où leur mère les avait abandonnés.

— C'est tout ? demanda-t-elle, de la déception dans la voix.

— Oui. Deux minutes plus tard, il nous disait au revoir, répondit Pope.

Elle regarda les hommes. Combien de crimes, combien de vies ruinées avaient-ils laissés derrière eux ? Elle réprima un frisson.

Puis elle pensa : une mort. Une vie ruinée.

L'idée se forma lentement, comme un cyclone au loin, mais gagna du poids et de la force à chaque seconde. Elle eut chaud soudain, comme si la salle s'était brusquement transformée en sauna, et elle se rappela ce que Martin lui avait dit de leur père adoptif : le salaud ne nous a même pas donné son nom. Et il est mort, dans un accident.

Elle porta la main à son front, comme pour vérifier si elle avait de la fièvre. Elle jeta un regard aux hommes assemblés devant elle. Elle se leva.

— Merci, dit-elle. Vous m'avez beaucoup aidée.

Je sais, maintenant, pensa-t-elle. Je sais.

Du moins, c'est toujours un endroit par où commencer.

Elle se souvint de la page de journal qu'elle avait trouvée dans le carton rempli de documents divers sous le lit de Martin. Va ! Elle t'apprendra où il est allé ! Elle ne pouvait s'en vouloir d'avoir négligé ce détail la première fois qu'elle avait fouillé l'appartement de Jeffers. A présent, elle savait ce qu'elle cherchait. Va !

Elle quitta abruptement la salle, laissant les hommes murmurer dans son dos, et s'en fut d'un pas énergique à travers le dédale des couloirs blancs.

XIV. No man's land

Holt Overholser, soixante-trois ans, chef et unique permanent de la police de West Tisbury, considéra le paquet de contraventions étalées sur son bureau. Les estivants ne respectaient jamais la vitesse limite et s'obstinaient à déverser leurs ordures à la décharge publique les jours où celle-ci était fermée. Il avait passé presque tout l'après-midi devant son radar, à épingler les contrevenants. Les municipaux avaient installé des panneaux de vitesse limitée à trente kilomètres à l'heure à l'entrée du village, sachant que personne ne ralentirait avant d'avoir dépassé l'église presbytérienne. C'était là que Holt les attendait. Il faisait signe aux voitures de se ranger sur le bas-côté et tendait aux conducteurs la contravention de vingt-cinq dollars qu'il avait pris soin de remplir à l'avance.

C'était devenu une source appréciable de revenus pour la commune. Le conseil municipal était content, et Holt aussi. L'an passé, ce petit racket lui avait permis d'acquérir un 4×4, un Ford Bronco, avec tout l'équipement d'une voiture de patrouille. Cette année, se dit-il, ils achèteraient ces nouveaux émetteurs portables qui s'accrochent à la ceinture, avec le minuscule micro accroché à la boutonnière, comme ceux qu'on voyait dans *Hill Street Blues*, la série télé favorite de Holt. A chaque appel radio, il lançait un « Dix-quatre », du même ton bourru qui avait fait la renommée de Broderick Crawford, le héros du célèbre feuilleton. Il se demanda s'il y aurait encore de bonnes séries policières à la télé. La police n'était pas en odeur de sainteté depuis quelque temps, et les producteurs hésiteraient à miser de nouveau sur les représentants de la loi et de l'ordre.

Holt feuilleta son carnet de contraventions, s'assurant que

toutes les souches étaient correctement remplies avant de les envoyer au secrétaire de la municipalité. Il en avait dressé quarante-sept en quatre heures. Il lui en manquait trois pour battre son propre record. Mais avec la Fête du Travail qui approchait, il ne doutait pas cette fois de le pulvériser.

Il s'étira et regarda par la fenêtre de son petit bureau. La nuit venait de tomber. Il ne restait du jour qu'une vague lueur rouge à l'ouest. Holt n'était jamais allé plus loin dans cette direction que chez sa sœur, à Albany, pour Thanksgiving, mais il lisait beaucoup, surtout des romans et des récits de voyages. Il rêvait de partir. Il aurait aimé vivre dans le bon vieux Far West. Il se voyait volontiers sous les traits du shérif d'une petite ville, un type dur mais loyal, qu'il valait mieux avoir pour ami que pour ennemi.

Naturellement, il n'avait jamais eu à se battre en trente-trois ans de service à Martha's Vineyard. De temps à autre, il avait dû coffrer quelque ivrogne titubant un peu trop sur la voie publique, mais c'était tout.

Il ferma les yeux et se balança sur sa chaise de bureau. Il y aurait du thon grillé ce soir, accompagné de légumes provenant de son jardin. Holt se félicitait de bien manger, ce qu'il devait essentiellement aux soins de sa femme. A soixante-trois ans, je suis encore sacrément solide, pensa-t-il. Il aurait pu prendre sa retraite trois ans plus tôt, mais ses examens médicaux s'étaient révélés excellents. L'administration avait donc décidé de le garder. Et puis Holt avait un talent particulier pour soulager de leur fric les jeunes suppléants qu'il engageait chaque été. Holt les battait tous au bras de fer. Quarante ans plus tôt, il avait travaillé sur un langoustier et s'était fait des muscles d'acier à remonter les lourds casiers du fond. A peu près à la même époque, il avait appris à jouer au poker, ce qui lui permettait encore d'arrondir confortablement ses fins de mois. Ces gosses qui sortaient du collège croyaient toujours tout savoir, pensa-t-il, mais ils avaient encore beaucoup à apprendre.

Il considéra de nouveau le paquet de contraventions : ça pouvait attendre jusqu'au lendemain matin. Tout pouvait attendre, même pendant la saison estivale. Il bâilla et décrocha nonchalamment le micro de l'émetteur posé au coin de son bureau.

— Ici Un-Adam-Un, West Tisbury, je suis dix-trente-six du Q.G. S'il vous plaît, branchez-nous sur appels d'urgence, dix-quatre.

— Salut, Holt. Comment ça va, ce soir ?

— Ça va. Transmets, tu veux bien ?

— Est-ce que Sylvia a bien reçu ma recette de gâteau au chocolat ?

— Ouais, transmets.

Il détestait quand Lizzie Barry était de permanence de nuit sur le 911. Elle était plus âgée que lui et à moitié sénile. Elle ne respectait jamais la terminologie radiotéléphonique.

— Un-Adam-Un, bien reçu, dix-quatre.

— Bonne nuit.

Il raccrocha le microphone et il commençait à rassembler ses affaires quand une femme entra dans le bureau dont il avait laissé la porte ouverte. Il sourit.

— J'allais juste fermer boutique, madame. Que puis-je faire pour vous ?

— J'ai besoin de quelques indications, répondit Mercedes.

— A votre service, dit Holt.

Malgré le jean et le chandail, il ne lui trouvait pas l'air d'une estivante. Une citadine, assurément, et qui devait être ici pour affaires. Probablement quelqu'un d'une de ces foutues agences immobilières, se dit-il.

— Je cherche un endroit où il s'est produit un accident il y a vingt ans de ça.

— Un accident ?

Holt s'assit et désigna un siège à la visiteuse. Sa curiosité était éveillée.

— Il y a vingt ans, un commerçant du New Jersey — l'homme possédait un drugstore — s'est noyé à South Beach. J'aimerais savoir à quel endroit précis de South Beach l'accident a eu lieu.

— Vous savez, South Beach est une plage longue de vingt-cinq kilomètres, et vingt ans, ça fait un bail. Il me faudrait davantage d'informations.

— Vous ne vous souvenez pas de l'accident ?

— Vous savez, madame, on a deux ou trois noyades chaque été. Au bout de quelques années, elles se ressemblent toutes. De toute façon, ce sont les gardes-côtes qui s'en occupent. Moi, je n'ai qu'un peu de paperasse à faire dans ces cas-là.

— J'ai l'article de journal avec moi. Ça pourrait peut-être vous aider ?

— Voyons toujours.

Holt se pencha en avant alors que Mercedes sortait la coupure de *Vineyard Gazette* de son sac. Holt aperçut durant une fraction de seconde l'éclat noir mat du revolver, et il demanda abruptement :

— Vous transportez une arme avec vous, madame ?

— Oui, dit-elle. (Elle replongea la main dans son sac et en retira sa plaque de police.) J'aurais dû commencer par me présenter. Je suis l'inspecteur Mercedes Barren, de Miami.

Holt parut ravi.

— Nous ne voyons pas souvent des collègues des grandes villes par ici. Vous êtes sur une enquête ?

— Non, je ne fais que rendre visite à des amis.

— Oh, fit-il, déçu. Alors pourquoi le revolver ?

— Une habitude, excusez-moi.

— Hum, vous pourriez peut-être le déposer ici ?

— Chef, si ça ne vous ennuie pas, je dois partir à la première heure demain, et ce serait plus commode pour moi de le garder. Ne pourriez-vous pas faire une petite entorse au règlement pour une collègue ?

Il lui sourit avec un petit geste de la main qui signifiait qu'elle pouvait conserver son arme.

— On n'aime pas trop les armes à feu dans le coin. Ça ne fait jamais de bien à personne.

— Vous savez, chef, c'est vrai pour les grandes villes également.

Elle poussa la coupure de presse devant lui. Il la lut rapidement.

— Oui, je me souviens, mais vaguement. Le type s'est fait prendre par le courant, je crois. (Il leva la tête vers Mercedes.) Il y a des courants très forts dans le coin. Particulièrement à South Beach.

— C'est là que l'accident a eu lieu.

— Il est écrit que la famille Allen résidait à West Tisbury, mais il n'est pas précisé où.

— Je sais. J'avais pensé que vous vous en souviendriez.

Il secoua la tête, regarda de nouveau la coupure.

— Mais dites-moi, quel rapport avec votre visite à des amis ?

Mercedes rit.

— Ma foi, chef, c'est une longue histoire, mais j'essaierai d'être brève. Mes amis louent la maison où cette famille Allen a résidé. Ils sont tombés sur ce vieux journal. Ils savaient que je passerais les voir, et ils ont pensé que cette histoire pouvait m'intéresser. Ils m'ont envoyé la coupure à Miami, ainsi que les indications pour me rendre chez eux. Malheureusement, j'ai égaré le papier avec l'adresse et le téléphone, mais pas la coupure de journal. C'est tout ce qu'il me reste pour découvrir où est la maison.

— Hum !

— Oui, je suppose que vous devez en voir pas mal de distraites dans mon genre.

— Hum !

— Ajoutez-moi sur la liste des étourdis et aidez-moi à trouver mon chemin.

Il eut un large sourire.

— Si je devais noter tous les excentriques qui débarquent ici, je n'en finirais plus.

Ils rirent tous deux.

— Je suppose, reprit-il, qu'on pourrait appeler les agences de locations, mais ça prendrait pas mal de temps. Il y en a un paquet dans l'île, aujourd'hui. Avez-vous essayé la *Gazette* ?

— Oui, mais ils étaient fermés.

Holt réfléchit pendant un instant.

— J'ai une idée, dit-il soudain. Ça vaut peut-être le coup d'essayer.

Il décrocha son radio-téléphone et dit :

— Ici Un-Adam-Un, à vous, parlez !

— Holt ? demanda Lizzie Barry. Tu devrais être rentré à cette heure. Ton dîner va refroidir.

— J'ai une dame avec moi qui a perdu l'adresse de ses amis. C'est une longue histoire, mais ils résident au même endroit qu'un certain Allen, qui s'est noyé à South Beach il y a vingt ans. Tu te souviens de cette histoire, Lizzie ? A toi.

La radio grésilla pendant un court instant.

— Bien sûr que je m'en souviens. Le type était allé se baigner dans la soirée. C'était l'été où il a fait si chaud. Je ne risque pas de l'oublier, parce que c'est justement ce jour-là que mon vieux chien est mort. Il a attrapé une insolation. C'était une brave bête. Tu te souviens de lui, Holt ?

Holt n'en avait pas le moindre souvenir.

— Bien sûr, un beau setter, hein ?

— Non, un labrador doré.

— Oh. (Holt attendit que Lizzie continue, mais la ligne resta silencieuse.) Hé ! Lizzie... où est-ce qu'il résidait, ce M. Allen ?

— Au bord de la mare, répondit Lizzie, comme si elle avait attendu que Holt lui précise la question. A Finger Point, pour tout te dire. Mais je peux me tromper.

— Merci, Lizzie. Dix-quatre. Terminé.

— A ton service, Holt. Terminé.

Holt Overholser raccrocha.

— Qu'est-ce que vous dites de ça ? dit-il avec un grand sourire. La vieille Lizzie est une véritable encyclopédie. Elle se souvient de tout ce qui a pu se passer dans l'île. Du moins de tous les événements marquants. Vous savez, vous allez avoir du mal à vous rendre jusque là-bas de nuit. Je vous conseillerais de prendre une chambre à l'hôtel et d'y aller demain matin.

— Ça me paraît en effet plus sage, approuva Mercedes. Mais pourriez-vous quand même me montrer le chemin sur la carte ?

Holt haussa les épaules. Il s'approcha de la carte murale et lui montra la bifurcation et le chemin de terre qui menait à Finger Point. Il ne se rappelait plus quand il était allé là-bas. Probablement pas depuis cette noyade. Il secoua la tête.

— Vous savez, il n'y a pas de lumières là-bas, et vous auriez vite fait de vous perdre. A votre place, j'attendrais demain matin.

— C'est un bon conseil, chef. Je pense que je vais prendre une chambre d'hôtel à Vineyard Haven. Je vous remercie de toute cette peine.

— De rien.

Holt Overholser raccompagna Mercedes jusqu'au perron.

— Il fait bon, cette nuit, dit-il. Le thermomètre est descendu à huit degrés il y a trois jours, et mes vieux os me disent que nous aurons un automne précoce, et un rude hiver. Bien sûr, à mon âge, tous les hivers sont rudes.

Mercedes rit.

— Chef, vous m'avez l'air de taille à affronter un hiver polaire.

— A Miami, vous ne devez pas avoir ce souci-là.

— C'est vrai, il y fait toujours chaud. (Elle lui sourit.) Auriez-vous un hôtel à me recommander ?

— Oh, ils sont tous très bien.

— Merci encore.

— De rien du tout. Si vous repassez par ici, venez me voir, nous parlerons métier.

— Certainement.

Il la regarda regagner sa voiture. Il ne vit pas son expression ouverte et amicale s'effacer soudain pour être remplacée par un masque dur et concentré. Elle sortit de la courte allée du petit poste de police. Holt pensa qu'il était temps d'aller dîner. Alors qu'il se tournait pour regagner son bureau et prendre ses affaires, il remarqua que l'inspecteur Barren n'avait pas pris la route qui conduisait au village mais la direction de l'intérieur de l'île. Curieusement, il en éprouva une vague inquiétude.

Mercedes roulait prudemment dans l'obscurité. Il me sera difficile de trouver la maison dans cette nuit noire, se dit-elle, mais je pourrai approcher Douglas Jeffers sans me faire voir, ce qui me donnera un avantage. Elle était décidée à ne pas lui laisser une seule chance. Je lui tirerai dans le dos, s'il le faut. Je tirerai sans sommation et à la première occasion. Et je n'aurai pas le droit à l'erreur. Elle scruta la route, guettant la bifurcation et le chemin qui la conduira à Finger Point.

Les images de la journée défilaient dans son esprit, parasitant quelque peu sa concentration. Elle revit les Garçons Perdus, assis en demi-cercle devant elle, leurs regard méprisants ou haineux posés sur elle. Elle les avait toutefois bien manœuvrés. Elle s'étonna pendant un moment du pouvoir de la suggestion et de la façon dont un mot pouvait soudain vous amener à une conclusion. Elle avait quitté l'hôpital, convaincue que Martin Jeffers était parti retrouver son frère là où leur père adoptif était mort. Cette conviction ne l'avait pas abandonnée quand elle avait fracturé la fenêtre de Martin à l'aide d'un démonte-pneu, sans le moindre égard pour le bruit.

Elle avait couru directement à la chambre pour y prendre la page jaunie du vieux journal. Elle avait cependant éprouvé une vive déception en parcourant rapidement le court article : il y avait bien peu de détails concernant l'accident.

Mais, pensa-t-elle, ce vieux flic a été parfait.

Elle avait foncé sur la route, maudissant les embarras de la circulation dans la périphérie de New York. Elle avait dû attendre longtemps à l'embarcadère de Woods Hole. Le passage en bac lui avait paru d'une lenteur insupportable, et la beauté du soleil couchant sur la mer lui avait complètement échappé.

Mais elle avait eu pas mal de chance et de succès en se rendant à l'agence de location de voitures à sa descente du bac. Elle repensa à l'employé qui lui avait remis les clés et lui avait confirmé qu'elle avait raison : un certain Martin Jeffers était arrivé le matin même, par le premier bac.

— Il a dit qu'il était là pour du travail. C'est un ami à vous ?

— Non, plutôt un concurrent.

— Je vois, vous travaillez dans l'immobilier ? (Il avait relevé le numéro de son permis de conduire.) En général, les promoteurs viennent de New York, de Washington ou Boston. Pas de Miami.

— Je travaille pour une grosse société, avait-elle menti. Nous avons des bureaux dans tout le pays.

— Eh bien, si vous voulez mon avis, avait continué l'employé, il y a trop de nouvelles constructions dans l'île. Elles bousillent le paysage.

Elle avait relevé une note de colère dans sa voix.

— Vraiment ? avait-elle répondu. La boîte pour laquelle je prospecte est au contraire spécialisée dans la restauration des maisons anciennes. Ce n'est pas comme Martin Jeffers. Lui, sa spécialité, c'est la construction d'affreux lotissements et de motels.

— Bon Dieu ! avait juré l'employé. Si j'avais su, je lui aurais pas donné de voiture.

— C'est quoi, sa voiture ?

— Une Chevy blanche. Immatriculée 817 JJJ. Vous la repérerez facilement.

— Merci. Est-ce qu'il vous a dit où il allait ?

— Non.

— Tant pis, mais le monde est petit... surtout sur une île.

— Bonne chance, et pensez à rapporter la voiture avant huit heures demain soir, si vous voulez éviter un supplément.

Elle passa en phares et aperçut un nouveau chemin de terre à sa droite. C'était le troisième devant lequel elle passait, et ils se ressemblaient tous. Continue, se dit-elle, continue. Une voiture arrivait en face d'elle, lui faisant des appels de phares, pour qu'elle éteigne les siens. Elle s'y résigna, et les deux véhicules se croisèrent en se frôlant sur la route étroite. L'obscurité s'étendit de nouveau à l'infini devant elle.

Elle scruta la route en se disant qu'elle ne devait plus être loin du croisement que lui avait décrit le chef de la police. Elle était tendue et avait l'impression d'étouffer dans l'espace clos de la voiture. Il est là, pensa-t-elle. Je le sais. Mais où ? Où ? Elle serra les mains sur le volant jusqu'à ce que les jointures de ses doigts blanchissent.

— J'arrive ! dit-elle à voix haute. J'arrive !

Et puis elle distingua le croisement devant elle, et les flèches de bois peint.

Anne Hampton était assise à la table, les yeux baissés sur le bloc-notes ouvert devant elle. Elle relut les derniers mots. *Je fais ce que je fais parce que je le dois, parce que je le veux.*

Parce qu'il y a quelque chose en nous qui nous commande de le faire, et que si nous ne le faisions pas, notre frustration serait telle qu'elle nous tuerait.

Elle avait également noté la réponse du frère. *Tu peux encore trouver de l'aide. Rien ne t'oblige à poursuivre.*

Elle secoua la tête. Ce n'était sûrement pas chose à dire à Douglas Jeffers. Elle parcourut de nouveau ses notes. Cette partie de la conversation remontait à plusieurs heures déjà. Peut-être allait-il reconsidérer ses arguments, mais elle en doutait. Le frère lui paraissait incapable de comprendre, tout juste apte à articuler une phrase. Jamais il ne pourrait persuader Douglas de poser son arme. J'aurais pu lui dire que tout était déjà réglé, comme les pas d'une chorégraphie, qu'il n'y avait pas d'autre issue possible que celle choisie par son frère, pas d'autre scénario que celui qu'il avait écrit en un autre temps, il y a longtemps, quand j'étais encore la fille de M. et Mme Hampton, avant que je devienne la biographe d'un tueur.

Anne Hampton se demanda ce qui allait leur arriver maintenant. Elle se sentait détachée, comme si elle était quelqu'un d'autre, désincarnée, invisible aux autres, spectatrice.

Elle se rappela qu'elle avait éprouvé la même impression plus tôt, pendant les meurtres accomplis devant elle, durant les premières heures dans le motel. C'était quand ? Elle n'aurait su le dire. Elle songea que la mémoire fonctionnait toujours comme ça, par bribes d'images, par flashes, qui, pour une raison ou pour une autre, restaient gravés dans notre conscience. Je peux me revoir courant dans la neige, pensa-t-elle. Je peux revoir la douleur et le froid qui défiguraient mes traits, mais je ne peux faire revivre la sensation ressentie alors. Mon frère. C'était impossible de le sauver. Défilèrent soudain dans son esprit les images du clochard levant vers Douglas un visage hébété, des deux jeunes femmes chanceuses — comment s'appelaient-elles déjà ? — puis des deux garçons dans la Jeep. Je ne peux sauver personne. Je ne peux pas, je ne peux pas. Je voulais, oh Dieu, je voulais le sauver, mon frère, mais je ne pouvais pas, je ne pouvais pas.

Elle avait envie de pleurer, mais elle savait qu'il ne le lui permettrait pas.

— Boswell !

Elle sursauta au son de sa voix, se leva aussitôt de sa chaise.

— Allez porter un peu d'eau à nos hôtes.

Elle hocha la tête et courut à la cuisine. Elle trouva une carafe dans le placard et la remplit. Puis elle traversa le salon où les deux frères étaient assis face à face, silencieux à présent après toute une journée à parler. Elle ouvrit la porte de la chambre et entra sans bruit. Elle pensa qu'ils dormaient peut-être, et elle ne voulait pas les réveiller. Mais au léger frottement de ses pieds sur le plancher, elle vit quatre paires d'yeux emplis de crainte qui la fixaient dans la faible lumière de la pièce dont les volets étaient tirés.

Son cœur se serra.

— N'ayez pas peur, n'ayez pas peur, murmura-t-elle.

Elle savait combien ces mots étaient vains, combien il était inutile de tenter de les rassurer. Ils sentaient bien qu'ils allaient mourir.

Qu'ils lui soient complètement étrangers, Douglas n'en avait cure. Ce qui comptait, c'était qu'ils soient là en ce lieu qui avait de l'importance pour lui. Elle se souvint de ce qu'il avait dit tout bas, juste quelques secondes avant de pousser la porte d'entrée laissée entrouverte à la brise estivale :

— Je vais remplir cette maison de fantômes.

Elle posa doucement sa main sur le bras de la femme.

— Je vous ai apporté un peu d'eau, dit-elle. Faites-moi seulement un signe de tête si vous voulez boire. Vous, madame Simmons ?

La femme hocha la tête, et Anne Hampton la libéra de son bâillon. Elle porta la carafe à ses lèvres.

— Ne buvez pas trop, dit-elle. Je ne sais pas s'il vous laisserait aller aux toilettes.

La femme s'arrêta de boire et acquiesça de nouveau.

— J'ai peur, dit-elle, profitant de l'absence du bâillon. Vous n'allez pas nous aider ? Vous me paraissez si gentille. Vous n'êtes pas beaucoup plus âgée que mes jumeaux. Je vous en prie...

Anne Hampton allait lui répondre quand elle entendit sa voix depuis le salon :

— Pas de bavardages ! Faites-les boire et remettez-leur leurs bâillons !

— Je vous en prie, murmura la femme.

— Je suis désolée, répondit tout bas Anne Hampton.

Elle la rebâillonna sans trop serrer, et la femme la remercia d'un signe de tête.

Elle fit ensuite boire les deux garçons — deux jumeaux de moins de vingt ans.

— Ne parlez pas, leur chuchota-t-elle.

Quand elle arriva au père, elle hésita.

— Je vous en prie, dit-elle. Ne tentez rien. Ne le provoquez pas.

L'homme hocha la tête, et elle défit le bâillon. Quand il eut bu, elle renoua le mouchoir. Il tira sur la corde qui les liait tous ensemble, et elle l'entendit murmurer malgré le bâillon :

— Aidez-nous, je vous en supplie.

— Je suis désolée, lui dit-elle.

Elle referma la porte derrière elle et regagna la pièce principale.

— Comment sont-ils ? demanda Douglas Jeffers.

— Ils ont peur.

— Il y a de quoi.

— Doug, je t'en prie, dit Martin Jeffers. Laisse-les partir. Qu'ont-ils donc fait ?

— Tu n'as donc rien compris ? coupa brutalement son frère. J'ai passé ma journée à te l'expliquer. C'est justement *ça* l'important. Les coupables ne sont jamais punis. Ce sont les innocents qui paient. Depuis que le monde existe, cela a toujours été ainsi. Les bons paient pour les méchants. (Il hocha la tête.) Ce n'est quand même pas difficile à comprendre. Tu pourrais au moins essayer.

— J'essaie, Doug. Crois-moi, j'essaie.

Douglas regarda sévèrement son frère.

— Essaie encore.

Un silence se fit. Douglas jouait avec son revolver, et Martin ne bougeait pas de son siège. Anne traversa la pièce et se rassit à la table, ouvrit un nouveau bloc-notes.

— Ecrivez, Boswell.

Elle hocha la tête et attendit. Tout est folie, pensa-t-elle. Partout. Il ne reste plus rien de sain ni de normal en ce monde. Tout y est mort et déraison. Je fais partie de ce monde. Totalement.

Elle prit son stylo. *Personne ne s'en sortira vivant*, écrivit-elle.

Elle se surprit elle-même. C'était la première fois qu'elle notait une pensée personnelle. Elle considéra sa phrase et en fut d'autant plus terrifiée.

Les mots dansaient et scintillaient dans ses yeux comme la chaleur au-dessus des routes qu'ils avaient prises. Elle lutta contre l'épuisement et le désespoir et se remémora la journée, repoussant sa peur derrière l'écran de la mémoire.

Elle ne savait pas pourquoi Douglas avait différé l'exécution de la famille Simmons. Il les avait tirés de leurs lits, ligotés, bâillonnés et abandonnés dans la chambre, puis il avait contemplé le lever du soleil, confortablement installé sur la petite véranda. Il avait ensuite préparé un copieux petit déjeuner. Il avait seulement dit que le jeu serait plus intéressant si on les laissait enfermés toute la journée. Elle en avait éprouvé de l'étonnement : il lui avait paru désireux de prendre son temps, de jouir de la situation. Elle ignorait la raison pour laquelle il marquait ainsi une pause, retardant l'événement, mais cela lui faisait terriblement peur.

Nous approchons du dénouement, avait-elle pensé.

C'était la dernière scène, et il voulait la jouer en l'imprégnant de chaque minute qui passait. Deux pensées lui étaient venues à l'esprit :

Que va-t-il leur faire ?

Que me fera-t-il ?

Douglas Jeffers avait préparé des œufs au bacon, mais elle avait été incapable d'avaler quoi que ce soit. Ils finissaient de déjeuner quand ils entendirent la voiture arriver. Depuis le début, elle redoutait une visite à l'improviste. Sa peur redoubla à la vue du frère. Sans doute quelqu'un du même acabit. Quand elle s'aperçut que ce n'était pas le cas, elle en conçut une plus grande confusion encore.

Elle regarda de nouveau les deux hommes.

Jusqu'où allait leur fraternité ? Elle avait un vague sentiment que ce point était important pour elle, sans qu'elle sache très bien pourquoi.

Je veux vivre ! eut-elle envie de leur crier.

Au lieu de quoi, elle attendit patiemment devant son bloc-notes.

Jusqu'ici, ils avaient passé la journée comme l'on pouvait s'y attendre de la part de deux frères se retrouvant après une longue séparation. Ils avaient longuement évoqué le passé, avaient même ri un peu à l'évocation de certains souvenirs. Mais, au début de l'après-midi, la conversation s'était tarie sous l'inexorable tension des esprits, et ils ne rompaient plus le silence que par intermittence.

Elle feuilleta quelques pages du précédent bloc-notes et relut ce qu'elle avait noté.

— Doug, avait dit Martin Jeffers, je n'arrive pas à croire que nous soyons ici. Si nous en parlions ?

— Tu ferais bien d'y croire, avait répliqué Douglas.

Elle leva les yeux et vit Martin s'agiter inconfortablement sur sa chaise. Tentera-t-il de me sauver ? se demanda-t-elle soudain.

— Doug, pourquoi fais-tu ça ?

— Et toi, pourquoi te limites-tu à la question de savoir pourquoi ? C'est important, je te l'accorde. Mais il y a aussi un comment, et un quand, et qu'est-ce qu'on va faire maintenant ?

— D'accord, dit Martin. Qu'est-ce qu'on va faire, maintenant ?

— Pourquoi le demander ?

Douglas éclata de rire. Un rire qui avait quelque chose de fou dans l'atmosphère morbide de la pièce. Anne reconnut ce rire-là, et elle espéra que le frère saurait également y déceler le danger.

Il comprit et jugea bon de ne pas insister. Au bout d'un moment, Douglas agita la main comme s'il chassait la fumée d'une cigarette.

— Dis-moi, demanda-t-il. Que sais-tu au juste ?

— Tout.

Douglas marqua une pause.

— Hum, ce n'est pas bien, ça. Ce n'est pas bien du tout.

Il hésita avant de continuer :

— Cela signifie que tu es allé chez moi. Je t'avais pourtant recommandé d'attendre que je te fasse signe pour le faire.

— C'est quelqu'un d'autre qui y est allé.

— Qui ça ?

Martin hésita. Il pensa à toutes les fois où il s'était entretenu avec des criminels. Il avait toujours su alors ce qu'il fallait faire, ce qu'il fallait dire. Maintenant, face à son frère, il ne savait plus. Il regarda Douglas, sa main serrée sur son arme. Mais derrière l'homme menaçant, ce fut l'enfant qu'il revit. Un fort ressentiment se mit à croître en lui. Il avait toujours été le dernier à savoir, le dernier à obtenir quoi que ce fût. Douglas avait toujours fait ce qu'il voulait, sans se soucier de ce que pouvait penser son jeune frère. Il avait toujours commandé. Il avait toujours été important. Et moi, je devais suivre, passer en dernier, pensa-t-il. Il eut soudain envie de faire du mal à son frère, de lui faire payer toutes ces frustrations accumulées dans son enfance.

— Un inspecteur de police, jeta-t-il.

— Et il sait tout ?

Martin vit son frère se raidir, lutter pour garder son calme. Mais le ton de sa voix le trahit. C'était là un ton que ne lui avait jamais connu Martin, mais qu'il connaissait bien par expérience. Le ton d'un tueur.

— Oui, répondit-il. *Elle* sait tout. C'est une femme.

Douglas Jeffers laissa un bref silence s'écouler avant de répliquer :

— Eh bien, cela ne fera que précipiter la fin.

Mercedes avait du mal à contrôler la grosse voiture avec sa suspension molle qui la faisait bringuebaler sur le mauvais chemin de terre. Les branches raclaient la carrosserie, et le pot d'échappement tapait violemment contre le sol à chaque ornière.

Elle se refusait à admettre qu'elle s'était égarée. Mais l'obscurité environnante et la végétation qui semblait la cerner de tous côtés lui donnaient l'impression d'avoir pénétré dans un univers régi par la nuit et la mort. Les ombres semblaient bondir dans le faisceau des phares, et elle serrait son revolver dans sa main droite posée en haut du volant.

Elle s'attendait depuis un moment à déboucher sur la fameuse mare, mais le chemin continuait de s'enfoncer dans les ténèbres, flanqué de chaque côté d'une épaisse végétation qui interdisait toute manœuvre, tout demi-tour, et l'obligeait ainsi à continuer tout droit. Elle savait qu'il lui fallait trouver cette avancée de terre qui avait valu au lieu le nom de Finger Point. Elle abaissa sa vitre, huma l'air avec l'espoir d'y déceler une odeur marine, mais seule la fraîcheur nocturne s'engouffra dans la voiture. Elle continua de rouler, passa une barrière en bois démolie puis une pancarte annonçant : « Propriété privée, défense d'entrer ». Elle l'ignora et poursuivit, cahotant à travers les buissons et les pins, en s'interdisant même de supposer qu'elle s'était peut-être trompée de chemin.

Elle aperçut une ouverture parmi les arbres et accéléra. La voiture fit un bond en avant, puis elle parut s'affaisser, comme un athlète trébuchant au départ de la course. Elle poussa un cri alors que les roues avant patinaient dans un vrombissement aigu.

Elle s'arrêta et descendit.

Les deux roues avant étaient enfoncées profondément dans un trou sableux. Elle pinça les lèvres. Continue, se dit-elle. Elle remonta en voiture, redémarra et tenta de se dégager en marche arrière. En vain, le poids du moteur pesait sur les roues prises, et les roues arrière patinaient sans effet. Elle donna du poing contre le volant, essaya encore une fois et se résigna à couper le moteur. Seul un tracteur pourrait la dégager de là. Elle éteignit les lumières. Très bien, se dit-elle. Tu peux faire le reste à pied. De toute façon, tu aurais dû laisser la voiture tôt ou tard. Ce n'est pas ça qui t'empêchera de le retrouver.

Elle se dirigea vers la trouée entrevue un moment plus tôt. Sa vue s'accoutumait rapidement à l'obscurité. Son revolver à la main droite, elle se mit à trottiner, effrayée à l'idée qu'elle pourrait se tordre une cheville. Mais elle prit de l'assurance, et elle continua en petite foulée, écoutant le martèlement de ses pas sur le sol sablonneux.

C'était comme de courir dans un tunnel, mais au moins en voyait-elle la fin — voûte plus claire à quelques dizaines de mètres devant elle. Soudain les frondaisons s'arrêtèrent au-dessus d'elle, et elle vit une vaste étendue herbeuse baignée par la lueur de la lune. Elle leva la tête vers le ciel, presque éblouie par les mille scintillements étoilés. Elle se sentit minuscule et solitaire, craintive devant cette immensité céleste qui s'offrait à sa vue.

Elle regarda autour d'elle et aperçut sur sa gauche une grande tache aux reflets gris. Le bras de mer. Elle pouvait voir clairement la bande de sable qui séparait le champ de l'eau. Elle retint son souffle et perçut le bruit du ressac quelque part à sa droite. Tournant la tête dans cette direction, elle distingua la longue frange écumeuse qui se perdait dans la nuit le long de South Beach.

Je suis arrivée, pensa-t-elle.

Elle regarda devant elle, cherchant la silhouette d'une maison, mais elle eut beau scruter l'obscurité, elle ne vit rien de semblable, alors qu'elle devinait parfaitement la barrière des arbres et le dessin vaguement plus clair que faisait le bras de mer.

— Je ne comprends pas, lança-t-elle soudain tout haut d'une voix inquiète. Ce n'est pas ça du tout. Où est Finger Point ?

Elle avança d'une vingtaine de mètres, comme si elle allait modifier la topographie en changeant d'angle de vue.

Son cœur battit plus vite alors qu'elle prenait conscience avec dépit qu'elle s'était trompée. En même temps une voix en elle refusait l'échec, niait de toutes ses forces la réalité.

Elle continua d'avancer jusqu'au sable bordant la mare et scruta l'étendue frémissante que la lune éclairait doucement. D'un coup, elle se laissa choir à genoux dans le sable.

— Non, ce n'est pas possible, murmura-t-elle. Non.

Les eaux du bras de mer s'étiraient en direction des dunes

qui bordaient South Beach, mais juste en face d'elle pointait la forme sombre d'une langue de terre.

— Non. Ce n'est pas juste.

Elle pouvait voir la maison maintenant, puis, sa vision s'accoutumant, elle distingua la silhouette blanche d'une voiture. Elle ne pouvait plus avoir de doute. Ce ne pouvait être que le véhicule loué par Martin.

Elle se pencha en avant et martela le sable de ses poings.

— Non, non, gémit-elle.

Sans se relever, elle se tourna en direction des arbres. Elle avait pris le mauvais chemin, avait tourné à droite, au lieu de prendre à gauche, et avait fait le tour de la mare. Elle sentit le découragement la guetter, et elle s'efforça de se ressaisir.

Elle se releva. Je ne suis pas encore battue, se dit-elle. Elle leva le poing en direction de la maison.

— J'arrive. J'arrive, murmura-t-elle d'une voix sourde.

Holt Overholser repoussa se chaise et contempla les restes de sa deuxième tranche de thon grillé. Il bougonna :

— Bon Dieu de bon Dieu.

— Qu'y a-t-il, chéri ? demanda sa femme. Le poisson ne t'a pas plu ?

Il secoua la tête.

— Non, c'est juste quelque chose qui me tracasse.

— Alors mieux vaut en parler, dit-elle. Ce n'est pas bon de ruminer ses ennuis. Cela contrarie la digestion, tu sais.

Il pensa pendant un instant que la vision que sa femme avait du monde se réduisait à un mot : digestion. Si les Arabes et les Juifs mangeaient plus de céréales, ils ne seraient pas sans cesse en train de se battre. Si les Russes équilibraient mieux leur alimentation et diminuaient leurs rations de calories, ils menaceraient moins la paix du monde. Si les terroristes cessaient de manger de la viande rouge et changeaient pour du poisson, ils auraient moins tendance à pirater des avions. Les républicains consommaient trop de matières grasses, ce qui leur valait des cœurs affaiblis et des allures de patriciens, aussi votait-elle toujours démocrate.

— Juste avant que je plie bagage, j'ai reçu la visite d'un inspecteur de police. Elle venait de Miami.

— Pour une enquête ? C'est passionnant.

— Non, pas pour une enquête. Du moins, c'est ce qu'elle a prétendu.

— Tu aurais dû l'inviter à dîner.

— Mais elle était armée, poursuivit Holt, comme s'il n'avait pas entendu. Et elle m'a raconté une histoire qui, en y réfléchissant, me paraît complètement bidon.

— Eh bien, mon chéri, qu'est-ce que tu vas faire ?

Holt Overholser demeura songeur pendant un moment. Il n'était peut-être pas Sherlock Holmes, mais il pouvait en remontrer à Mike Hammer.

— Je vais aller faire un tour, dit-il. Inutile d'avertir qui que ce soit. Je serai de retour à temps pour *Magnum*.

Martin demeurait figé sur sa chaise, observant son frère faire les cent pas dans la pièce d'un air irrité. Il essaya de rencontrer le regard d'Anne Hampton, mais elle restait assise bien raide à la table, le stylo levé au-dessus de son bloc-notes. Il se demanda pendant un instant ce qu'elle avait dû endurer. Il ne pouvait le savoir exactement, mais cela avait dû être assez sévère, à la voir dans cet état proche de la catatonie.

Son observation le surprit. Depuis son arrivée à Finger Point, c'était la première réflexion d'ordre professionnel qu'il se faisait. Utilise ce que tu sais, se dit-il avec l'espoir de retrouver la maîtrise de lui-même. Mais ce fut aussitôt pour secouer la tête d'un air de dépit : c'était sans espoir. En ce moment, pensa-t-il, je ne suis rien d'autre que le frère cadet.

Il leva les yeux vers Douglas, qui continuait d'aller et venir, les yeux brillants d'excitation, comme s'il se pénétrait à chaque pas du crescendo dramatique de la situation.

— N'est-ce pas amusant, dit Douglas Jeffers d'une voix qui excluait tout humour, la façon dont les événements les plus troublants vous laissent sans voix ? Regarde-toi. Tout ce que tu sais dire, c'est : « Ce n'est pas possible, tu ne peux pas faire ça... »

Le commentaire eut le don de le faire rire.

— Tiens, reprit-il d'une voix assurée, parle-moi plutôt de ce flic.

— Que veux-tu savoir ?

Douglas s'arrêta et pointa son arme sur lui.

— Crois-tu que j'hésiterais un seul instant ? Penses-tu que ton statut de frère te donne droit à un quelconque privilège ? Tu es venu ici ! Tu savais ! Alors tu en connaissais également les risques !

Il marqua une pause avant de lâcher d'une voix dure et menaçante :

— Alors te fous pas de ma gueule, Martin.

Martin Jeffers hocha pitoyablement la tête.

— Elle vient de Miami, dit-il. Elle pense que tu as tué sa nièce. C'est elle qui a pénétré dans ton appartement et trouvé les photos.

— Où est-elle, maintenant ?

— Je l'ai laissée dans le New Jersey.

— Pourquoi ?

— Parce qu'elle voulait te tuer.

Douglas rit.

— Ma foi, je la comprends...

— Doug, je t'en prie, ne pourrions-nous pas...

— Quoi donc ? Marty, tu as toujours été un rêveur. Tu ne t'en souviens pas ? Tous ces bouquins dont je te faisais la lecture quand tu étais petit ? Des bouquins d'aventures, avec une flopée de héros combattant pour de justes causes et contre des armées de méchants. Tu aimais tellement ces histoires de soldats qui menaient des combats désespérés, de chevaliers chargeant des dragons. Tu aimais les histoires où le bien finit toujours par triompher... Tu sais quoi ? Le bien ne triomphe jamais. Parce que s'il veut triompher, il doit battre le mal à son propre jeu, et ça, mon cher frère, c'est une défaite encore plus grande.

— Ce n'est pas vrai.

Douglas Jeffers haussa les épaules.

— Crois ce que tu veux, Marty. Cela n'a pas d'importance. Mais parle-moi encore de cette femme. Elle est intelligente ? Comment s'appelle-t-elle ?

— Mercedes Barren, et elle connaît sûrement son travail. Elle est arrivée jusqu'à moi...

— Et elle me retrouvera, à ton avis ?

Martin hocha la tête.

Douglas eut un rire rauque.

— Elle n'a pas l'ombre d'une chance. A moins que tu lui aies dit où j'étais. Tu n'as pas fait ça, hein, frangin ?

Martin secoua la tête.

Douglas grogna :

— Je ne te crois pas. Oh, tu ne l'as peut-être pas fait consciemment, mais tu l'as fait. Je te connais, Marty. Je te connais aussi bien que je me connais. C'est ça, l'avantage d'être l'aîné. L'aîné doit savoir, et le cadet doit apprendre. Alors tu essaies de te persuader que tu l'as semée, mais ce n'est pas vrai du tout. Tu as dû lui dire quelque chose qui t'a paru anodin mais qui, pour elle, a certainement fait tilt. Elle a été assez astucieuse pour remonter jusqu'à toi, et pour moi la seule question est de savoir maintenant où elle est exactement. Tout près ou encore loin ? A quelques heures d'ici ou derrière la porte d'entrée ?

Les yeux de Martin se portèrent involontairement vers la porte, ce qui provoqua de nouveau le rire grinçant de son frère.

— Vois-tu, continua Douglas, le soleil sera à peine levé que je serai déjà loin. J'ai pensé que Finger Point serait un excellent point de départ pour renaître. Pour commencer une nouvelle vie. Nous avons pas mal de souvenirs qui flottent par ici, oserais-je dire. De toute façon, c'est ici que tout recommence pour moi. Retour à la case départ, et libre comme le vent.

— Comment cela ?

Douglas Jeffers désigna du doigt sa mallette.

— Mon nouveau moi se trouve à l'intérieur.

— Je ne comprends toujours pas, dit Martin.

— Il n'y a qu'une seule chose que tu dois comprendre, Marty, dit brusquement Douglas. Mon nouveau moi n'a pas de frère.

Les mots frappèrent Martin en plein cœur. Il éprouva une nausée et dut agripper les accoudoirs de sa chaise.

— Je ne te crois pas, dit-il. Tu ne pourras jamais.

— Ne sois pas ridicule, l'interrompit Douglas. Boswell pourra te rassurer : je n'ai jamais eu le moindre scrupule à tuer quelqu'un. N'est-ce pas, Boswell ?

Ils se tournèrent tous deux vers Anne Hampton. Elle acquiesça mécaniquement d'un signe de tête.

— Alors pourquoi hésiterais-je à éliminer mon propre frère ? Allons ! Le meurtre du frère est le plus ancien de tous. C'est même le premier de toute la série d'horreurs dont l'homme a le secret. Nous voulons tous nous tuer les uns les autres. Tu devrais savoir ça, toi qui es psy. Et puis, c'est le prix de ma liberté. Toi vivant, ce serait un fil à la patte, une espèce de cordon ombilical. Suppose que nous nous rencontrions par hasard dans la rue. Ou que tu voies mon portrait quelque part. Je ne serais jamais totalement sûr que cela ne puisse pas se produire. Et tu sais quoi ? J'étais prêt à prendre ce risque. Oui, jusqu'à ce que tu débarques ici, j'acceptais ce handicap. Mais quand je t'ai vu, j'ai compris que je m'étais trompé : je ne connaîtrais de véritable liberté que si tu disparaissais, Marty.

— Doug, tu ne parles pas sérieusement...

Martin Jeffers ne put achever. Il était stupéfait. Mais je suis venu ici pour le sauver ! pensa-t-il.

Avec une rapidité étonnante, Douglas traversa la pièce et poussa le canon de l'automatique contre la gorge de son frère.

— Tu ne sens donc pas la mort ? Tu ne la renifles pas ? Tu n'en sens pas le goût sur tes lèvres ? Tous la sentent, ne serait-ce qu'une fraction de seconde.

— Doug, je t'en prie...

Douglas s'écarta.

— La faiblesse me dégoûte. (Il regarda son frère.) J'aurais dû te laisser y aller. Tu serais mort, toi aussi.

Martin secoua la tête. Il savait à quoi Douglas faisait allusion.

— J'étais bon nageur. Aussi bon que toi, dit-il. J'aurais pu le sauver.

— Il ne méritait pas d'être sauvé.

Ils échangèrent un regard, leurs esprits emplis du même souvenir.

— C'était une nuit comme celle-ci, dit Martin.

— Je m'en souviens, dit Douglas, sa voix perdant de son tranchant au rappel d'un lointain passé.

— Il faisait chaud, et il a eu envie d'aller se baigner. Il nous a emmenés à la plage, mais tu m'as dit de ne pas me baigner, que ça pouvait être dangereux. Que le courant était trop fort.

— Il y avait eu une tempête quelques jours plus tôt, tu te rappelles ? Et le fond avait été bouleversé. Il faisait nuit, et il y avait du courant...

— C'est pour ça que tu ne voulais pas que j'y aille...

Douglas hocha la tête.

— Et ce salaud nous a traités de poules mouillées. Il a eu ce qu'il méritait.

Martin hésita.

— Nous aurions pu le sauver, Doug. Le courant n'était pas si fort que ça. Nous étions meilleurs nageurs que lui. Mais tu n'as pas voulu. Tu m'as retenu sur la plage pendant qu'il se débattait. Tu me tenais, et je l'entendais qui appelait au secours. Et tu m'as tenu jusqu'à ce qu'il arrête de crier.

Douglas sourit.

— Je suppose que c'était la première fois que je tuais quelqu'un. Bon Dieu, qu'est-ce que c'était facile !

Il regarda son frère.

— D'ailleurs, chacun à sa façon, tous mes meurtres ont été faciles.

— C'est là que tout a commencé pour toi ? demanda Martin.

Douglas haussa les épaules.
— Demande ça à Boswell. Elle a tout noté.
— Dis-le-moi, toi !
— Pourquoi ?
— J'ai besoin de savoir.
— Non, tu n'as pas besoin.
Martin se tut. C'était vrai. Il ne put toutefois s'empêcher de demander :
— Alors, que vas-tu faire ?
Douglas lui jeta un regard méprisant.
— Je te l'ai dit, Marty. J'aurais dû te laisser y aller cette nuit-là. Vous vous seriez noyés tous les deux. C'est ça qui serait arrivé. Sais-tu que ce fut la dernière fois que j'ai témoigné de la pitié envers quelqu'un ? Non, je suppose que tu ne le sais pas. J'ai pris soin de toi cette nuit-là. J'ai tenu bon, malgré tes cris et tes efforts pour te libérer. Je ne t'ai pas laissé aller dans l'eau pour sauver ce salaud. Je t'ai sauvé la vie. Grâce à moi, tu as pu vivre toutes ces années. Mais c'est fini, maintenant. Je ne t'épargnerai pas une deuxième fois. Tu as couru toi-même au-devant de ta propre mort, et je n'ai plus que le petit coup de pouce final à donner. Peut-être que tu aurais pu le sauver. Il ne le méritait pas, mais admettons que tu aies réussi. Tu aurais été drôlement fier d'avoir fait ça, n'est-ce pas ?
Il marqua une pause.
— Mais tu n'en as pas eu l'occasion.
Il toisa son frère.
— Et tu ne l'auras jamais plus.
Il leva son arme, visa la tête de Martin.
— Romantique comme tu l'es, tu dois te dire qu'on ne tire pas comme ça sur son frère, dit Douglas d'une voix glacée. Eh bien, tu te trompes...
Il fit feu.

L'écho de la détonation se répercuta à travers le bras de mer, et Mercedes courut jusqu'au bord de l'eau pour scruter la nuit, sachant que le coup de feu provenait de la maison juste en face de l'endroit où elle se tenait. Les vaguelettes clapotaient à ses pieds. A l'idée de ce qui devait se dérouler là-bas, elle se sentait devenir folle.
Elle regarda l'eau, emplie d'une rage impuissante. Je ne sais pas nager ! Oh Dieu, je ne sais pas !

Ce n'est peut-être pas profond, essaya-t-elle de se persuader.

Mais elle savait que ce n'était pas vrai, qu'il devait y avoir plusieurs mètres de fond sur presque toute la largeur.

Elle entra dans l'eau et frissonna violemment. Ce gouffre noir devant elle lui donnait le vertige. Elle recula, se tourna vers l'entrée du chemin par lequel elle était venue. Trop long, pensa-t-elle. Pas le temps. Je suis à une centaine de mètres du but, mais c'est comme si tout un continent nous séparait.

Sa détermination n'en demeurait pas moins entière, ce qui ne faisait qu'accroître son désespoir. Je ne sais pas comment, mais j'arriverai jusque là-bas.

Elle regarda le long de la berge et aperçut à la lueur de la lune une forme sombre et oblongue couchée dans le sable à une cinquantaine de mètres de là. Elle avança d'un pas hésitant en direction de la silhouette. Une barque ? Elle se retrouva malgré elle à courir, et cela d'autant plus vite qu'à mesure qu'elle se rapprochait le doute n'était plus permis.

J'arrive, pensa-t-elle. Merci, merci.

Mais quand elle parvint à l'embarcation, elle s'arrêta net.

Il n'y avait ni moteur ni avirons. Juste un petit mât, sans voile. Et une chaîne cadenassée la retenait à un lourd piquet.

Elle se laissa choir sur le sable, le souffle court et les larmes aux yeux. Elle jouait de malchance, et juste au moment où elle vivait la situation peut-être la plus dramatique de sa vie.

Elle regarda de l'autre côté de l'eau. Il va s'en tirer, se dit-elle, le cœur battant. J'étais si près du but. Jamais plus je ne pourrai le rattraper. J'ai perdu.

Elle se releva et s'assit sur le plat-bord de la barque. Elle sentait le découragement peser de plus en plus sur elle. La lune baignait d'une lumière pâle la petite embarcation et, alors qu'elle baissait les yeux, elle distingua une forme claire sous le bordage avant.

Elle tendit la main et sentit sous ses doigts la texture de plastique d'un boudin de sauvetage. Il était muni de deux anses de chaque côté. Elle les serra dans ses mains tremblantes.

Elle porta son regard vers la maison, où elle savait que Douglas Jeffers s'apprêtait à partir, à lui échapper à jamais. C'est ton unique chance, se dit-elle. Puis elle contempla l'eau devant elle, noire, profonde. Elle pensa à sa nièce, et elle se rappela avec quelle aisance la jeune fille évoluait dans la piscine. Elle se souvint également de la vague qui avait déferlé sur elle alors qu'elle était enfant, et de la promesse qu'elle s'était faite alors de ne plus jamais se baigner. Elle avait tenu parole, même en grandissant. Elle se rappela enfin tous les cauchemars que lui avait valus cette terrifiante mésaventure. Au souvenir de ces terreurs anciennes, son corps se mit à trembler.

Je ne pourrai jamais, se dit-elle.

Mais elle avança vers l'eau, coinça son arme sous la large ceinture de son jean et passa les bras dans les anses du flotteur.

Elle sentit l'eau lui monter aux genoux mais, malgré sa répulsion, elle continua d'avancer.

Pendant une vingtaine de mètres, elle sentit le fond sous ses pieds, et elle fut rassurée. Mais soudain, alors qu'elle s'attendait à poser de nouveau le pied sur le tapis d'algues, elle ne trouva rien d'autre que de l'eau, et la panique s'empara d'elle. Continue, continue, s'encouragea-t-elle.

Elle se mit à brasser l'eau de ses bras et à battre fermement des pieds.

Tu peux y arriver, se dit-elle avec un fol espoir.

Une vaguelette lui gifla le visage.

Cela lui fit perdre l'équilibre, et elle se retourna sur le dos. Elle se débattit, essayant de retrouver sa position sur le ventre, mais ses mouvements désordonnés ne firent qu'aggraver son balancement. Le flotteur semblait vouloir lui échapper, et elle avait beau l'agripper de toutes ses forces, elle se sentait couler. Une autre vaguelette s'abattit sur sa tête, et elle en eut le souffle coupé.

Elle ne savait plus où était le haut et où était le bas. L'eau la submergeait presque entièrement à présent, et seul le flotteur lui permettait de temps à autre de sortir la tête pour prendre une inspiration. Elle avait l'impression que ses poumons allaient éclater. Dans un dernier sursaut d'énergie, elle parvint à serrer le flotteur contre sa poitrine et, malgré la peur intense qui la faisait se débattre, elle s'imposa de ne plus bouger.

Alors, soudain, pour la première fois, elle sentit le flotteur la soutenir, et elle put respirer plus calmement.

Pendant un moment elle se laissa flotter, savourant la sensation d'être portée, s'accoutumant peu à peu à ce contact fluide qui la révulsait tant. Elle regarda vers la maison. Elle lui parut plus proche.

— J'arrive, parvint-elle à articuler entre ses dents serrées.

Cette parole eut pour effet de dissiper ses dernières appréhensions. Elle se remit à battre doucement des pieds et des bras.

Alors qu'elle avançait lentement, elle vit un spectacle extraordinaire : six cygnes, tels six fantômes ailés sous la lumière spectrale de la lune, passèrent au-dessus d'elle dans le chuintement puissant de leurs ailes. Elle les regarda disparaître insensiblement dans le noir, juste au-dessus de la maison.

— J'arrive, Susan, dit-elle tout haut dans une espèce de délire.

Elle se remit à battre des pieds plus fort, tout son être tendu vers le rivage, et le destin qui l'y attendait.

— Tu vois que c'est facile, dit Douglas d'une voix métallique.

Martin écarquillait les yeux, plus stupéfait que terrifié. Il sentait l'odeur de la poudre, et la détonation résonnait encore à ses oreilles. Il n'osait pas se retourner pour voir où la balle avait frappé le mur. Sans doute à une trentaine de centimètres au-dessus de sa tête.

— Maintenant, tu sais, ajouta Douglas.

Quoi donc ? pensa Martin. Mais il s'abstint de tout commentaire.

Douglas se tourna vers la baie vitrée et contempla la mare. Martin respira profondément, comme pour s'assurer qu'il était encore en vie. Il observa son frère. Il a raison, songea-t-il. Il n'a pas le choix.

— Je ne dirai rien, dit-il soudain.

— Oh, que si, tu parleras, répliqua Douglas avec un reniflement de mépris. Tu y seras contraint, Marty. Ils t'obligeront. Tu t'en feras toi-même un devoir.

— On sait garder les secrets dans ma profession.

— Mais ceci déborde du cadre de ta profession.

— Combien de familles ont jalousement gardé le secret sur de sombres drames ! La littérature regorge d'histoires semblables. Pourquoi ne pas...

— Allons, Marty, ne rêve pas, l'interrompit Douglas en grimaçant un sourire. Et puis, poursuivit-il, ta vie en serait trop affectée. Penses-y. Personne ne pourrait garder pareil secret. Cela te rongerait, lentement, inexorablement. Tu finirais par craquer. Tu en parlerais. Et elle me retrouverait.

— Non.

— Si. Il ne faut jamais sous-estimer le désir de vengeance.

Martin garda le silence. Son frère avait raison. Aussi n'avait-il plus qu'une dernière question à poser. Une question si radicale que la formuler était en soi une chose terrifiante :

— Alors, tu vas me tuer ?

Douglas continua de contempler la nuit, sans rien dire.

— Et Boswell aussi ? demanda Martin.

Le même silence.

Nous approchons du dénouement, pensa Anne Hampton qui observait les deux frères. Il n'a plus besoin de personne. Sa vie passée est consignée dans mes blocs-notes. Une existence nouvelle commence pour lui.

Elle s'efforça de reprendre le contrôle de son corps. Cours ! se dit-elle. Fuis ! Je sais que je peux. Elle serra les dents et les poings. Elle regarda ses mains et remarqua les jointures blanchies par l'effort. Tu es en vie ! criait une voix en elle. Elle contempla de nouveau les deux frères et, lentement, se dit à elle-même : mon nom est Anne Hampton. J'ai vingt ans et je suis inscrite à l'université de l'Etat de Floride. J'ai une maison dans le Colorado, et je fais des études littéraires parce que j'aime les livres. Je suis moi.

Je suis moi, se répéta-t-elle plusieurs fois.

Martin observait son frère. Il était empli de terreur à l'idée de ce que Douglas allait faire et désespéré en même temps de le savoir un tueur.

— Doug, pourquoi est-ce toi qui es devenu comme ça, et pas moi ?

Douglas haussa les épaules.

— Qui peut le savoir ? Peut-être est-ce la différence d'âge. Il suffit de quelques mois de plus pour que l'on voie les choses différemment. C'est comme quand on demande à dix personnes de décrire l'événement dont elles viennent toutes d'être témoins. On obtient dix versions différentes. C'est pareil pour les gens. Je ne suis peut-être qu'une version pervertie de toi-même.

— Je suis désolé, dit Martin.

— Va te faire foutre, petit frère, rétorqua Douglas. Penses-tu que j'aimerais être différent de ce que je suis ?

Il se tourna pour regarder Martin.

— Je suis un grand homme dans mon genre.

Il fit un signe de la main vers Anne Hampton.

— Elle peut te le dire. Mais toi, ajouta-t-il en reportant son regard sur son frère, tu ne laisseras jamais ton nom à la postérité.

Douglas Jeffers était en lutte avec lui-même, et il s'efforçait de cacher le conflit qui le déchirait par les paroles les plus dures. C'est foutu, pensa-t-il. Tout allait bien jusqu'à ce qu'il débarque ici. Il n'était censé apprendre la vérité qu'après que j'aurais disparu. Saleté de flic ! Il tournait le dos à son frère pour que celui-ci ne voie pas l'indécision qui marquait ses traits. Les souvenirs d'enfance affluaient sans qu'il puisse les repousser. Il se souvint de cette nuit dans le New Hampshire, et de toutes les autres qu'il avait passées aux côtés de son frère, à le réconforter du mieux qu'il le pouvait. Est-ce qu'il se rappelle ? se demanda-t-il. Se souvient-il de ces histoires que je lui contais, ne le quittant que lorsqu'il s'était endormi sans crainte ? Et la nuit où je l'ai cloué sur le sable pour qu'il n'aille pas au-devant de sa propre mort. Ce salaud nous aurait laissés crever comme des chiens s'il avait osé. J'ai protégé Martin. Je l'ai toujours protégé, même quand je le taquinais ou me moquais de lui. Même quand j'ai su ce que je devenais. J'ai toujours pris soin de lui parce qu'il représente le bien en moi. Il rit intérieurement : ils se trompent, pensa-t-il. Même les psychopathes ont des émotions, il suffit de creuser un peu plus profond.

Et s'ils avaient raison ? Si nous étions véritablement dénués de tout sentiment humain ?

Sur la balance, il y avait sa vie contre celle de son frère.

L'un de nous deux doit naître ce soir.

L'autre doit mourir.

Il ne voyait pas d'autre alternative.

Il contempla la nuit au-dehors.

— Tu sais, j'ai aimé tous ces étés que nous avons passés ici, dit-il. C'était tellement beau et sauvage à la fois.

Une tache blanche s'éleva soudain de l'eau, et il vit un vol de cygnes passer devant la maison.

— Tu as remarqué ? dit-il. Rien n'a changé. Même les cygnes sont encore là.

— Tout change, rien ne reste pareil, dit Martin.

Mais Douglas ne l'entendit pas, car son attention venait brusquement d'être attirée ailleurs.

Il eut l'impression de recevoir un coup dans l'estomac. Il se figea, les yeux fixés sur la forme qui se débattait dans l'eau. Pendant un bref instant, il se demanda ce que ça pouvait être. Puis, tout à coup, il sut.

Elle était là !

Il pivota et pointa son arme en direction de son frère.

— Boswell ! La corde et le sparadrap ! Vite !

Docilement, Anne Hampton se saisit de la sacoche qui contenait l'équipement et la lui tendit.

— Marty, je te conseille de ne rien tenter. Allonge les bras, que je puisse t'attacher.

Martin, soudain rempli d'appréhension, s'exécuta malgré lui, comme tout jeune frère l'aurait fait. Il sentit la corde lui enserrer fortement les poignets. Il n'eut pas le temps de se plaindre : avec une dextérité stupéfiante, Douglas le bâillonna d'une large bande de sparadrap. Il leva les yeux pour exprimer qu'il ne voulait pas mourir attaché comme une bête, mais son frère était trop occupé pour croiser son regard.

— Boswell ! Ne bougez pas d'où vous êtes. Quoi qu'il arrive, ne bougez pas !

Anne Hampton s'immobilisa et attendit.

Douglas jeta un bref coup d'œil autour de lui, puis il se glissa par la porte donnant sur la véranda et disparut dans la nuit.

Un immense soulagement l'envahit quand elle sentit le fond sous ses pieds.

Elle se redressa, ruisselante, et leva les yeux vers le ciel, comme pour le remercier. Elle avança dans l'eau en essayant de faire le moins de bruit possible puis se jeta à plat ventre sur la plage. Elle sentit le sable sous ses doigts, sec, solide. La première matière à l'accueillir sur la terre ferme. L'espace d'une seconde, elle éprouva une joie intense.

Puis elle reprit conscience du danger. Le plus dur est à venir, se dit-elle.

Cassée en deux, elle remonta la plage étroite en se dissimulant derrière les buissons de genêts. Elle voyait les lumières de la maison mais n'apercevait personne de l'endroit où elle se tenait. Elle dégagea son revolver de sa ceinture et se remit en mouvement.

Il lui semblait que la nuit était vivante autour d'elle. Elle percevait parmi les broussailles les trottinements de quelque petit animal nocturne fuyant à son approche. D'un peu partout montait le chant incessant des criquets.

Quand elle fut proche de la maison dressant sa silhouette trapue dans l'obscurité, elle s'arrêta pour vérifier que son arme était prête, le cran de sûreté ôté, une cartouche engagée dans le canon. N'hésite pas, se dit-elle pour la millième fois. Tire dès que tu peux.

Elle tendit l'oreille, mais aucun bruit ne venait de la maison. Elle se remit à avancer lentement, prudemment. La mort ne se presse jamais, pensa-t-elle. Elle marche à son pas.

Elle atteignit une véranda en bois et risqua un coup d'œil. La porte était ouverte, comme pour une invitation, mais elle ne pouvait voir par la baie vitrée s'il y avait quelqu'un dans la pièce de séjour.

Elle longea la véranda jusqu'au petit escalier de planches et commença à gravir les marches avec précaution en espérant qu'elles ne grinçaient pas. Puis elle se plaqua contre le mur et, l'arme tenue à deux mains, elle se glissa jusqu'à la porte. Elle était surprise de ne pas éprouver d'angoisse. Elle se sentait comme ces comédiens qui suent dans les coulisses mais retrouvent toutes leurs facultés une fois sur scène.

Elle prit une profonde inspiration puis, lentement, elle risqua un coup d'œil à l'angle de la porte.

Elle éprouva une brusque confusion. Martin Jeffers était assis ligoté et bâillonné face à la baie. Une jeune femme se tenait debout, aussi immobile qu'une statue. Le frère n'était visible nulle part. D'un pas hésitant, elle avança.

C'est alors qu'une voix résonna dans son dos.

— Par ici, inspecteur.

Elle n'eut même pas le temps d'avoir peur.

Je suis morte, pensa-t-elle.

Mais elle pivota sur elle-même tout en se mettant en position de tir. Elle distingua une vague silhouette au coin de la véranda, puis tout explosa devant elle tandis que Douglas faisait feu.

La force de l'impact sur son genou droit lui faucha la jambe, et elle tomba à la renverse à l'intérieur de la pièce. Son arme lui échappa des mains sous le choc et glissa sur le plancher.

Elle ferma les yeux et pensa : j'ai échoué.

— C'est elle, Marty ? demanda une voix au-dessus d'elle.

Elle rouvrit les yeux. Douglas Jeffers se tenait sur le seuil.

— Boswell, ordonna-t-il, enlevez son bâillon à mon frère pour qu'il puisse répondre.

Il abaissa son regard sur Mercedes.

— Inspecteur, je vous tirerais volontiers mon chapeau, si j'en avais un.

Holt Overholser jurait comme un charretier alors que le Ford bringuebalait sur le chemin de terre. Il faillit s'en retourner chez lui quand il parvint à la croisée des chemins menant aux propriétés. Bon Dieu, se demanda-t-il, c'est lequel ? Sans doute la flèche bleue. Il se promit de contacter tous les propriétaires du bord de la mare et de les informer que, pour des raisons de sécurité, ils devaient inscrire leurs nom et adresse à l'entrée de toutes les voies conduisant chez eux. Non mais, des fois, grogna-t-il.

Depuis qu'il était parti, il s'était demandé ce qu'il lui avait pris de filer comme ça en pleine nuit.

Quelle raison tu as de venir emmerder tous ces privilégiés chez eux ? Bon Dieu, j'espère que personne ne saura rien de ta petite excursion. Tu ferais mieux de rentrer, maintenant.

Il continua d'avancer.

Quand il sortit du bois et parvint en vue de la mare, il se sentit mieux.

— Ma foi, il n'est pas si tard, murmura-t-il, et s'il n'y a rien d'anormal elle appréciera certainement ton inquiétude à son égard. Bon Dieu, c'est un flic, elle comprendra.

Il rit.

— Peut-être, ajouta-t-il.

Il arrêta la voiture, coupa le moteur et sortit dans la nuit étoilée.

— Espérons que tu ne t'es pas trompé, dit-il, sinon, mon vieux Holt, tu auras l'air d'une belle andouille.

Il allait remonter en voiture quand il entendit la détonation.

— Qu'est-ce que c'est que ça ? Ça m'a tout l'air d'être un coup de feu ! Bon Dieu de bon Dieu, qu'est-ce qu'il se passe ici ?

Il sauta dans le Ford et fonça en direction de la maison.

Martin Jeffers ne lui demanda pas comment elle avait fait pour les trouver. Il dit seulement ce qui lui venait à l'esprit :

— Je suis désolé, Merce. (Il s'aperçut que c'était la première fois qu'il l'appelait par son prénom.) Je suis désolé que vous nous ayez retrouvés.

— C'était bien joué, vraiment très bien joué, intervint Douglas, mais dites-nous comment vous avez fait ?

— Quelque chose que l'un d'entre eux a dit, répondit-elle d'une voix faible.

— L'un de qui ?

Martin Jeffers répondit à la place de Mercedes.

— Elle a dû parler à mon groupe. Ce sont eux qui m'ont donné l'idée de venir ici.

Douglas regarda son frère.

— Nous sommes tous des Garçons Perdus, dit-il.

Mercedes était à l'agonie. Elle aurait aimé dire à ce monstre tout ce qu'elle pensait de lui, mais la douleur était telle qu'elle ne pouvait même pas retenir ses larmes. La balle lui avait fracassé le genou, et le moindre mouvement lui arrachait une grimace. J'ai essayé, et j'ai perdu, songea-t-elle de nouveau. Pourtant, j'ai fait de mon mieux.

Douglas pointa son arme sur elle.

— C'est comme abattre un cheval avec une patte cassée.

Il hésita.

— Je vous donne quelques secondes, le temps de vous préparer.

Elle ferma les yeux, pensa à Susan, à son père, à John Barren. Je suis désolée, dit-elle, je suis terriblement désolée. J'aurais aimé vous dire au revoir à tous, mais je n'ai pas le temps. Elle espéra qu'il existait un paradis où elle pourrait tous les retrouver. Elle serra les poings et se dit : je suis prête.

L'explosion l'assourdit.

Un voile noir passa devant ses yeux. Ça y est, je suis morte, pensa-t-elle.

Puis elle réalisa que non, qu'elle n'aurait pas encore si mal à la jambe si c'était le cas. Elle rouvrit les yeux et vit Douglas qui se tenait au-dessus d'elle, son revolver toujours pointé sur elle mais non déchargé.

Soudain il recula lentement d'un pas, puis d'un autre. Mercedes chercha frénétiquement des yeux et aperçut la jeune femme qui se trouvait non loin de là, le 9 mm à la main.

— Boswell... dit Douglas d'une voix remplie de stupeur. Ça alors...

Il abaissa son regard sur sa chemise qui commençait à se tacher de sang.

La balle lui avait traversé le côté droit, au niveau de la taille. Il vit tout de suite qu'il s'agissait d'une blessure légère.

En même temps il savait qu'elle signifiait pour lui la mort. Je ne peux pas aller dans un hôpital, entrer dans la salle des urgences et demander qu'on me soigne sans poser de questions. Il fut frappé par une évidence simple, terrible : c'est fini. Il a suffi d'un coup de feu tiré maladroitement par une enfant terrorisée pour que tout soit fini, pour que le voyage s'arrête ici.

— Boswell, dit-il doucement, vous m'avez tué.

Il leva son arme et la pointa sur Anne Hampton.

Elle poussa un hoquet de stupeur, et le revolver de Mercedes lui échappa des mains pour tomber par terre avec fracas. Elle ne bougea pas, attendant que la mort surgisse du canon pointé comme un long doigt noir vers son visage. J'ai essayé, pensa-t-elle. J'ai essayé.

Mercedes vit la jeune femme immobile, comme hypnotisée. Elle vit Douglas viser, prêt à faire feu. Ce fut alors comme si tout ce qu'elle avait enduré ces derniers mois se concentrait en cette seconde, et sa mémoire et le désespoir s'allièrent contre la douleur. Elle se mit à ramper vers le meurtrier en criant :

— Susan ! Fuis ! Je te sauverai !

Et cette fois elle savait qu'elle en était capable. Elle continua de ramper avec toute la force qui lui restait. Elle tendit la main vers la jambe du meurtrier pour s'y agripper, le déséquilibrer.

— Sauve-toi ! cria-t-elle de nouveau, insensible à la douleur qui lui crucifiait la jambe. Susan, gémit-elle, en jetant ses mains devant elle, ongles raclant le plancher, dans une tentative désespérée d'atteindre l'homme qu'elle traquait depuis si longtemps.

Martin bondit alors de sa chaise, hurlant :

— Non ! Non !

Il avait toujours ses mains entravées, et il trébucha, tomba sur un genou. Mais il se releva et se jeta devant Anne Hampton tandis que Douglas retardait étrangement l'instant de presser la détente.

Martin se tourna vers son frère.

— Non, Doug, dit-il. Ça suffit.

Les deux frères se regardèrent. Martin vit la lueur sauvage dans les yeux de Douglas se réduire soudainement comme la flamme d'une bougie sous un courant d'air.

— Je t'en supplie, dit-il.

Douglas recula d'un pas, l'arme toujours pointée sur Martin et la jeune fille. Il jeta un coup d'œil à Mercedes qui continuait de ramper par terre.

— Je t'en supplie.

Il lui sembla que la voix de son frère remontait de l'enfance, de toutes ces fois où Marty l'avait appelé à son secours.

Douglas Jeffers hésita de nouveau. Il porta la main à son flanc droit et sentit le sang lui poisser les doigts. Il entendit Martin supplier de nouveau.

Alors il se détourna et disparut par la porte de la véranda.

Holt Overholser arrivait à hauteur de la maison quand il vit un homme sortir en courant sur la véranda et sauter les marches de bois. Il brancha instinctivement le gyrophare. Tandis qu'il arrêtait brutalement le Ford, il vit l'homme se retourner dans sa direction et se mettre en position de tir.

— Bon Dieu ! fit Holt en plongeant sous le tableau de bord en même temps que le pare-brise volait en éclats. Sainte Mère !

Il chercha d'une main tremblante son Colt en se demandant avec angoisse s'il avait pensé cette année à le charger.

Il n'avait pas le temps de vérifier. Brandissant l'arme, il se glissa du véhicule et tira quatre coups de feu en direction du fuyard. La première balle frappa le capot du Ford avec un miaulement de chat. La deuxième fit voler la poussière du sol à dix mètres devant lui. La troisième toucha la maison dont il était venu sauver les occupants. La quatrième se perdit dans la nuit.

— Bon Dieu ! jura Holt en s'efforçant de se rappeler ce qu'on lui avait enseigné.

Il prit enfin la position adéquate, les jambes écartées, les bras tendus, les deux mains sur l'arme, prêt à tirer.

Mais il n'y avait plus personne sur qui tirer.

Il se précipita vers la maison. Si ce genre d'incident s'était fréquemment produit à Tisbury, il aurait su quoi faire exactement. Pour le moment, il n'avait jamais vu de fusillade entre gangsters et policiers qu'au cinéma. Aussi courut-il vers la porte d'entrée sans prendre d'autre précaution que de braquer son arme devant lui.

Ce qu'il découvrit ne fit qu'accroître sa confusion.

Anne Hampton avait détaché Martin Jeffers, et tous deux s'occupaient d'allonger Mercedes sur le canapé.

— Bon Dieu de bon Dieu ! grogna Holt.

Anne Hampton lui désigna la porte de la chambre.

— Les Simmons sont là-dedans, dit-elle. Aidez-les.

Holt s'élança comme s'il allait enfoncer la porte d'un coup d'épaule. Il vit la famille ligotée et poussa un hoquet. Il se pencha pour libérer M. Simmons.

— Je vous laisse les détacher, dit-il, avant de repartir en courant dans le salon, où Anne Hampton et Martin Jeffers portaient les premiers soins à Mercedes.

Holt vit le téléphone. Il décrocha le combiné et composa le 911. La voix de Lizzie Barry lui répondit. Elle lui parut scandaleusement calme.

— Police, pompiers, urgences, dit-elle.

— Bon Dieu, Lizzie, ici Holt. Je suis dans une situation incroyable. On m'a tiré dessus ! Je...

— Holt, l'interrompit Lizzie sans se départir de son calme. Où te trouves-tu exactement ?

— Bon Dieu, j'aurais pu être tué ! Je suis à Finger Point !

— Très bien, Holt, garde ton sang-froid. C'est une urgence ?

— Bon Dieu de bon Dieu, Lizzie, et comment que c'en est une !

— D'accord, d'accord, dit-elle. J'appelle la police. Tu as besoin d'une ambulance ?

— Bien sûr qu'il faut une ambulance ! Qu'est-ce que tu crois ? Préviens tout le monde, bon Dieu !

— D'accord, Holt. J'appelle.

Lizzie Barry contacta la police de Vineyard, les pompiers de Tisbury et les gardes-côtes de South Beach. Un moment plus tard, les premières sirènes déchiraient le silence de l'île.

Martin Jeffers et Anne Hampton étaient assis à côté de Mercedes.

— Vous tiendrez le coup ? demanda la jeune fille. Les secours ne vont pas tarder.

Mercedes appuya sa tête contre l'épaule d'Anne. Elle acquiesça faiblement. Martin regarda Holt Overholser et ne put s'empêcher de sourire en voyant l'émoi dans lequel le pauvre homme était plongé.

Il tourna la tête vers les deux femmes et rencontra leurs regards. Tous trois se sourirent.

— Le cauchemar est enfin terminé, dit Anne.

Les autres hochèrent la tête, et Martin ne put retenir ses larmes. Mercedes et Anne se joignirent à lui, mais ce n'étaient plus des larmes de douleur. C'étaient des larmes d'un immense soulagement.

Holt Overholser les regarda, assis tous les trois sur le canapé. Il pensa d'abord qu'ils étaient sous le choc de ce qui venait de se passer puis qu'avec une blessure pareille l'inspecteur resterait boiteuse toute sa vie. Il ne savait pas qu'il en serait de même pour les deux autres.

Douglas Jeffers ignora les coups de feu du policier et courut sur la plage en direction des embarcations qu'il savait amarrées à une centaine de mètres plus loin. Il vit deux dériveurs hissés sur le sable et un canot pneumatique équipé d'un petit moteur hors-bord. Il remonta l'ancre du canot, sauta à bord et tira le cordon du démarreur. Au deuxième essai, le moteur démarra. Il donna des gaz et quitta la berge.

Le bruit était aigu, mais il n'y pouvait rien, pensa-t-il.

Il dirigea le canot vers l'endroit où la mare était la plus proche de l'océan, là où les vagues déferlaient sur la plage, à une cinquantaine de mètres seulement des eaux calmes du bras de mer.

J'aurais pu les tuer tous.

Il sourit. Ils le savent.

Tout en barrant la petite embarcation, il vérifia le chargeur de son revolver. Le bruit de l'océan se faisait plus fort. Il pointa l'avant du canot vers la plage et sentit le sable crisser sous l'enveloppe de caoutchouc.

Il coupa le moteur, se leva et sauta du canot.

Exactement comme il le faisait, enfant.

Il resta immobile pendant un instant, presque fasciné par le spectacle et le son des vagues se brisant sur la plage. C'était si fort, si éternel.

Il se pencha et empoigna le canot par la proue, le tira de l'eau. L'effort lui arracha une grimace de douleur, et il parut soudain se rappeler qu'il était blessé.

Il haussa les épaules.

Il continua de tirer le canot à travers le sable.

Je n'aurais jamais pensé qu'elle aurait le cran de le faire. Il se sentait curieusement fier d'elle. J'ai toujours su qu'elle avait de la force. Elle n'avait pas encore trouvé sa voie, voilà tout.

Le canot crissait sur le sable.

Des images lui venaient de tous les endroits où il avait été, de toutes les photos qu'il avait prises. Personne ne pouvait m'égaler, pensa-t-il.

Il tira le canot vers l'écume qui frangeait la plage.

Mes photos étaient toujours les meilleures. Je saisissais toujours le bon moment. Elle étaient criantes de vérité. Elles racontaient une histoire.

Il se laissa choir à genoux dans l'eau en se tenant le côté. La tête lui tournait.

Ça fait mal, Marty. Ça fait mal.

Il se secoua. Continue. Il se releva et se remit à tirer le canot qui dansait maintenant sur l'eau. Il aperçut une grosse vague se former devant lui, et il courut à sa rencontre, entraînant l'embarcation avec lui. Ils furent soulevés par la vague et retombèrent de l'autre côté. Il se hissa alors dans le canot et démarra le moteur. Il eut juste le temps de présenter la proue à la vague suivante. Il donna des gaz et franchit le rouleau.

L'instant d'après, il avait franchi la barrière des vagues, et il se dirigea tout droit vers le large, laissant derrière lui la masse sombre de la terre.

Le No Man's Land, pensa-t-il. J'ai toujours voulu entrer dans le No Man's Land. Il leva la tête et vit la lune.

Il songea à son frère, à sa mère, la nuit où elle les avait abandonnés. Il se souvint d'avoir levé les yeux vers le ciel comme il venait de le faire. Il se rappela leur beau-père.

— J'arrive, salaud ! hurla-t-il. J'arrive !

Il porta une nouvelle fois la main à son flanc. La douleur était intense.

La terre était loin, et il ferma les yeux. Le bruit du moteur finissait par l'endormir, en même temps que le berçait le balancement du canot sur la houle. Je suis las, si las, se dit-il.

Il coupa le moteur et laissa le canot dériver, écoutant le clapotis de l'eau contre la coque et le doux chuintement de la brise soufflant vers la côte. Il ne souffrait plus et se sentait étrangement calme.

Il sortit son revolver de sa ceinture et visa le fond du canot. Il tira sept fois.

L'eau bouillonna entre ses pieds, envahissant rapidement l'embarcation, l'étreignant dans sa fraîcheur.

C'est bon, se dit-il avec une voix d'enfant. C'est doux.

Il tendit les bras vers la mer couleur d'encre.

ACHEVÉ D'IMPRIMER
SUR LES PRESSES
DE L'IMPRIMERIE S.E.G.
33, RUE BÉRANGER
CHATILLON-SOUS-BAGNEUX

Numéro d'éditeur : 5681
Numéro d'impression : 4102
Dépôt légal : juillet 1988